Opgejaagd

Boeknummer 1875

Emlyn Rees
Opgejaagd

2013
Uitgeverij XL
Leidschendam

Donderdag

Een

De slanke blonde vrouw die naast kolonel Zykov achter in de zwarte, Londense taxi zat, was half zo oud als hij en twee keer zo mooi, vond hij, als zijn vrouw ooit was geweest. Hij stapte uit de auto de zwoele juniavond in en reikte haar de hand.
'Een echte heer,' zei ze, terwijl ze haar in een zwarte handschoen gestoken vingers in de zijne vlocht.
Ze heette Hazel. Een Schotse. Uit Glasgow, had ze verteld, toen ze cocktails dronken in de trendy bar die ze zojuist hadden verlaten. Zykov was nog nooit in die verre, noordelijke Britse stad geweest, maar iets in het accent van dit meisje voerde hem terug naar Oost-Europa en gaf hem een vertrouwd gevoel.
Hij betaalde de taxichauffeur en leidde Hazel naar de fel verlichte ingang van zijn flat, door de glazen draaideur en via de glanzende marmeren hal naar de lift. Hij toetste een toegangscode in het beveiligingspaneel in. De stalen deur van de lift gleed soepel open.
'Dames gaan voor,' zei hij.
Ze verroerde zich niet. In plaats daarvan zei ze: 'Als we boven zijn, ga ik iets heel bijzonders voor je doen.

Maar dan wil ik dat jij eerst wat voor mij doet...'
'Wat dan?'
'Je kantoor bellen. Om te zeggen dat je morgen niet naar je werk gaat. Dat je een dagje vrij neemt.' Ze glimlachte.
'Waarom?'
'Omdat ik niet aan onenightstands doe.' Haar lippen raakten nu bijna zijn mond; hij kon de champagne en kirsch in haar adem ruiken. 'Dan kunnen we morgen lekker uitslapen. En daarna neem je me mee voor een hele dure lunch.'
Eerst dacht hij dat ze hem voor de gek hield. Maar toen de liftdeur dichtging, verzette ze nog steeds geen voet.
Hij hield de knop van de lift ingedrukt. Hij had zo veel moeite gedaan voor deze verovering, dat hij niet het risico wilde lopen haar nu te verliezen. Hij pakte zijn mobiel, toetste een nummer in en liet een bericht achter op de voicemail van zijn secretaresse.
Meteen nadat hij dat had gedaan, gaf ze hem een vluchtige, zachte kus. Daarna deed ze een stap naar achteren en giechelde aangeschoten, duidelijk tevreden omdat ze haar zin had gekregen.
Haar gekir klonk buitengewoon charmant, moest hij toegeven, maar hij wilde niet dat het de boventoon zou voeren die nacht. Hij hoopte maar dat ze niet te veel gedronken had. Het soort seks waar hij

op uit was, zou vluchtig noch zacht zijn. De kans was zelfs groot dat deze jonge Schotse vrouw er helemaal niet van zou genieten.

Nadat ze in de lift waren gestapt, drukte hij op de knop waarop PENTHOUSE stond, en het deed hem deugd de glimlach van de carrièrevrouw die haar buit binnen heeft op Hazels lippen te zien verflauwen.

Die blik had hij in de loop der tijd bij heel wat vrouwen gezien. Macht en rijkdom, had hij lang geleden al ontdekt, waren de sterkste afrodisiaca. Vooral bij jongere vrouwen.

Het penthouse was oorspronkelijk bestemd voor de onderambassadeur, maar de man die deze functie nu bekleedde, was een getrouwde voetbalfanaat die met zijn gezin in de nabijgelegen wijk Chelsea woonde. Zykov had dus geluk gehad. Als militair attaché van de Russische ambassade in Londen werd hij belangrijk genoeg gevonden om daar te mogen wonen.

Hij ving een glimp op van zijn spiegelbeeld in de glaswand van de lift. Door het diepe litteken in zijn rechterwang – een herinnering aan een steekpartij in een Moskouse *elektritsjka* toen hij nog een jongen was – zag hij er helemaal uit als een beest naast deze jonge schoonheid.

Hij had haar drie dagen geleden ontmoet in zijn favoriete lunchcafé, op de hoek van de ambassade in Kensington Palace Gardens. Het was een warme dag. Ze droeg een dunne, witte blouse en geen beha, had hij tot zijn genoegen opgemerkt, waardoor haar pronte borsten zich verleidelijk aftekenden door de bijna doorzichtige stof. Ze had Zykov betrapt toen hij naar haar loerde. Teleurgesteld moest hij de andere kant op kijken.

En daar zou het bij gebleven zijn, had hij gedacht. Ware het niet dat er een dief in het spel kwam. De zwerver met baard was dronken of had drugs gebruikt. Angstig om zich heen kijkend was hij het café binnengelopen en naar Hazel gestrompeld om haar handtas van de tafel te roven.

In feite had Zykov niets gedaan. Hij mocht dan militair zijn, hier in Londen had hij een diplomatieke functie. Wat inhield dat hij zich niet in binnenlandse aangelegenheden mocht mengen. Hoe aantrekkelijk het slachtoffer ook.

Maar de dief was gestruikeld doordat hij met zijn voet achter de poot van Zykovs stoel was blijven haken. Waardoor ze allebei met een dreun op de vloer waren gevallen.

Zykov had geworsteld – niet om die verloederde schooier in bedwang te houden, maar om zich van hem los te maken. De dief was opgekrabbeld en naar buiten gevlucht. Van de schrik had hij Hazels tasje laten vallen, dat Zykov daarna op galante wijze aan haar kon teruggeven.

Ze was hem overdreven dankbaar geweest. Zozeer zelfs, dat ze compleet was vergeten dat de kolonel kort daarvoor nog naar haar decolleté had zitten loeren. Ze werkte als leerling-accountant in een nabijgelegen kantoor, had ze verteld. Ze had erop aangedrongen hem de volgende dag mee uit lunchen te nemen. Als dank. Uiteraard had hij geen nee gezegd.

De lift kwam langzaam tot stilstand. De deur ging open in een zwart-wit betegelde hal. Ongevraagd stapte Hazel naar binnen en liep de sfeervol verlichte woonkamer in.

De kolonel voelde een siddering door zijn lijf gaan toen hij achter haar aan liep en zag dat de hakken van haar pumps diepe, halvemaanvormige sporen achterlieten in het hoogpolige grijze tapijt. Hij overwoog haar te bevelen ze uit te doen, maar in plaats daarvan besloot hij het genot haar ervoor te straffen tot later uit te stellen.

Hij zag haar in stille bewondering staren naar de beelden op de dressoirs en de olieverfschilderijen aan de muren. Ze had dit soort weelde duidelijk nog nooit van zo dichtbij meegemaakt. Nu wist hij zeker dat ze niet meer zou weglopen.

Het bewijs was de glimlach waarmee ze hem daarna

aankeek. Ze vond het hier fijn, liet ze hem zo weten. Wat inhield, vooronderstelde hij verder, dat ze alles zou doen om te blijven. Ze wierp achtereenvolgens een blik door de deuropeningen van de slaapkamers. Hij vroeg zich af hoe ze er op haar rug zou uitzien.

'Zullen we hier beginnen?' vroeg ze.

Ze had gekozen voor de grote slaapkamer, constateerde hij tot zijn genoegen. Daar stond het grootste bed. Hij liep achter haar aan en deed het licht aan, nadat hij eerst de dimmer laag had gezet.

Terwijl ze haar tasje op het hemelbed liet vallen, zag hij haar opkijken naar de ingelijste foto van zijn dochter aan de muur. Katarina was zijn enige kind. Hij realiseerde zich dat ze waarschijnlijk net zo oud was als het Britse meisje dat hij mee naar huis genomen had om te naaien. Hij huiverde van genot terwijl hij bedacht dat hij als ouwe bok nog steeds wel trek had in een groen blaadje.

Omdat hij het niet meer kon uithouden, ging hij achter Hazel staan, sloeg zijn armen om haar ranke taille en begon onhandig haar jas los te gespen. Ze hijgde. Van genot? Van pijn? Dat kon hem geen moer schelen toen hij haar onbehouwen in haar borsten kneep. Hij rukte haar rokje over haar heupen omhoog, trok haar slipje naar beneden en betastte haar tussen haar benen.

12

Toen ze zich omdraaide om hem aan te kijken, stak hij zijn hand uit om haar bij haar kort geknipte haar te grijpen en op de knieën te dwingen. Maar het meisje was weerspannig; ze rukte zich los.

'Wacht,' zei ze.

De kolonel trilde van frustratie. Hazel schopte haar schoenen uit. Ze schudde haar jas van zich af en trok gehaast haar rok, blouse en beha uit.

'En wat voor bijzonders ga je met me doen?' vroeg hij, zonder haar nog aan te kijken.

Ze ging dicht bij hem staan en knoopte zijn zwartzijden das los. 'Ik wil een spelletje met je spelen.'

'Wat voor spelletje?'

Haar bruine ogen schitterden verdorven toen ze lachte. 'Een vastbindspelletje.'

Het hart van de kolonel begon sneller te kloppen.

'Jij vindt het lekker als een man de baas is, hè?'

'Ik dacht eerder andersom...'

Zijn ogen gingen wijd open. Wilde zíj hém vastbinden?

'Dat meen je niet,' zei hij.

'Dit is dodelijke ernst,' zei ze.

Het idee alleen al was krankzinnig. Maar zij dacht daar duidelijk anders over. Terwijl ze voor hem knielde, trok ze zijn broek en boxershort omlaag en gaf hem een stevige duw achterover, waardoor hij op de rand van het bed neerplofte.

'Geloof me,' zei ze. 'Deze avond zul je je altijd blijven herinneren.'

Hij kwam in de verleiding haar aan te vallen. Haar tegen de vloer te drukken en haar bruut te nemen. Haar te straffen voor haar brutaliteit.

Maar toen ze met haar tong over de binnenzijde van zijn dijbeen gestaag naar boven likte, besloot hij dat het waarschijnlijk helemaal geen kwaad kon haar in haar waan te laten. Terwijl ze opstond, hield ze hem vast in haar vuist. Ze droeg nog steeds haar leren handschoenen. Hij kreunde van genot.

'Daarna mag je alles met me doen wat je wilt,' zei ze. 'Wat het ook is.'

Dat gaf de doorslag; de blik in zijn ogen had hem waarschijnlijk verraden.

'Ga op je rug liggen,' zei ze.

Hij deed wat ze hem opdroeg, starend naar het met gouden franjes versierde, roodfluwelen baldakijn, en vroeg zich af of het mogelijk zou zijn daar een spiegel te bevestigen.

'Maar waarmee wil je me vastbinden?' vroeg hij.

Hij had kunnen zeggen dat er een paar stalen handboeien en een mondknevel in de gesloten onderste la van het nachtkastje lagen. En ook viagra, rohypnol, een paar wikkels farmaceutische cocaïne en een geladen pistool. Maar ze leek heel goed te weten waar ze mee bezig was, en hij was razend nieuwsgierig

14

naar de volgende stap van haar fantasie.

Ze opende haar tasje en haalde er een gekreukte zwarte panty uit. Ze beet erin, haakte de zachte stof achter haar witte tanden en scheurde het kledingstuk doormidden.

Terwijl ze op zijn kale borst ging zitten, maakte ze met een draaibeweging een noodtouw van een afgescheurd been van de panty. Ze sloeg een lus om zijn rechterpols en bond die vast aan een poot van het bed. Met het andere stuk nylon knevelde ze zijn linkerhand. Hij zag een kleine groen-roze tatoeage aan de binnenkant van haar rechterpols.

Hij probeerde zich los te rukken. Alleen maar voor de show. Om haar te behagen. Uit persoonlijke ervaring wist hij dat een fantasie pas werkte als ze net echt leek.

Tegelijkertijd voelde hij dat de knopen echt vastzaten.

Hij keek toe, gefascineerd door de concentratie, behendigheid en grote snelheid waarmee de jonge vrouw te werk ging toen ze zijn schoenen pakte en de veters losmaakte. Ze leek er volledig in op te gaan en scheen eigenlijk helemaal niet meer dronken.

Ze kroop naar het andere eind van het bed en begon aan zijn voeten. Zijn nek uitstekend om over de hoge hobbel van zijn buik te kijken, lag hij naar haar te staren, benieuwd naar hoe ze er van achteren zou uitzien. Perfect, luidde het antwoord. Hoe zeiden de Amerikanen dat ook alweer? O ja, *just like a peach*, perzikbillen...

Het ontging hem echter niet – en het verbaasde hem nu dat hij dat niet eerder had opgemerkt – dat haar armen, benen en rug niet alleen slank, maar ook gespierd en getraind waren.

Niet erg, dacht hij. Het was juist goed dat ze gezond was. Voor wat hij straks met haar wilde doen, moest ze veerkrachtig en fit zijn.

Hij vloekte toen er een pijnscheut door zijn rechtervoet ging. 'Niet zo strak,' zei hij.

'Hou je bek.'

'Wat?' Hij probeerde zijn nog vrije voet terug te trekken. Dat lukte niet.

'Bek houden, had ik gezegd, stomme ouwe gek.'

Wat heeft dit te betekenen? dacht hij. Hoorde dat erbij? Leuk was anders. Ze ging te ver.

'Ik wil niet dat je die toon tegen me aanslaat,' zei hij. Opnieuw voelde hij een pijnscheut. Deze keer in zijn linkerbeen. Ze had zijn enkel naar het voeteneinde gesjord en trok de schoenveter strak aan.

'Maak me los,' zei hij. 'Nu!'

Uit alle macht probeerde hij zijn voeten los te krijgen. Ze waren even stevig vastgebonden als zijn polsen. Machteloos keek hij toe hoe de jonge vrouw uit bed stapte en van zijn boxershort een prop maakte, die ze vervolgens zonder pardon in zijn mond stopte. Hij probeerde hem uit te spugen. Ze propte hem weer terug. Vervolgens ging ze snel te werk, terwijl ze zijn mond dichtgeklemd hield. Als knevel gebruikte ze zijn das, die ze één, twee keer om zijn hoofd sloeg en daarna aantrok en vastknoopte.

Zijn tong zat vast, was verwrongen. Hij probeerde iets te roepen. Er kwam alleen maar gekreun uit zijn mond.

Wie is dat mens in godsnaam? Hoe kan ik haar stoppen?

Hij zette alles op alles om zich los te rukken. Met zijn knie raakte hij haar in haar ribben. Voor straf gaf ze hem een harde klap in zijn gezicht.

Hij verstijfde.

'Als je dat nog één keer waagt,' zei ze, terwijl ze het lemmet van een mes voor hem hield en de punt in het zachte vlees van zijn rechterneusgat stak, 'dan snij ik verdomme je neus eraf.'

Hij voelde zijn geslachtsdelen ineenkrimpen terwijl de schrik hem om het hart sloeg. Die was niet veroorzaakt door het vlijmscherpe lemmet. En ook niet door het dreigement.

Hij was geschrokken van het feit dat zij Russisch had gesproken.

Twee

23.31 uur, Little Venice, Londen W9

Terwijl de achterlichten van de zwarte Londense taxi in de nacht verdwenen, nam Danny Shanklin Anna-Maria stevig bij de hand en liep met haar over de weg het park in.

Hij had haar al meer dan een jaar niet gezien. Maar hij kon zich geen dag herinneren waarop hij zich niet had afgevraagd wat ze aan het doen was, bij wie ze was en of zij ook aan hem dacht.

Het voelde goed om dicht bij haar te zijn, zo dichtbij dat hij het parfum kon ruiken dat hij haar uit Washington voor haar verjaardag had gestuurd. Dichtbij genoeg om het zachte op-en-neergaan van haar ademhaling te horen. Maar hij wilde nog dichter bij haar zijn.

'Bedankt voor het etentje,' zei ze.

'Ik was blij dat je kon komen.'

Hij had haar die ochtend pas gebeld, het eerste telefoontje dat hij na de landing op Heathrow had gepleegd. Hij hoopte toen dat ze bereid en in staat zou zijn haar afspraken voor die dag af te zeggen. Hij had geluk, want ze deed het.

Maar dat was het gevoel dat ze hem altijd gaf, bedacht hij. Hij voelde zich gelukkig. Omdat hij haar had leren kennen. Omdat ze hem nog steeds wilde ontmoeten, ook al wist ze alles over hem. Omdat hij zo'n mooie en betoverende vrouw had in zijn doorgaans harde en ingewikkelde leven.

'Blijf je bij me slapen?' vroeg hij.

'Zou je dat willen?'

'Wat denk je?'

Ze liet zich niet van de wijs brengen. 'Denken is iets anders dan weten...'

'Nou goed dan: dat zou ik wel willen,' antwoordde hij.

Ze glimlachte, leunde tegen hem aan en sloeg haar arm om zijn middel. Altijd als hij bij haar was, vroeg hij zich af hoe hij ooit afscheid van haar had kunnen nemen. Maar hij wist ook dat hij haar straks weer zou verlaten. En dat hij dat telkens weer zou doen. Totdat hij op een dag zou terugkeren en zij niet meer op hem wachtte.

'Je zult er geen spijt van krijgen als je blijft,' zei hij, terwijl hij stilstond en haar stevig tegen zich aan drukte. 'Dat beloof ik je.'

Ze kreunde zacht toen hij haar kuste. Hij voelde haar lichaam tegen het zijne sidderen.

'Oké, ik blijf bij je slapen,' fluisterde ze.

Het geraas van een automotor naderde. De auto minderde vaart en bleef staan. Danny en Anna-Maria keken tegelijk om naar de weg die ze zojuist hadden afgelegd.

Een eenzame, staalgrijze Range Rover was hun kant op gereden over de donkere weg aan de rand van het park. Ze zagen het silhouet van een stevige man, gebogen over het stuur. Hij hield zijn gezicht schuil in het duister, waardoor onmogelijk viel uit te maken of hij hun kant op keek.

'Iemand die je kent?' vroeg Anna-Maria.

'Niet dat ik weet.' Danny stond nog steeds te kijken.

'Je klinkt niet erg overtuigd.'

Dat was hij ook niet. Dat kon hij nooit zijn wanneer hij in Londen aan het werk was. De motor begon weer te ronken toen de auto optrok. Danny onthield het kenteken toen de man voorbijreed.

'Dit is dus geen vakantie,' merkte Anna-Maria op.

'Helaas niet.'

Danny wist natuurlijk dat ze hem plaagde, maar hij zag ook bezorgdheid in haar ogen. Ze stak haar arm door de zijne toen ze weer verder liepen.

'Reden te meer dus,' zei ze, 'om vooral van deze avond te genieten.'

Hij dacht terug aan het moment waarop ze elkaar bij metrostation Covent Garden hadden getroffen, nog geen drie kwartier geleden. Ze leek niet ouder te worden, had hij nog gedacht. Telkens als ze elkaar na een lange tijd weer zagen, leek het alsof hij haar voor het eerst ontmoette. Maar met de roes van het verlangen kwam ook het schuldgevoel, hoewel hij nu geen vrouw of vaste vriendin meer had.

'Weet je nog toen we samen onze laatste sigaret rookten?' vroeg ze, terwijl ze langs een houten bank liepen. Ze waren een reeks siertuinen in gelopen en wandelden over een pad dat tussen de bloembedden door slingerde. Hij knikte. Dat was anderhalf jaar geleden. Hij was blij dat hij was gestopt. Nu hoefde hij 's nachts niet meer badend in het zweet wakker te worden om de beelden van etterende longen van zich af te schudden. Geen nachtmerries meer waarin hij zijn dochter Lexie op roken betrapte en ze hem vertelde dat het mocht, omdat hij het ook deed en het dus wel goed zat.

Toch verlangde hij nog naar die zelfzuchtige momenten voor hem alleen, genietend van een peuk en starend naar de horizon, terwijl de rest van zijn leven even stilstond.

'Mis je het?' vroeg ze.

'Nee, hoor.'

Het was een leugentje om haar een plezier te doen. Zij had het initiatief genomen om te stoppen, het was iets wat ze samen hadden gedaan en wat de vele maanden en kilometers die ze sindsdien gescheiden van elkaar hadden doorgebracht, had overleefd. Hij had het zelf gedaan, wist hij, maar zij dacht dat het eigenlijk aan haar te danken was.

Ze stonden voor een zware ijzeren poort met een afrastering van prikkeldraad. Aan de andere kant stonden hoge dennen, die het heldere maanlicht tegenhielden. Maar dat was geen probleem. Danny had hier zo vaak in het donker gestaan – gespannen door slapeloosheid of nadat hij een boze droom van zich had af gerend – dat hij het zware slot van de poort op de tast kon openen.

Aan de andere kant van de poort lagen achter elkaar verschillende woonboten te dobberen, afgemeerd aan Regent's Canal, een brede, zwarte streep nu. De meeste lagen daar permanent, overladen met fietsen, klapstoelen en bloemenmandjes. Van achter de bewasemde patrijspoorten brandde licht. Danny en Anna-Maria vingen flarden op van televisieprogramma's en gedempte gesprekken toen ze voorbijliepen.

De boot van Danny was de laatste in de rij. De staalplaten romp was zwart geverfd. In vergulde sierletters stond de naam op de achtersteven: POGONSI. Hoewel de boot officieel op naam stond van een Zwitserse holding, was de twintig meter lange, omgebouwde kolenschuit feitelijk van hem.

Het was een van zijn woningen in het buitenland. Hij had hem geërfd van Toni Strinatti, een inmiddels overleden oude vriend en kameraad.

Danny stapte op de kleine achterplecht. Hij hielp Anna-Maria aan boord en deed het luik van het slot.

Ze liepen de sleetse houten treden af naar de cabine. Hij had het bed verschoond en bloemen in de hoge, glazen vaas op de mahoniehouten kombuistafel gezet. Niet omdat hij had geweten dat ze met hem mee zou komen, tenminste niet zeker, maar omdat hij al zoveel nare dingen in zijn leven had meegemaakt dat hij zichzelf af en toe een beetje mocht verwennen met de kleine dingen van het leven.

Hij pakte de halfvolle fles Jack Daniel's die op de koelkast stond. Haar drankje. Zelf dronk hij niet meer. Hij had ermee moeten stoppen. Had hij dat niet gedaan, dan had hij daar waarschijnlijk niet gezeten.

'Kan ik je een drankje aanbieden?' vroeg hij.

'Ik wil jou...'

Hij glimlachte, voelde zijn wangen tintelen toen hij haar ook zag glimlachen, ongetwijfeld genietend van het effect dat ze op hem had. Hij schudde zijn hoofd, keerde zich om naar de koelkast en pakte er een fles cola uit.

Hij maakte een whisky-cola voor haar klaar met een schijfje citroen en ijs in een longdrinkglas. Daarna schonk hij voor zichzelf een glas cola in, dat hij in één teug voor de helft opdronk. Hij had nog steeds last van een jetlag en de behoefte aan een oppepper was groot. De vlucht naar Engeland was de gebruikelijke, drieëntwintig uur durende, kramp veroorzakende nachtmerrie geweest, via luchthaven JFK in New York – waar hij vanuit zijn woonplaats op het Amerikaanse Maagdeneiland Saint Croix naartoe was gevlogen.

Terwijl hij dronk keek hij hoe Anna-Maria langzaam door de kamer liep en met haar vingers langs de planken ging die elke centimeter wandruimte van de boot bedekten. Er stonden voornamelijk oude cd's en langspeelplaten op. Albums van Townes van Zandt en Dylan. Liedjes die een verhaal vertelden, waardoor je jezelf vergat en in het leven van anderen stapte. 'Het is goed om terug te zijn,' zei ze, terwijl ze Danny een album van Shawn Mullins aanreikte, hetzelfde dat hij drie jaar geleden had gedraaid toen hij haar voor het eerst had meegenomen naar zijn boot.

Hij zette de cd-speler boven op zijn oude muziekinstallatie, waarvan hij maar geen afstand had kunnen doen, stak een olielamp aan en deed de felle plafondlamp uit. Hij merkte dat Anna-Maria hem nakeek in het flakkerende gouden licht en vroeg zich af wat er in haar omging.

Soms begreep hij er niets van. Wat zag zo'n ontwikkelde vrouw uit de grote stad in een kerel zoals hij? Ze leek uit een Chanel-reclame te zijn gestapt. Terwijl hij eruitzag alsof hij zo uit een aftandse bar aan de westkust kwam rollen.

Op Saint Croix droeg hij meestal een vaal T-shirt en

een versleten surfshort, en liet hij uit luiheid een pluizig baardje staan en zijn stugge, blonde haren tot in zijn nek groeien.

Maar nu had hij zich opgefrist voor de vergadering die hij in Londen zou bijwonen. Zodoende stond hij voor Anna-Maria in een colbert, zwart T-shirt en een spijkerbroek. Zijn wangen waren geschoren, zijn haar was geknipt en gekamd.

Ze pakte hem bij zijn handen en liet haar blik langzaam over zijn gebruinde, verweerde gezicht gaan, voordat ze hem diep in zijn donkerbruine ogen keek.

'Mijn god, wat heb ik je gemist,' zei ze.

Ze zei het in Frans, haar moedertaal, een gewoonte waarin ze soms verviel wanneer ze samen waren en die Danny aanmoedigde. Hij sprak die taal vloeiend. Hij had het geluk dat hij gemakkelijk vreemde talen leerde. Maar hij wist ook dat er altijd ruimte voor verbetering was – voor nieuwe uitdrukkingen en nuances. Kleine dingen die ooit goed van pas konden komen.

Hij keek Anna-Maria in haar felgroene ogen. Ze was prachtig. Veel te intrigerend om mooi te noemen. Ze kamde met haar dunne vingers door haar korte, ravenzwarte haar, en glimlachte toen hij haar naar zich toe trok, haar meevoerde door de dunne zijden gordijnen en haar op zijn bed legde.

Drie

Vanuit het bed waarop hij nog steeds lag vastgebonden zag kolonel Zykov hoe de blonde jonge vrouw haar slipje omlaag trok en op het toilet een plas deed. *De teef...*

Hij kon haar wel vermoorden. Ze had hem erin geluisd. Bespioneerd. Dat besefte hij nu goed. Het was allemaal doorgestoken kaart. Dit wijf, deze hoer, had een spelletje gespeeld en nu zat hij in de val.

Hij proefde het bloed nog in zijn mond. Van de klap die ze hem had gegeven. Hij rochelde het opgekropte slijm in zijn longen op. Het was aan zijn jarenlange training te danken dat hij niet in paniek raakte. Aan zijn training, woede en wraakzucht.

Wie ze ook was. Wat ze ook wilde. Hij zou haar strottenhoofd uit haar lijf rukken.

Maar wat wilde ze? Daar had hij nog steeds geen flauw idee van. Volgens de antieke Franse klok aan de slaapkamermuur was hij inmiddels al een kwartier aan haar genade overgeleverd. Maar ze had hem al die tijd geen blik waardig gegund.

Hij volgde haar met zijn blik toen ze opstond en zich schaamteloos afveegde met een stuk wc-papier. Ze nam een slok van zijn gorgeldrank en spuugde die uit in de wasbak. Pas toen ze de slaapkamer in liep en haar handtas van het bed pakte, keek ze hem aan. Ze staarde naar hem en schudde langzaam haar hoofd.

Wat is er dan? Wat wil je van me, gestoorde bitch?
Ze pakte een mobiel uit haar tas en belde iemand op. Luid en duidelijk gaf ze in het Russisch een nummer door, en de kolonel werd overmand door diepe wanhoop toen hij haar de toegangscode van de lift hoorde opnoemen. Ze had hem die bij de ingang zien invoeren.

Ze werkte dus niet alleen. Er kwam nog meer bezoek. Van iemand die ook Russisch sprak. Iemand die nu wist waar hij woonde.

Hoe had hij zo stom kunnen zijn? Geen wonder dat haar accent hem aan Oost-Europa had doen denken. Ze kwam ervandaan.

Hij dacht aan het alarmknopje in de rozet in de muur naast zijn bed en daarna aan het geladen pistool in zijn nachtkastje. Zowel het knopje als het pistool was voor hem nu onbereikbaar.

Hij hield zich voor dat hij het zou overleven. Zijn machtige land stond achter hem. Hij was een soldaat. Hij zou dit overleven en dan...

O nee, dacht hij geschrokken, toen hij zich het bericht herinnerde dat hij had ingesproken. Het bericht voor de ambassade dat hij van haar moest achterlaten. Niemand zou hem verwachten, de volgende dag op zijn werk. Geen mens zou hem de komende zesendertig uur missen.

Ze stond op en kleedde zich aan. Nadat ze zijn portefeuille uit zijn jasje had gepakt, bekeek ze vluchtig de inhoud. Ze haalde er niets uit en gooide hem terug.

Ze wilde hem dus niet bestelen, concludeerde hij, wat allesbehalve een troost was en zijn angst nog groter maakte.

Wat zijn dat voor lui met wie ze belt? Wat gaan ze met me doen?

Ze begon in zijn nachtkastjes te kijken.

Zoekt ze iets speciaals?

Hij hoorde het slot van een lade met een klik opengaan.

'*Samozarjadnyi Pistolet Serdjoekova*,' zei de jonge vrouw, terwijl ze het pistool in haar hand woog en als een deskundige de stalen dubbellader bestudeerde. 'Eenentwintig millimeter, gaat dwars door elk pantser heen.'

Zittend op de rand van het bed prikte ze met de koude loop van het pistool in het kruis van de kolonel, waardoor hij kreunde van de pijn.

'Als ik je nu in je reet schiet,' zei ze, 'vliegt het dak van je schedel. Wist je dat?'

De kolonel voelde een golf van angst door zijn onderbuik gaan. Niet omdat hij bang was dat ze de trekker zou overhalen, maar omdat ze zo veel over zijn wapen bleek te weten. Nu wist hij het zeker: deze vrouw was een professional. Ze werkte voor het leger of de inlichtingendienst.

Maar voor wie precies? Dat was de vraag waar het allemaal om draaide, besefte hij. Voor Rusland? Ging het daarom? Was ze hier in verband met een contra-spionageoperatie? Werd hij verdacht van landverraad?

Was ze een terroriste? Of in dienst van een multinational of spionagebureau in het buitenland? Werkte ze voor een van Ruslands vele vijanden? Gebruikte ze hem om Rusland aan te vallen of te ondermijnen?

Hij hoorde een geluid.

Kolonel Zykovs adem stokte. Vanuit de openstaande slaapkamerdeur had hij zojuist het vertrouwde gezoem en de tik gehoord waarmee de lift in de hal van het penthouse tot stilstand kwam.

Gestamp en geschuifel van laarzen.

'Ik zou maar doen wat ze zeggen,' zei de jonge vrouw.

De dief met de baard, de man die enkele dagen geleden in het café over kolonel Zykov was gestruikeld, was de eerste die binnenkwam. Nu droeg hij een schoon, onopvallend joggingpak. Hij had zijn zwarte haar vanaf zijn voorhoofd strak achterover gekamd. Hij wierp een onverschillige blik op de kolonel en legde een groot plastic grondlaken op de slaapka-mervloer.

Er welden tranen op in de ogen van de kolonel toen hij het laken zag en bedacht waarvoor het was bedoeld. Om vloeistoffen op te vangen. Urine, feces, bloed. Dat het geen smeerboel werd.

Er kwamen nog twee mannen binnen. De eerste man was medio veertig, lang, met brede schouders en een dikke bos blond, bijna wit haar. Hij had puntige bakkebaarden en in zijn gelikte zwarte pak en met een zwaar, gouden horloge om zijn linkerpols zag hij eruit alsof hij rechtstreeks uit een exclusieve nachtclub kwam.

Zijn metgezel was een oudere man van rond de zestig: kalend, grijs, ongeschoren, lang en extreem mager. Hij droeg een ziekenfondsbrilletje en een te ruime blauwe regenjas. Zonder iets te zeggen zette hij een zwarte attachékoffer op het bed en begon onmelodieus te neuriën, alsof hij alleen was in de slaapkamer.

Kolonel Zykov herkende deze mannen niet. Het voorwerp dat de bebrilde man uit de piepschuimen voering van zijn koffer haalde, kwam hem daarentegen wél bekend voor: het was een grote, gevulde injectienaald. Toen de man met zijn wijsvinger tegen de naald tikte, dwarrelden er minuscule luchtbelletjes naar boven. De ader vlak boven het linkeroog van de man klopte langzaam, als de hals van een hagedis in de zon.

'En?' vroeg het meisje in het Russisch. Ze had het tegen de jongere, blonde man.

Door zijn kromme neus en smalle gezicht had de man iets weg van een roofvogel, een havik. Vanaf het moment dat hij de kamer binnenkwam had hij zijn staalblauwe ogen niet van Zykov afgehouden, niet eens geknipperd.

'Dit is hem,' zei hij in het Russisch. 'Dit is de man die mijn leven kapot heeft gemaakt.'

Kent deze man mij? vroeg de kolonel zich af. Hij groef diep in zijn geheugen om na te gaan waar hij hem ooit eerder had ontmoet.

Hij kon niets vinden. De man vergiste zich, dat kon niet anders. Hij had iets in zijn blik, in zijn gezicht... een neiging tot gewelddadigheid. Als je dat eenmaal had gezien, dacht de kolonel, zou je dat nooit meer vergeten.

'Bel nu dat nummer maar,' zei de man.

De blonde vrouw liep met haar mobieltje naar de badkamer. De man met de bril op spoot een straaltje van de heldere vloeistof uit de naald de lucht in. Als regendruppels kletterde het spul op het plastic laken.

'Ik heb nu beeld op mijn mobiel,' zei de vrouw.

De man met de haviksneus knipte met zijn vingers

naar de dief met de baard. Ze tilden kolonel Zykov op en schoven het krakende laken onder zijn lichaam. Daarna bonden ze hem aan de matras. De man met bril hurkte naast hem neer en pakte zijn pols. Zykovs adem kwam snel en oppervlakkig met een sissend geluid uit zijn neusgaten.

Het zweet jeukte op zijn huid. Hij kronkelde toen de man de injectiespuit in zijn arm zette. Wat spoten ze erin? vroeg hij zich wanhopig af.

De kolonel begon zacht te janken. Hij kon het niet helpen. Van dichtbij zag hij dat het wit in de waterige, bruine ogen van de bebrilde man vergeeld was en vol gesprongen adertjes zat.

De maag van de kolonel kromp ineen. Gal steeg op naar zijn keel.

De man met de kromme neus greep hem stevig bij zijn kaak en draaide zijn hoofd naar zich toe zodat hij hem in de ogen kon kijken.

'We hebben een soort SP-17 bij je ingespoten,' zei hij. Zijn stem klonk duidelijk en afgemeten. Hij leek een slang die op het punt stond toe te bijten. 'Jij weet vast wat dat is.'

Zykov knikte instemmend. Plotseling wilde hij niets liever dan deze mensen ter wille zijn. Natuurlijk wist hij wat SP-17 was. Het was een waarheidsserum, vele malen sterker dan het gewone natriumpentothal. Het middel was speciaal ontwikkeld voor de Russische buitenlandse inlichtingendienst, de SVR.

Maar wat betekende dat? Dat deze man van de SVR was? En dat wijf ook? Dat de kolonel verdacht werd van landverraad? Waren ze daarom hier?

'Het middel staat bekend als betrouwbaar.' De bleke, priemende ogen van de man knipperden geen moment. 'Maar jij bent een bijzonder geval. Jij hebt gedurende je carrière de kans gekregen allerlei waarheidsserums uit te proberen. De effectiviteit van dit middel zou door jouw kennis verminderd kunnen worden... Misschien verzet je je tegen de werking ervan... En misschien slaag je daar zelfs in... Daarom heb ik besloten wat zwaardere middelen in te zetten zodat ik zeker weet dat je met ons meewerkt.'

De kolonel dacht razendsnel na. Zodra het middel begon te werken, zou hij geen enkele remming meer voelen en alles vertellen wat ze wilden weten. Hij zou in een soort nachtmerrie terechtkomen. Een hel van paranoia, verwarring en angst. Hij zou niet meer kunnen ophouden met praten. Hij geloofde niet dat hij zich er überhaupt tegen kon verzetten.

Maar wat maakte het uit? Als deze mensen werkelijk voor de SVR werkten – hoe waren ze anders aan het waarheidsserum gekomen? – had hij niets te vrezen. Hij was geen verrader. Hij had niets verkeerds gedaan.

Hij keek uitdagend uit zijn ogen. Ze mochten vragen wat ze wilden. Ze mochten de waarheid gerust weten. En daarna zouden ze hem moeten vrijlaten. Dan zou hij nagaan wie deze beesten had losgelaten. En hen ervoor laten boeten.

De man met de haakneus knipte met zijn vingers. Het meisje stapte naar voren en gaf hem de telefoon. 'Begin maar,' zei hij in de hoorn, waarna hij het schermpje voor de ogen van de kolonel hield.

Eerst begreep Zykov niet wat hij zag. Het beeld bestond uit korrelige grijs- en groentinten. Het was donker, besefte hij. Een dikke man keek naar hem terug. Uitdrukkingsloos. Gevoelloos. Zijn ogen hadden de kleur van een computerscherm dat was uitgezet. Hij stond in de schaduw van een grijze stenen muur.

Zykov kreeg een hartverzakking. Die muur kwam hem bekend voor. Hij werd vervuld van afgrijzen. De man draaide de camera weg van zijn gezicht en richtte hem op de hoofdingang van het gebouw.

Zykov probeerde zich los te wringen.

Daar woonde zijn dochter! Waar haalden ze het gore lef vandaan? Dit was Katarina's appartementencomplex in Moskou! De kolonel brulde door zijn knevel. Er rolden hete tranen van woede over zijn gezicht. svr of niet, deze klootzakken zouden het betreuren dat ze ooit geboren waren, daar ging hij voor zorgen.

Vier

Danny en Anna-Maria losten elkaar af onder de douche. Toen ze terugkwam, ging ze op de leuning van een versleten leren fauteuil zitten, waar ze haar haren droogde met een handdoek. Ondertussen schonk hij koffie voor haar in, zwart en zoet, precies zoals ze het wilde.

Terug in bed rolde ze hem op zijn rug en kuste ze hem over zijn hele lichaam, wat ze altijd deed wanneer ze hem een tijdlang niet had gezien. Hij zuchtte toen hij voelde hoe haar zachte lippen de bekende, meanderende reis langs het pad van zijn littekens aflegden. Haar aanraking was als een verzachtende balsem. Ze bleef ver uit de buurt van zijn pijnlijkste wonden – de ontbrekende topjes van twee vingers en het uitwaaierende littekenweefsel op zijn rechterdijbeen – want ze wist dat hij daar niet aangeraakt wilde worden.

Hij had verteld dat hij zijn hand had beschadigd toen hij als kind door een glazen deur was gevallen. Ook over de wond op zijn dijbeen had hij gelogen, toen hij vertelde dat hij zijn huid tijdens het surfen had opengereten aan een uitstekend stuk rots op het eiland Saint Croix.

35

'Ik kan maar niet begrijpen dat je daar niets aan laat doen,' zei ze terwijl ze ernaar keek. 'Vorige week sprak ik een plastisch chirurg uit Harley Street, die...'

'Het antwoord is nee.'

Hij klonk norser dan hij had gewild. Hij had het al zo vaak gehoord. Zowel van haar als van anderen. Hij vond het niet erg dat het litteken lelijk was en soms pijn deed.

'Ga niet dood,' had de man aan wie hij zijn littekens te danken had zeven jaar geleden gezegd. 'Ga niet dood. Ik heb je nodig.'

Hij had Danny nodig – om te kijken.

Danny voelde de duisternis in zich opkomen. Hij keerde zijn rug naar Anna-Maria toe. Hij wilde haar niet zien. Hij wilde niet dat zij hem zo zag. Hij begroef zijn gezicht in de gekreukte lakens. Hij snoof haar geur op zo diep als hij kon.

Hier zijn, dacht hij. Alleen maar aan haar denken, aan haar denken, denken aan nu. Alleen maar aan haar denken en denken aan nu.

Anna-Maria zweeg. Ze wachtte tot zijn ademhaling rustiger werd. Zigzaggend kriebelde ze hem met haar vingers in zijn nek, van boven naar beneden. Telkens opnieuw. Daarna kneedde ze de massa geknoopte spieren die naar zijn schouders liepen. Eindelijk begon hij zich te ontspannen.

'En, waar heb je al die tijd gezeten?' vroeg ze.

36

Hij besefte dat ze wilde weten waarom hij zo lang was weggebleven. 'In Afrika,' antwoordde hij.

De Democratische Republiek Congo, om precies te zijn. Daar had hij twee van de afgelopen drie maanden doorgebracht als consultant bedrijfsbeveiliging. Ze masseerde nu zijn schouders. 'Ik wou dat ik haar gekend had,' zei ze.

Danny ging op zijn zij liggen en keek omhoog. Hij zag haar kijken naar de foto van Sally aan de muur. Dat was Sally op haar mooist. Sally stralend in de zon. Sally over wie Danny tegen Anna-Maria had gelogen, toen hij zei dat ze bij een auto-ongeluk was omgekomen. Sally die nog maar net zwanger was toen die foto werd genomen. Van een zoon, die Jonathan heette en er ook niet meer was.

Sally, Danny's echtgenote, was de enige vrouw op wie hij ooit echt verliefd was geworden, de enige vrouw van wie hij echt zou kunnen houden, dacht hij. Soms had hij het idee dat hij in het jaar voordat Sally en Jonathan waren gestorven voor het laatst het gevoel had gehad dat hij werkelijk leefde. Leven in de zin van: door willen gaan, niet omkijken.

'Zou je je ooit opnieuw met een andere vrouw kunnen settelen?' vroeg Anna-Maria.

Dat had ze hem al eens eerder gevraagd, kort na hun kennismaking. Zijn antwoord was nog hetzelfde. 'Nee, niet zolang ik dit werk doe.'

Hij had haar ooit een beetje verteld over zijn werk. Genoeg om haar nieuwsgierigheid te bevredigen, maar niet zo veel dat ze er beiden door in moeilijkheden konden komen. Hij had verteld dat hij voor de Amerikaanse overheid had gewerkt, maar daarmee was opgehouden. Hij werkte nu voor zichzelf, had hij gezegd. Hij hielp mensen. Wanneer ze in moeilijkheden zaten. Hij probeerde te voorkomen dat hen iets zou overkomen.

'En hoe gaat het met jou?' vroeg hij. 'Ik neem aan dat je nog steeds bij hem bent. Of heb je hem verlaten?'

Haar man. Hij had het over haar man, met wie ze veertien jaar getrouwd was.

'Hij houdt nog steeds van me,' zei ze. 'Niet lichamelijk, dat klopt. Maar wel met zijn hart. En op die manier hou ik denk ik ook van hem.'

Maar wat doen we dan hier? vroeg Danny zich af. Hij voelde een steek van jaloezie. Hij kon het niet ontkennen. Ook al had hij er geen enkel recht op.

Ze zetten het gesprek voort. Dat ze elkaar snel weer zouden moeten zien. Dat ze eens een heel weekend bij elkaar zouden moeten zijn. Naar datzelfde pittoreske hotelletje moesten gaan waar ze twee jaar geleden waren geweest. Ze maakten vaak plannen. Maar slechts enkele daarvan werden ooit uitgevoerd. En dat was altijd zijn schuld, besefte hij.

Haar woorden klonken steeds zachter en de stiltes die vielen werden langer. Totdat ze uiteindelijk in slaap viel.

Hij keek weer naar de foto van Sally. Opnieuw voelde hij dat alles waar hij ooit van had gehouden van hem was afgepakt, was verscheurd, hem voorgoed was ontnomen. Hij zocht naar zijn jasje en uit een van zijn binnenzakken haalde hij een andere foto.

Het was een foto van een meisje in een speeltuin, zwevend in de lucht op een schommel. Ze lachte. Haar lange blonde haar wapperde breeduit in de wind. Op de achtergrond was Danny nog net te zien. Hij had haar hoger en hoger geduwd die dag, al stond hij altijd klaar om haar op te vangen als ze zou vallen.

Lexie. Alexandra. Zijn dochter. Zijn prinsesje. Zo zag hij haar nog steeds, ook al wist hij dat ze hem haatte. Zijn enige nog levende familielid, papa's meisje, nu bijna een vrouw.

Hij legde de foto weg. Anna-Maria wist niets over zijn dochter. Lang geleden had hij besloten dat zijn gecompliceerde leven geen invloed meer mocht hebben op dat van Lexie.

Hij trok het gordijn open en tuurde door de grote ovale patrijspoort naar buiten. De maan in de heldere sterrenhemel was vol en strooide diamanten van licht uit over het ijzige kanaal.

Volgend jaar was het acht jaar geleden dat Sally en Jonathan waren gestorven. Er was een tijd geweest dat hij hen alleen maar achterna had willen gaan. Een tijd van woede en verwarring, voordat hij weer een reden had gevonden om door te willen gaan met het leven.

Hij probeerde zich te concentreren op Lexie en eraan te denken hoe hij de relatie tussen hen weer zou kunnen verbeteren. De manier waarop hij haar in de steek had gelaten zou hij zichzelf nooit kunnen vergeven.

Herinneringen aan de laatste dagen van Sally en Jonathan kwamen in hem op. Hij vocht tegen de panische angst die hem naar de keel greep. Hij probeerde niet te denken aan wat er was gebeurd. Of aan alles wat hij had verloren.

Snel daarna, wist hij, zou de nachtmerrie komen. De nachtmerrie die hij elke nacht kreeg en die eigenlijk helemaal geen nachtmerrie was, maar een herinnering. Een herinnering die begon met een wandeling in het bos en eindigde met bloed in de sneeuw.

Hij tuurde in de duisternis. Door donkere, vastbesloten ogen. Oude ogen in een jong gezicht. Waakzame ogen waaraan niets ontging.

De wereld was vol wolven, wist hij. Goede herders waren schaars.

Vijf

01.53 uur, Knightsbridge, Londen SW7

Kolonel Zykov gaf weer over op het plastic laken.
De vrouw wrikte zijn kaak open en veegde zijn mond
schoon met een vinger die nu in rubber was gestoken. Hij probeerde haar te bijten en zich los te wringen. Hij kreeg een harde klap tegen de zijkant van
zijn hoofd.

Allerlei gedachten buitelden over elkaar in het hoofd
van de kolonel. Snel, te snel om ze te kunnen grijpen, waaiden deze spinsels op als bladeren in een
storm. Wat is er aan de hand? Wat doen die lui hier?
Wie zijn deze schurken? Waarom laten ze me niet
gaan?

Hij had geen besef meer van tijd. Zijn ruggengraat
en benen waren verstijfd van de kramp. Het plafond
en de muren verschrompelden, dijden uit en draaiden om hem heen. Hij voelde warme urine langs de
binnenkant van zijn dijbenen lopen.

'Adrenaline,' riep een zware, galmende mannenstem, alsof hij in een grot stond te schreeuwen.

Iemand greep Zykov bij zijn haar. Er werd een harde,
plastic knevel in zijn mond geramd, die zijn tong
achterover drukte zodat hij die niet zou kunnen af-
bijten. Hij voelde een pijnscheut in zijn nek. Kreeg

41

een helder moment. Een waterval van ijskoud water over zijn gezicht.

De man met de stalen blik en de haviksneus verscheen plotseling voor zijn ogen. Terwijl hij zich naar hem toe boog, probeerde Zykov opnieuw te ontsnappen. Het plastic onder hem kraakte toen zijn overweldigers hem nog dieper de matras in drukten. Een krachtige vuist greep hem bij zijn keel.

Je er niet tegen verzetten, schreeuwde een stem in hem. Je hebt niets te verbergen.

'Ik vraag het je nog één keer,' zei de man met de haviksneus. 'Maar als je weer probeert te liegen... als je antwoorden op welke manier dan ook niet met elkaar kloppen, wordt je dochter verkracht, volledig in elkaar getimmerd en tot slot vermoord. En jij kijkt toe. Ik zal persoonlijk je oogleden vastnieten om daarvoor te zorgen.'

Deze psychopathische, smerige klootzak meende wat hij zei. Daar twijfelde de kolonel geen moment aan. *Ik vertel je alles wat je wilt weten.* Hij probeerde de woorden uit te schreeuwen, maar de door bloed doorweekte knevel liet alleen een gorgelend geluid door.

'Oorspronkelijk waren we van plan je alleen maar te ontvoeren, kolonel,' zei de man met de haakneus. 'De kennis die je had was niet zo belangrijk. We hadden genoeg aan je rang en positie op deze Russische ambassade.'

De man glimlachte, een oprechte glimlach. Een lach die getuigde van gulzigheid, van een honger die op het punt stond te worden gestild.

'Maar in het dossier over jou,' ging hij verder, 'dat mijn mensen hadden aangelegd, zag ik een foto van je...' De kolonel verstijfde over heel zijn lichaam toen de man met de top van zijn wijsvinger bijna liefdevol over het diepe litteken in zijn gezicht streelde. 'En ineens besefte ik dat ik je ooit eerder ontmoet had.'

Opnieuw probeerde de kolonel zich wanhopig te herinneren waar hij deze man van kende. Opnieuw lukte hem dat niet. Wél kreeg hij andere herinneringen. Aan de lang geleden overleden jongen aan wie hij dat litteken te danken had... aan zijn dochter in zijn armen, vrolijk lachend als een baby... aan de man die nu bij haar appartement stond te wachten op het bevel haar te...

Opnieuw kreeg hij een plens ijskoud water over zijn gezicht. De man met de haviksneus keek hem boosaardig aan.

'Je gaat me je heus herinneren,' zei hij. 'Daar zorgt mijn collega wel voor.'

Een metalen tik.

Zykov deed zijn best om naar links te kijken. De man met de bril haalde een paar roestvrijstalen chirurgische instrumenten uit zijn medische tas. Hij legde ze keurig op de matras naast het hoofd van de kolonel.

Voor de zoveelste keer probeerde de kolonel zich los te rukken, maar de mannen die hem vasthielden, verstevigden geroutineerd hun greep. De kamer begon weer om hem heen te tollen. Het baldakijn boven het bed smolt als was. Het geluid van gehijg vulde zijn hoofd.

De adrenaline, besefte hij, was bijna uitgewerkt. Het waarheidsserum nam de regie over. Zykov kneep zijn ogen stevig dicht, terwijl caleidoscopische beelden als een rakettenregen door zijn hoofd schoten. Hij hoopte dat hij een black-out zou krijgen.

Dat gebeurde niet.

'Ik wil dat je teruggaat naar het jaar negentienhonderdnegentig...' De stem van de man met de haakneus drong tot diep in de hersenen van de kolonel door. 'Naar de wapenfaciliteit van Biopreparat die je op negenentwintig april met een anoniem groepje gewapende mannen hebt overvallen.'

Een heldere flits. De ogen van de kolonel gingen van ongeloof wijd openstaan. Wat?! Hoe kon deze man weet hebben van...'

De man met de haviksneus keek grinnikend op hem neer.

'Jij hebt die nacht mijn carrière genekt,' zei hij. 'En om die vernedering ben ik vanavond hiernaartoe gekomen. Maar belangrijker is wát je toen meenam. En daar ga je me nu wat meer over vertellen, kolonel. Je vertelt me wat je hebt gestolen. En waar je dat hebt verstopt.'

Nee, dacht de kolonel. Dat nooit...

Hoe was het mogelijk? Waarvoor Zykov naar Biopreparat was gegaan... wat hij had meegenomen... Alleen het bestaan ervan was al een groot staatsgeheim. Zelfs de SVR was er niet van op de hoogte. En niemand – niemand behalve de zes medeofficiers van Zykov, allen onberispelijk loyaal – wisten dat hij ooit betrokken was geweest bij deze diefstal.

Plotseling voelde Zykov diep vanbinnen dat deze lui niet van de SVR waren. Ze hadden niets met zijn regering te maken. Ze werkten zeker niet voor Rusland. Maar wie waren ze in hemelsnaam wél? En wat wilden ze?

Hij snakte naar adem. Het middel haalde een nieuwe herinnering boven. Aan een gebeurtenis van meer dan twintig jaar geleden. Aan de plek waar hij de man met de haviksneus eerder had gezien.

Met fotografische precisie kwam het beeld van een fanatieke jonge officier boven. Een ontwapende, vernederde jonge officier, die geknield zat op het koude, natte beton bij de fabriek van Biopreparat, geboeid naast de andere bewakers. Hij keek om naar de kolonel, die in zijn truck stapte en... zijn bivakmuts

45

van zijn gezicht trok om te niezen.

Mijn god, dacht hij. Het kan niet waar zijn. Heeft deze man toen een glimp van mijn gezicht opgevangen? Mijn litteken gezien? Zo veel jaren geleden?

De kolonel voelde dat hij nog steviger werd vastgehouden en dieper in de matras werd gedrukt. De man met de bril boog zich voorover en staarde hem diep in de ogen. Door zijn opgetrokken mond leek hij hongerig als een rat. In zijn handen glom een stuk metaal.

Toen de kolonel door zijn knevel heen begon te schreeuwen, maakte hij het geluid van autobanden die over het asfalt piepten. Het was het geluid van de voorbijscheurende dood.

Vrijdag

Zes

10.51 uur, Mayfair, Londen W1

Het busje van VT Media dat aan het einde van een kleine verbindingsweg achter Piccadilly stond, had valse nummerplaten die overeenkwamen met de valse gegevens die waren ingevoerd in de onkraakbaar geachte databases van de Britse Rijksdienst voor het Wegverkeer en van VT Media Inc.

Die truc was te danken aan 'de Kid', Danny Shanklins technische steun en toeverlaat, die de avond daarvoor beide systemen had gehackt om ervoor te zorgen dat zijn witte Ford Transit deel uitmaakte van het technisch team van VT en daar niet onbevoegd stond. Je wist maar nooit of iemand het zou checken.

Danny en de Kid zaten zij aan zij te zweten in de raamloze laadruimte van het busje, ingeklemd tussen communicatieapparatuur en snoeren.

Londen was in de greep van een hittegolf. Volgens het dagblad *The Sun* dat de Kid bij zich had, zou dit de warmste dag van het jaar worden.

Maar de airco van het busje was kapot. En dat terwijl de illegale garage waar de Kid een buitensporig bedrag had moeten neertellen om het logo op de bus te spuiten en de nummerplaten te verwisselen, de airco waarschijnlijk gratis zou hebben gerepareerd.

Het IQ van de Kid overtrof dat van iedereen, maar als het om praktische zaken ging had hij de neiging dingen te laten versloffen. Hij had de airco niet laten repareren, alleen maar omdat het hem op dat moment te veel gedoe leek. Of, in zijn eigen woorden, omdat hij 'geen reet zin had om daarover na te denken'.

Danny trok het deksel van de Starbucks-beker die de Kid hem zojuist in zijn handen had geduwd en nam een slok. Zijn gezicht vertrok. De koffie was lauw, te zoet en niet vers meer. Voor de Kid was dat duidelijk geen probleem, want hij dronk zijn beker in één teug leeg en boerde luid. Twee keer.

De Kid was vijfendertig jaar, 1.85 meter lang en woog honderd kilo. Hij had een babyface, vrijwel helemaal zonder rimpels en stoppels. Vandaar zijn bijnaam. Hij kwam uit het Britse leger, was opgeleid door het Hoofdkwartier Regeringscommunicatie en zo slim dat hij colleges had kunnen geven in encryptie en codering op het MIT of het Imperial College als hij dat gewild had. Gelukkig voor Danny werkte hij liever voor zichzelf, en deed hij wat hij leuk vond voor een paar goed betalende contacten.

Op dit moment stonk hij naar de sigarettenrook en drank van de vorige avond. Hij droeg een blauwe overall van VT Media met opgestroopte mouwen, waardoor zijn rechterbovenarm, zo groot als een ham, te zien was. In fraaie, gotische letters stond daarop de leus GOD IS A PROGRAMMER getatoeëerd. 'Wil jij er ook een?' vroeg hij, terwijl hij Danny een bruine papieren zak met donuts voorhield.

'Nee, Kid, dank je, ik heb al gegeten.'

Anna-Maria had op het dek een omelet voor Danny klaargemaakt voordat hij de boot verliet. Toen hij op de kraag van zijn overhemd een vleugje van haar parfum rook, voelde hij plotseling een steek van spijt en wenste hij dat hij nog bij haar was.

Maar dat gevoel was even snel weer verdwenen. Als een mooie droom waaruit hij zojuist was ontwaakt en die in het daglicht geen betekenis meer had.

De Kid rommelde in de papieren zak en diepte een donut op met een laag chocolade en gekleurde suikervlokken. Hij nam er een flinke hap van.

'Je weet niet wat je mist, man,' zei hij, terwijl de suikervlokken van zijn lippen vielen. 'Dit is manna uit de junkfoodhemel. Ik dacht dat een yankee als jij daar wel trek in zou hebben.'

De Kid had een hese stem, alsof hij altijd verkouden was. Danny zei altijd dat hij een eigen nachtprogramma op de radio zou kunnen hebben, als hij niet zo vaak uitging en straalbezopen werd.

Vijf jaar geleden had Danny hem in Basra leren

kennen, waar ze allebei training gaven aan Executive Protection Units. In die tijd liep de Kid nog een mijl binnen vijf minuten en kon hij twee keer zijn eigen gewicht opdrukken – wat Danny nog steeds kon.

Maar sinds een paar jaar werkte hij voor particuliere klanten in Europa, hoofdzakelijk vanuit de laadruimte van dit soort spionagebusjes, waardoor het grootste deel van de Kids spiermassa in vet was omgezet. Het was een metamorfose die hij eerder verwelkomde dan betreurde. Hij gaf geen zier om zijn uiterlijk.

'Bijna al het soort werk dat ik doe, leidt of tot mijn dood of de gevangenis,' had hij ooit tegen Danny gezegd. 'Dat hoort er nu eenmaal bij, moet ik toegeven. Ik kan het er ondertussen dus maar het beste van nemen, niet? Eten, drinken, gokken en mezelf de vernieling in helpen. Want niemand van ons weet wanneer dit avontuur ophoudt.'

'Weet je, negen van de tien keer,' zei hij nu tegen Danny, 'denk ik dat ik liever een lekkere donut heb dan een lekker wijf.'

Danny kon een glimlach niet onderdrukken. 'Je gaat me toch niet vertellen dat je vaak voor dit dilemma staat.'

'Een beetje geluk moet je hebben, man.' De Kid nam peinzend weer een hap. 'Misschien betekent dit al-

leen maar dat ik in de verkeerde nachtclubs kom.'
'Ik kan me niet eens meer herinneren wanneer ik voor het laatst in een nachtclub ben geweest,' zei Danny.

Dat klopte. Sinds hij was gestopt met drinken had hij steeds minder zin om uit te gaan.

'Nou, als deze klus geklaard is, kunnen we misschien eens een keer stevig gaan stappen,' zei de Kid. 'Zal ik je het echte Londen laten zien.'

'Misschien.'

Het aanbod van de Kid was natuurlijk goed bedoeld, maar Danny betwijfelde of het er ooit van zou komen. Hij wist niet waar de Kid woonde. Net zoals de Kid niets wist over Danny's verblijfplaatsen, over Anna-Maria of over het feit dat Danny ooit getrouwd was geweest en kinderen had gehad. Het werk was daar debet aan, erkende Danny. Omdat het schemerig was. De meeste mensen die hij kende, hielden hun privéleven ervan gescheiden, in quarantaine, onbesmet, schoon.

De Kid liet zijn hoekige, zwarte leesbril die op zijn onhandelbare bos dreadlocks stond, zakken. Met zijn vingers beroerde hij achteloos het toetsenbord op zijn schoot, alsof het een exotisch huisdier was, terwijl hij even opkeek naar de rij monitoren voor hem.

'Voor wie werken we eigenlijk?' vroeg hij vervolgens,

terwijl hij de schermen uitzette. Hij keek Danny strak in de ogen.

Voor wie? Voor de persoon voor wie Danny naar Londen was gereisd om hem te beschermen. Of om hem veilig naar huis te brengen. Want meestal was het een van de twee.

'Dat hebben ze me nog niet verteld.'

'Wie zijn "ze"?'

Ze. De klant. De persoon of organisatie die voor Danny's diensten en voor elk team dat hij zelf zou willen inzetten, zou betalen.

'Ik wacht nog steeds op een bevestiging.'

De Kid grinnikte verrast. Omdat hij inmiddels wist dat de klant vijf dagen geleden voor het eerst om Danny's diensten had verzocht. Want toen had Danny in Londen contact met hem opgenomen en gevraagd of hij paraat kon staan.

Het feit dat de klant nog steeds onbekend was, en dat Danny nog steeds niet op de hoogte was gebracht van de aard van de klus, was op zijn zachtst gezegd ongewoon. Meestal zat Danny in dit stadium tussen stapels dossiermappen. Om uit te zoeken hoe hij het doel dat de klant wenste te bereiken het beste kon halen.

'En Crane?' vroeg de Kid.

Crane was Danny's *ops provider*. Vroeger heette dat nog gewoon 'tussenpersoon', maar die term werd allang niet meer gebruikt. Crane was degene via wie Danny aan zijn opdrachten kwam. Ook ditmaal was het verzoek voor deze klus van hem afkomstig.

'Hij weet alleen maar dat de cliënt via iemand binnen de Amerikaanse regering naar hem is doorgestuurd.'

De Kid grinnikte laatdunkend. Al vóór de onthullingen op Wikileaks had hij in de loop der jaren zo veel strikt geheime informatie onder ogen gekregen dat hij een gezond cynisme jegens regeringen had ontwikkeld.

'Dat is geen enkele garantie,' zei hij.

'Crane zegt dat hij hem vertrouwt.'

De Kid gaf geen antwoord, maar aan zijn gezicht was duidelijk te zien dat hij net als Danny geen waardering kon opbrengen voor dit geheimzinnige gedoe.

'Over een minuut neem ik contact met hem op,' zei Danny, kijkend op zijn horloge. 'Om erachter te komen of hij nog wat info heeft achtergelaten voordat ik naar binnen ga.'

Naar binnen. Naar de vergadering. De vergadering waarvoor Danny de Kid had ingeschakeld, zodat die een oogje in het zeil kon houden. De vergadering waar hij over iets meer dan een halfuur werd verwacht. In kamer 112 van het Ritz Hotel.

'Tijd voor een peukje,' zei de Kid, terwijl hij zijn

55

overall dichtknoopte om zijn Aphex Twin-shirt daaronder te bedekken.

Terwijl de lange, stevig gebouwde Kid opstond van de bank greep hij naar een pakje Marlboro-rood. Via de dubbele achterdeur van het busje stapte hij het stralende zonlicht in. Hij smeet de deur achter zich dicht.

Alleen gelaten in de broeierige neonschemer keek Danny op zijn horloge: 10.59 uur. Hij moest zich haasten. Over een minuut werd hij in Harry's Bar verwacht voor een rendez-vous met Crane.

Zeven

Danny zette zijn beker op de vloer van de bus, pakte zijn telefoon en stopte het oortje van zijn bluetooth-headset, het nieuwste van het nieuwste, in zijn rechteroor. Op het scherm van zijn mobiel tikte hij op het pictogram van InWorld en wachtte even totdat de homepage van de website verscheen. Daarna logde hij in.

InWorld was een open-world game waar iedereen met een internetverbinding op kon inloggen. Dagelijks waren er op elk willekeurig tijdstip meer dan 300.000 spelers wereldwijd ingelogd. Het spel werd gespeeld in een immense omgeving: er vielen vier virtuele continenten en achtentwintig virtuele steden te ontdekken, elk met duizenden verschillende locaties.

Het was, met andere woorden, niet gemakkelijk om er iemand elektronisch op te sporen. Of af te luisteren. Daardoor was het de perfecte plek om online bijeenkomsten te organiseren voor wie uit was op volledige anonimiteit en privacy. Wat Danny altijd was.

De virtuele stad waar hij nu op wilde inzoomen heette Noirlight, de exacte locatie was High Times Square.

Op het scherm verscheen het beeld van een druk marktplein. Achtergrondgeluiden – voetstappen, straatverkopers, het getoeter van auto's in de verte – klonken in Danny's oortje, synchroon met de actie op het scherm.

In InWorld konden spelers de personages die zij beheerden – hun avatars – naar eigen goeddunken zelf ontwerpen. Je avatar kon op jezelf lijken, een stripheldversie van jezelf zijn of juist een heel ander persoon. Je kon lang of klein zijn, zwart of wit. Iets abstracts, een buitenaards wezen of een vis.

Er liep een statusbericht onder in het scherm van Danny's telefoon: F8 GAAT NU HIGH TIMES SQUARE OP. Andere spelers wisten dat Danny's avatar op het punt stond naar binnen te gaan.

Danny had zijn avatar F8 genoemd omdat het de eerste toets was waar zijn oog op viel toen hij de vraag kreeg om een naam te bedenken. Maar hij vond ook dat F8 goed klonk, vooral gezien de aard van de zaken die hij altijd in InWorld moest bespreken.

Een striptekening van een donkerharige man in een spijkerbroek en een wit T-shirt die er gewoon uitzag verscheen op het scherm, naast de replica van de Trevi-fontein in het midden van het plein.

Danny had zijn avatar zo onopvallend mogelijk gemaakt. Hij was er niet om vriendschappen te sluiten. Hoe minder aandacht hij trok, hoe beter.

OPNIEUW WELKOM IN NOIRLIGHT, F8, luidde een nieuw schermbericht.

Danny manoeuvreerde F8 behendig door de menigte andere avatars op het plein, en ging daarna in de 'fly'-modus, waarin hij zijn avatar door de eeuwig schemerdonkere lucht kon laten vliegen.

Op Danny's lijst met vrienden linksonder op zijn scherm stond in groene letters de naam CRANE, waardoor Danny wist dat zijn tussenpersoon zich had aangemeld. Die zat nu ongetwijfeld al op hem te wachten in Harry's Bar.

Als de echte Crane in Noord-Amerika zat – al wist Danny absoluut niet waar hij zich op welk tijdstip dan ook bevond – was het voor hem nu vroeg in de morgen.

Danny probeerde zich voor te stellen dat Crane slaperig in een appartement zat, koffiezette en sloom naar zijn computerscherm staarde, wachtend op hem. Maar toen hij probeerde zich een voorstelling te maken van Cranes gezicht, zag hij alleen maar duisternis, een masker.

Danny vloog met F8 boven de wolkenkrabbers en gebouwen van Noirlight. Uiteindelijk landde hij in een donkere steeg naast een afgetrapte ingang met de letters HA RY'S B R, die afwisselend op een rood neonbord aangingen.

Met het driedimensionale gereedschap dat in In-

World beschikbaar was, kon de speler virtuele panden bouwen – huizen, restaurants, winkels – en die beschermen en beheren, zoals je dat ook in de echte wereld zou kunnen doen. Dit hield in dat je zelf kon bepalen wie je binnenliet.

Harry's Bar was gebouwd en werd beheerd door Crane. Toen Danny F8 de vergane, onaantrekkelijke voordeur in liet gaan, stapte een virtuele portier met twee virtuele rottweilers aan de lijn uit het donker.

De portier was een MOB, een niet-meespelende figuur, onderdeel van het InWorld-programma. In feite een beveiligingsroutine. Hij zag er indrukwekkend en intimiderend uit. Ideaal om ongewenste spelers af te schrikken.

Op het scherm torende hij hoog boven F8 uit. Hij had stevige kaken en opgepompte spieren. De twee rottweilers sloten F8 in en begonnen te grommen. In feite snuffelden hun beider programma's aan elkaars gegevens, om te bevestigen dat F8 was wie hij beweerde te zijn en het recht had naar binnen te gaan. Even snel als ze waren opgedoken, verdwenen de honden met hun baasje weer in het donker. De toegangsdeur van Harry's Bar ging met filmisch gekraak open.

Danny liet F8 binnenstappen. De ruimte was ingericht als een clandestiene kroeg uit de jaren twintig.

Er waren geen andere avatars te bekennen. Het enige teken van leven kwam van een andere MOB, die achter de geboende bar stond, een oude barkeeper, rechtstreeks uit een castingbureau geplukt. Hij droeg een vest, had een buikje en achterovergekamd, grijsblond haar.

'Lang niet gezien, vriend. Wat kan ik voor je inschenken?' vroeg de barman. Zijn door de computer gegenereerde stem had het aangenaam lijzige accent van iemand uit New Orleans.

'Een bloody mary,' antwoordde Danny. 'Sterk gekruid.'

Dat was de toegangscode die Crane hem had gegeven. De barman begon een virtuele cocktail voor F8 te mixen, terwijl Danny wachtte, in het besef dat op dat moment zijn stemprofiel werd gecontroleerd, om nog meer zekerheid te krijgen dat hij echt was wie hij beweerde te zijn.

Uiteindelijk gaf de barman F8 zijn drankje en zei: 'Gezondheid.' Het teken dat Danny verder mocht gaan.

De hoge wandboekenkast die van vloer tot plafond reikte, rechts van de bar, schoof open. Daarachter zat een verborgen ingang. Danny liet F8 Cranes kantoortje binnenlopen, een raamloze ruimte met een knapperend haardvuur, dat felrood flakkerde in een gietijzeren haard. Plafonnières in art-decostijl deden de bakstenen muren baden in een saffierblauwe gloed.

Crane zelf was nergens te bekennen. Toen hij om zich heen keek zag Danny een virtueel briefje voor hem liggen op het gepolijste mahoniehouten bureau.

Hij zoomde in op het bericht, totdat zijn hele scherm ermee gevuld was:

Heb geprobeerd meer nieuwe info over cliënt te krijgen, maar dat is niet gelukt. Heb wel met mijn contact binnen de regering gesproken en mij is verzekerd dat alles goed is. Sorry dat ik je dit niet meer van man tot man – of van pixel tot pixel – kan vertellen, maar er is iets onontkoombaars tussen gekomen. Groet, Crane.

Zowel lichtelijk verrast als geïrriteerd omdat hij zijn tijd had verspild, controleerde Danny zijn lijst met 'vrienden'. Hij zag de naam CRANE rood oplichten, wat betekende dat die zich zojuist had afgemeld. Danny had Crane nog nooit persoonlijk ontmoet. Alleen online hier in Noirlight. Via een ex-collega, die hem soms aan een klus had geholpen toen Danny pas freelancer was geworden, was hij erachter gekomen hoe hij met Crane in contact kon komen. Danny wist niet eens of Crane wel de echte naam was van zijn provider. Wél wist hij, dat Crane betrouwbaar was en hem nooit in de steek had gelaten. Bovendien had Crane nooit geprobeerd Danny een klus in de maag te splitsen die hij niet wilde. Danny vertrouwde hem en zijn oordeel.

En dus ging Danny naar de geplande bijeenkomst in de Ritz vandaag. Toch kon hij, toen hij uitlogde, het onbehaaglijke gevoel waar hij die hele week al last van had niet van zich afschudden.

Hij bleef zich maar afvragen wie deze mysterieuze cliënt kon zijn. Waarom ze zo gebrand waren op geheimhouding. En hoe het hen in godsnaam lukte hun identiteit geheim te houden voor iemand met zoveel connecties als Crane.

Hij bleef, met andere woorden, het gevoel houden dat er iets niet pluis was.

Om die reden had hij de Kid ingeschakeld, als vangnet. Want Danny zou zijn eigen intuïtie nooit negeren, hij wist wel beter. Dat had hij lang geleden geleerd. Op een ochtend die was begonnen met een wandeling in het bos en die eindigde met bloed in de sneeuw.

Acht

Zeven jaar daarvoor, North Dakota

'Vind je het leuk om te doden, papa?'
Leuk? Die vraag had Danny Shanklin nog nooit gekregen. En zichzelf nog nooit gesteld. Niet één keer tijdens zijn hele scholing of opleiding. Nog nooit tijdens de vele uren waarin hij leerde hoe hij zichzelf en zijn land moest verdedigen, en hoe hij moest aanvallen.
Het had volgens hem ook niets met leuk zijn te maken. Doden was een kwestie van noodzaak. Iets wat moest gebeuren.
Een ijskoude wind stak op tussen de platanen. Het zonlicht glinsterde op de sneeuw. Danny had een konijn in zijn hand dat nog geen halfuur dood was, het beestje was nog warm.
Hij keek naar zijn dochter. Lexie was negen jaar oud. Ze droeg een gescheurd en versleten camouflagejack dat van Danny zelf was geweest, toen hij acht was.
Haar lange blonde haar – zacht, net als dat van haar moeder – was nog warrig van de slaap. De sneeuw kraakte onder haar waterdichte bergschoenen toen ze op de hakken heen en weer wiegde.
Er glinsterde een sneeuwvlokje op haar mopsneus,

naast de vijf sproeten die nooit verdwenen, ook niet in de winter. Danny had er in de loop der jaren vaker zijn blik op had laten rusten dan hij zich kon herinneren, wanneer ze in zijn armen in slaap viel.

Het was vijf januari. Iets over achten in de morgen. Danny en Lexie zaten gehurkt bij de oude afrastering van haagdoornen die de weiden in het besneeuwde dal scheidden van het donkere bos daarboven. De lucht was zwanger van de geur van vochtige dennen. De vader van Danny, zijn ouwe, had deze rotsachtige heuvel bijna veertig geleden voor een appel en een ei gekocht van een schapenboer, en er later, in het jaar waarin Danny werd geboren, een blokhut op gebouwd. Danny kwam hier al van kindsbeen af, eerst met zijn ouders, later met zijn vrienden en nu met zijn eigen gezin.

Zijn vrouw Sally hield al even veel van het huisje. Het leek haar gezond haar kinderen te laten proeven van het eenvoudige leven, als tegenhanger van hun leven in New York met al zijn grenzen, beperkingen en tv-programma's.

'Ik bedoel,' zei Lexie, 'we hóéven toch geen dieren dood te maken, of wel?' Haar stem klonk zacht maar dwingend, net als die van haar moeder. Danny zou er de hele dag naar kunnen luisteren. 'Want we zijn toch niet arm, zoals sommige mensen op de wereld, papa? En er zijn toch genoeg Wal-Marts waar we

onderweg hadden kunnen stoppen om vlees te kopen?'

Lexie was een uitzonderlijk analytisch kind, dat hadden de leerkrachten op haar school al snel in de gaten
gehad, tot Danny's stille trots. En ze had natuurlijk
weer gelijk. Danny hoefde niet te stropen om te eten.
Hij verdiende bovenmodaal bij de overheid en de
zaak die Sally was begonnen – een winkel in biologische babyvoeding, ingevroren in zakjes voor hard-
werkende moeders – begon winstgevend te worden.
'Het gaat niet om arm of rijk, of dat je het in de su-
permarkt kunt krijgen,' zei Danny. 'Het gaat erom
dat je leert voor jezelf te zorgen. Zodanig dat je niemand nodig hebt.'

En het gaat om nog meer, had hij bijna gezegd. Het
gaat ook om wie we zijn. Om onze positie in deze
wereld. Om te leren dat wij jagers zijn en geen prooi-
dieren.

'Zoals je dat van opa hebt geleerd.'

'Precies.'

Opa. Zo noemden Danny's kinderen zijn ouwe altijd. Hij was bijna twee jaar geleden overleden, maar
nog steeds had Danny het gevoel dat hij over zijn
schouder met hem meekeek. Hij miste zijn vader
verschrikkelijk.

Hij maakte de lus los van de metalen valstrik om de
nek van het konijn. Het was een schone prooi. Het

dier was snel gestorven, door zichzelf tijdens zijn ontsnappingspoging te wurgen. Het kopje klapte om toen Danny het dier optilde, als een poppenkastpop waar de hand uit was getrokken. Zijn dode, zwarte ogen glansden als olijven. Een kille bries beroerde zijn vacht.

'Doordat we het dier zelf hebben gedood, weten we waar het vandaan komt,' zei Danny. 'Nu weten we zeker dat het niet is vetgemest met groeihormonen. Is volgestouwd met rotzooi,' verduidelijkte hij. Hij had zijn dochter vaak genoeg bij afleveringen van de Simpsons horen lachen om te weten dat hij haar niet als een klein kind moest behandelen. 'En dan weten we ook zeker dat hij niet zijn leven lang in een kooi heeft gezeten,' zei hij. 'En ik weet niet hoe jij daarover denkt, Lexie, maar volgens mij zal hij daardoor veel lekkerder smaken.'

Lexie reageerde niet. Danny drong niet aan op een antwoord. Ze had een onafhankelijke geest en die respecteerde hij. Ze zou haar eigen conclusies trekken, wist hij. Bovendien had hij haar hier niet mee naartoe genomen om haar te vormen, maar gewoon om samen te wandelen.

Ze liep voor hem uit, een lange, smalle schaduw voor zich uit werpend, naar de laatste strik die hij had gezet.

Gisterenmiddag, vlak voor het donker werd, hadden ze met de kleine Jonathan langs deze afrastering gelopen, terwijl Danny wees op de veelbetekenende plukjes vacht die in de struiken waren blijven hangen en op het platgetreden spoor van het konijnenpad daaronder.

Terwijl hij de strikken zette, had hij zijn kinderen uitgelegd hoe kolonisten en boeren al sinds honderden jaren op deze manier op wild joegen, want ze wisten dat elke ochtend en avond de konijnen uit hun holen in het hoge bos kwamen om zich te goed te doen aan het weelderige gras in het dal.

Danny had zich die ochtend bij het ontwaken afgevraagd of de sneeuw de konijnen ervan zou hebben weerhouden op pad te gaan. Er was meer dan zeven centimeter gevallen die nacht, en nu dwarrelden er opnieuw langzaam grote vlokken neer. Maar door de sneeuw leken de valstrikken juist nog beter verborgen te blijven voor de konijnen, want hij had er al twee gevangen. En nu de derde. Meer dan hij had verwacht. Meer dan genoeg voor de stoofpot die hij zou maken en later bij de haard samen met Sally en de kinderen zou opeten.

Sally vond het vervelend dat Danny Lexie meenam op zijn ochtendwandelingen wanneer ze in hun blokhut op vakantie waren. Maar Danny zelf was nog jonger geweest toen zijn vader deze uitstapjes met hem maakte.

Lexie zou geen moment alleen gelaten worden. Ze volgde Danny als zijn schaduw. Voor niets op deze aardkloot was ze bang. Niet wanneer ze bij hem in de buurt was.

Bovendien had zijn vader Danny meer laten zien dan alleen de prooi in de strik. Danny kon zelf al konijnen villen toen hij zeven was.

'Het is net zo gemakkelijk als het pellen van een banaan,' had zijn vader hem gezegd toen hij voor het eerst de opdracht had gekregen om zelf zijn maaltijd voor te bereiden en te koken. 'Pak hem maar bij zijn achterpoten vast en hou hem in de lucht. Snij zijn buik van boven naar beneden open en haal er met een haak de ingewanden uit. Kijk: zo vallen ze over zijn kop naar buiten en bederven ze het vlees niet. Nu ruk je de kop er achterwaarts af. Kijk eens hoe soepel je er de vacht dan van af kunt halen.'

Zijn vader was hoofd gevechtsinstructies geweest op de militaire academie waar Danny's half-Russische, half-Engelse moeder docent moderne talen was. De dood zat hem in het bloed en hij had zijn zoon op dezelfde wijze willen opvoeden.

Maar Danny was bereid geweest een compromis met Sally te sluiten. Lexie mocht met hem mee om de prooi op te halen, maar het villen deed hij altijd alleen, buiten achter de hut, waarna hij met de buit, gevild en onthoofd, en vrij van bloed naar binnen ging, alsof hij het vlees zojuist in de winkel had gekocht. Hij liet het dode dier in zijn canvas zak met trekkoord vallen, trok zijn Bowie-mes uit de holster aan zijn riem en sneed de reep stof waarmee de strik aan de haag was gebonden los, omdat zijn vingers al te gevoelloos van de kou waren om de knoop los te maken.

Hij liet ook de strik in de zak vallen, boven op de andere en de prooi. Het had geen zin om deze strikken hier te laten liggen als hij weg was. Niet omdat ze zouden gaan roesten, want dat deden ze niet, maar omdat een ander dier erin verstrikt zou kunnen raken en dan net niet doodging, zonder dat Danny er was om het beest de genadeslag te geven. Het had geen zin lijden te veroorzaken, behalve als je geen andere keuze had.

Een vogel – een kraai, dacht hij – vloog krassend op boven de bomen bij de hut. Daarna nog een, enkele meters aan de linkerkant. Ze moesten ergens van zijn geschrokken. Misschien van de sneeuw die van een tak was gevallen.

Toch voelde hij dat er iets niet pluis was toen hij de twee vogels in de verte zag wegvliegen. Iets wat hij niet kon plaatsen. Een kramp in zijn maag. Bezorgdheid. Hij dacht aan Sally en Jonathan, die daar in de hut lagen te slapen. Plotseling wilde hij bij hen zijn. Naar ze toe rennen zelfs.

Je bent gewoon moe, zei hij tegen zichzelf. Je bent gewoon moe en hongerig. Maar toen hij zijn dochter zag beven, zei hij: 'Kom, laten we teruggaan.'

Lexies bleke en dunne scheenbenen staken als dunne witte stokken uit haar driekwart legging. Dit kledingstuk was toen een rage op haar school, en het was haar favoriete kerstcadeautje. Ze had de legging al vroeg in het seizoen gekregen, op tijd voor het verjaardagsfeestje van een vriendinnetje, en wilde haar trofee sindsdien niet meer uitdoen, behalve wanneer hij in de was moest.

'O, wat jammer nou,' zei ze. 'Het is zo mooi hier.' Ze staarde het dal in, liet haar blik tot voorbij de kronkelende zwarte slang van de rivier glijden, naar Canadese grens in de verte. Haar glanzende ogen stonden helder, haar wangen waren rood als appels. Ze had een vage glimlach om haar boogvormige lippen, die de wereld lieten weten dat ze blij was om te leven.

Ze sloeg haar arm om Danny's middel en gaf hem een knuffel, waardoor hij besefte hoe snel ze groter werd, en dat ze op een dag niet met hem, maar met haar eigen man hier zou staan – en hoe hij haar dat geluk toewenste, hetzelfde geluk dat hij met Sally had. Maar tegelijk vond hij de gedachte dat ze niet meer zijn kleine meisje was hartverscheurend.

'Ja, dat vind ik ook, lieve schat,' antwoordde hij, ter-

71

wijl hij terugdacht aan de kraaien, die hij om een of andere stomme reden niet uit zijn hoofd kon zetten. 'Maar kom op, laten we de ketel op het vuur zetten en koffie zetten voor je moeder. En de haard een beetje oppoken.'

Opnieuw zag Danny Sally en Jonathan voor zich in de hut. Jonathan was pas vijf geworden. Waarschijnlijk lag hij opgekruld onder de schapenvacht op het houten bed dat zijn vader jaren geleden voor Danny's moeder had gemaakt.

Het begon harder te sneeuwen; grote, dikke vlokken dwarrelden neer, toen ze terug het bos in liepen.

De hut – een bungalow met asfaltdak, met een schoorsteen waaruit traag de rook van brandhout steeg – kwam enkele minuten later door de dennenbomen heen in zicht.

Toen hij de hut zag liggen, veilig en wel, kon hij zich weer ontspannen. Hij dacht terug aan de dag daarvoor, toen hij daarbinnen zat met Sally en de kinderen. Hij had haar beloofd dat hij naar ander werk zou gaan zoeken. Volgens haar tenminste. In werkelijkheid had hij gezegd dat hij erover na zou denken. Maar voor haar was dat hetzelfde.

Maar wat moet ik dan? Dat vroeg hij zich nu af, toen hij met Lexie langs de oude haagdoornheg naar de hut liep. Hij wist dat hij niet geschikt was voor kantoorwerk, dat hij niet in staat zou zijn leiding te geven aan projecten zonder dat hij daar na verloop van tijd direct bij betrokken zou willen zijn. Wat inhield dat hij een gewone burger moest worden.

Sommige mensen zeiden dat je je nooit van de CIA zou kunnen losmaken. Niet vanbinnen. Dat het een roeping was, geen baan. Dat de *company* jou had gekozen, en niet andersom. En nu hij werkte voor de Groep Bijzondere Operaties, die gespecialiseerd was in het heimelijk verzamelen van inlichtingen over vijandige naties, wist hij dat het nog moeilijker zou zijn om eruit te stappen.

Danny hield abrupt zijn pas in. Zijn blik verstarde. De hut lag pal voor hen, tien meter verderop. Op de ramen aan beide zijden van de deur hadden zich ijsbloemen gevormd van gecondenseerde adem – die van Danny's vrouw en kind. De rood-wit geblokte gordijnen, door Danny's moeder genaaid op haar oude Singer-naaimachine, waren gesloten. IJspegels hingen als de tanden van een of ander oerwezen aan de dakgoot. Op de kraag van zwart hout om de schoorsteen na, was het hele schuine dak bedekt met sneeuw.

Danny's oog was gevallen op de sneeuw die op de grond lag. Op het patroon van voetsporen. Danny zag meteen dat er iets niet klopte.

Twee paar sporen – die van hem en van Lexie, die elkaar soms raakten, maar grotendeels parallel lie-

73

pen – leidden naar de ingang van de hut en toonden de route die hij met zijn dochter die ochtend had genomen toen ze de strikken gingen controleren.

Nu zag Danny een derde paar voetsporen – groter dan die van hem – dat vanuit het bos naar de rechterkant van de hut liep.

Hij wist het zeker. Zijn intuïtie had hem niet bedrogen. Wie dat voetspoor ook had achtergelaten, die persoon had die twee kraaien opgeschrikt.

Negen

11.23 uur, Green Park, Londen W1

De foyer van het Ritz Hotel rook naar duur parfum en verse bloemen. Danny liep langs de portier in livrei zonder zijn pas in te houden. Hij was de avond tevoren op verkenning geweest, waardoor hij wist waar hij moest zijn.

Hij liep de receptie straal voorbij. Geen van de toeristen of zakenmensen keek naar hem om. Hij beschouwde dat als een kunst, iets waar hij trots op was. Wanneer hij aan het werk was, wilde hij opgaan in de omgeving, een achtergrondfiguur op een impressionistisch schilderij, een van de vele vage gezichten in de menigte zijn.

Hij droeg het pak dat hij gisteren op Heathrow ook aanhad, zonder te weten van welk merk het was. Het was grijs, volslagen onopvallend. Een van de vele. Een kledingstuk dat hij buiten zijn werk om nooit zou dragen.

Hij droeg de strohoed met zwarte band die hij in een etalage op het vliegveld had zien liggen, omdat hij wist dat zijn gezicht voor een deel onder die rand zou verdwijnen. Zijn pilotenbril diende hetzelfde doel. Hierdoor zou geen van de beveiligingscamera's waar hij langs liep ook maar een deels bruikbare foto van hem kunnen nemen.

Wie hem nu om welke reden ook beter zou bekijken, zou hem waarschijnlijk inschatten als een accountant of jurist. Een functie op middenkaderniveau, dat wel, niet iets hogers.

Hij duwde tegen de klapdeur van de herentoiletten en haalde tegelijk een Phillips-schroevendraaier met standaardmaat 4 uit het binnenzakje van zijn colbert. Toen hij nog geen twee minuten later terugkwam, was dat zonder het gore-tex rugzakje waarmee hij naar binnen was gelopen.

Kamer 112 lag op de derde verdieping. Danny nam de trap in plaats van de lift en onthield de posities van nooduitgangen en ingangen naar andere verdiepingen.

'Volg je me nog?' vroeg hij hardop toen hij bij het lege trapportaal voor de derde verdieping aankwam. 'Bij elke stap.'

De stem van de Kid kwam binnen via het bluetoothoortje dat Danny in zijn rechteroor had gestopt. Hij droeg ook een zendapparaatje dat in de revers van zijn jasje was genaaid. Hij wilde deze ontmoeting opnemen. De stem van de cliënt. Alles wat ze bespraken. Alle informatie die hij voorafgaand aan deze ontmoeting niet had gekregen, wilde hij hebben op het moment dat ze klaar waren.

'Veel plezier bij het afluisteren,' zei hij.

Hij haalde het oortje uit zijn oor en stopte het in een zak van zijn colbert, waar iedereen die ernaar zocht het kon vinden. Hij keek op zijn horloge. Elf uur negenentwintig. Een minuut te vroeg.

Hij stond even stil. Terwijl hij uit een hoog raam staarde dat uitzicht bood op de blauwste Londense lucht denkbaar, kreeg hij plotseling heimwee naar Saint Croix, waar de weinige buurtgenoten met wie hij soms contact had, dachten dat hij een makelaar in jachten was, die zakelijke belangen in Miami en Saint-Tropez had.

Hij dwaalde verder af. Hij herinnerde zich de warmte van de Caraïbische zon op zijn huid en het geritsel van droge takjes en bladeren onder zijn blote voeten toen hij, nu twee dagen geleden, met zijn vier honden voor hun ochtendduik door de struiken naar het strand liep.

Hij hoopte maar dat Candy Day ze in bedwang kon houden. Zijn zevenenzestigjarige huishoudelijke hulp werkte al vier jaar voor hem, vanaf het moment dat hij de vervallen opzichterswoning op de oude tabaksplantage bij Grassy Point begon op te knappen. Maar Candy klaagde nooit. Danny vreesde dat zijn honden – twee leeuwhonden en twee dobermanns – haar zouden uitputten wanneer hij er niet was.

Hij wist nog niet hoe lang hij deze keer moest blijven, maar hij verlangde nu al naar huis. Hij wilde de oude tractorschuur opknappen, waar Lexie deze zomer zou kunnen logeren, eindelijk. Ze was nog nooit op Saint Croix geweest, had nog geen enkele vakantie met Danny doorgebracht, niet sinds ze zes jaar geleden naar Engeland was verhuisd om bij haar grootmoeder te gaan wonen. Hij wilde haar dit aan het einde van het schooljaar vragen. Hij hoopte dat haar beslissing in zijn voordeel uitviel als hij haar een paar kamers voor haarzelf kon aanbieden.

Hij keek weer op zijn horloge. Precies halftwaalf. Aan de slag nu. Met een beetje geluk zou de bijeenkomst niet zo lang duren. Lexie zat op een internaat aan de andere kant van de stad. In het programma van de sportdag dat hij had opgestuurd gekregen, had hij gezien dat ze later die dag de vijftienhonderd meter zou rennen. Hij wist weliswaar dat ze hem niet zou willen zien, maar hij was van plan vanaf de zijlijn naar haar te kijken.

De gang met hotelkamers aan de andere kant van de glazen branddeur was leeg, brandschoon en warm. Danny liep er zwijgend doorheen. Bij kamer 112 nam hij zijn hoed af en stopte hij zijn bril in zijn binnenzak. Vervolgens klopte hij aan.

Nog geen twee tellen later deed een vrouw met streng, kort blond haar open. Ze was lang en zag er sportief uit. Mooi, maar met wallen onder haar ogen en har-

78

de, strakke lijnen om haar mondhoeken. Ze was eind twintig, schatte Danny. Ze droeg een strak gestreken, beige, linnen pakje. Geen make-up. Ook geen nagellak.

Meestal ontmoette Danny in de beginfase van het type klussen dat hij deed advocaten, privédetectives of familieleden van mensen die waren gekidnapt, bedreigd werden of erger.

Maar één blik op het gezicht van deze vrouw leerde hem dat zij dat allemaal niet was. Haar uitstraling had iets kils. En iets oplettends, waardoor hij meteen vermoedde dat ze voor het leger werkte. Of had gewerkt.

'Wat wilt u?' vroeg ze.

'Crane heeft me gestuurd.'

'En u bent?'

'Sam Jones.'

Samuel Wilson Jones, om precies te zijn. Een van de vele valse identiteiten die Danny voor zijn werk gebruikte. In zijn binnenzak zaten geldige creditcards, een rijbewijs en het Amerikaanse paspoort waarop hij naar Groot-Brittannië was gereisd. Allemaal op naam van Jones. En al die documenten konden iedere toets doorstaan. Danny gebruikte voor zijn werk nooit zijn echte naam.

'Kom binnen,' zei de vrouw, terwijl ze hem monsterde en een stap opzij deed.

Danny liep langs haar heen een kleine hal in. Een man van begin dertig met een keurig bijgehouden baardje, diepe groeven in zijn wangen en een lang, smal gezicht, stapte uit een zijdeur en ging voor Danny staan.

Hij was lang en pezig, maar zag er sterk uit. Hij had de bouw van een basketballspeler, met ravenzwart, strak vanaf een laag voorhoofd achterover gekamd haar. Hij droeg een zwart pak en een zwart overhemd.

Als deze man zich ongemakkelijk voelde doordat Danny hem in de ogen keek, was daar verdomd weinig van te zien.

Aan het einde van de hal ving Danny een glimp op van een gemeubileerde, fel verlichte kamer. De blonde vrouw met het strenge uiterlijk deed de deur achter hem dicht, liep langs hem heen en ging naast de man met de baard staan.

'Mijn excuses,' zei ze. 'Ik weet zeker dat u niet gewapend bent, maar we moeten bepaalde veiligheidsprocedures volgen die het noodzakelijk maken dat we u nu gaan fouilleren.'

Allerlei bezwaren lagen op het puntje van Danny's tong, maar hij slikte ze in. Hij was nu hier. Hij had al toegezegd. Bovendien had ze gelijk. Hij was ongewapend. Hij had niets te verbergen.

Hij kende de routine. Hij ging met zijn gezicht naar

de muur staan, spreidde zijn benen en legde zijn handen plat tegen het zijdeachtige reliëfbehang. De man met de baard bevoelde zijn lichaam en vond niets.

Toen hoorde Danny een pieptoon. En nog een. Hij draaide zich om naar de vrouw, die naar hem staarde. In haar linkerhand hield ze een detector voor communicatieapparatuur die in haar handpalm paste. Toen ze haar lege rechterhand naar hem uitstak, zag hij een fijn getatoeëerd roosje op haar pols.

'Ook onze privacy stellen we op prijs,' zei ze. 'Ik verzoek u beleefd uw jasje uit te doen tot aan het einde van deze bijeenkomst.'

Twee pieptonen. Het oortje en het zendapparaatje. Ze had ze gevonden. De vrouw keek Danny rustig aan. Toonde geen enkele emotie. Danny had het gevoel dat ze zo de hele dag naar hem zou kunnen staren.

'Grondig werk,' zei hij.

Als ze het complimentje al oppikte, liet ze dat niet merken. Danny gaf haar zijn jasje. Ze nam ook zijn hoed aan. Hij keek toe hoe de blondine de schuifdeur van een spiegelkast openschoof, waarin een grote metalen kist stond op een plank op heuphoogte. Ze opende het deksel van de kist, vouwde voorzichtig Danny's colbert op en legde die met de hoed erin. De binnenzijde van de kist bestond uit metaalgaas.

Danny vermoedde dat het een kooi van Faraday was, ontwikkeld om statische elektrische velden tegen te houden, waaronder elektromagnetische straling zoals radiosignalen.

Met andere woorden: alle communicatielijnen naar de Kid waren zojuist afgesneden. Danny stond er helemaal alleen voor.

De blonde vrouw sloot het deksel van de kist.

'Deze kant op, alstublieft,' zei ze.

Op dat moment hoorde hij het: een licht Oost-Europees accent. Subtiel. Zo klonk zijn moeder soms ook als ze op zondagmiddag in de achtertuin een barbecuefeestje gaf voor de vrienden van zijn vader uit het leger.

Russisch. Als Danny op dat moment een gokje had moeten wagen, zou hij dat antwoord hebben gegeven.

Het gevoel van onbehagen dat hem die hele week parten had gespeeld, bereikte een hoogtepunt.

Tien

11.34 uur, Green Park, Londen W1

De zitkamer waar de blonde vrouw hem heen had gebracht, was L-vormig en veel groter dan hij had verwacht. Deel van een suite. Antiek meubilair. Moderne kunst. Sierklokken. Twee paar openslaande deuren. Met twee balkons erachter.

Aan de afstand tot de gebouwen aan de overkant te oordelen, vermoedde Danny dat deze kamer uitzicht bood op Piccadilly vanaf de voorkant van het hotel.

Twee mannen zaten naast elkaar op de bank. De eerste was begin zestig en kalend. Hij droeg een ouderwetse ziekenfondsbril. Hij had een goedkoop, donkerkleurig pak aan dat slobberde om zijn brede, stakerige schouders.

Er kwam damp van de zwarte koffie die hij uit een witte porseleinen pot inschonk in de bijbehorende kopjes voor hem op een glazen tafel. Hij keek niet naar Danny op. Hij liet niet eens blijken dat hij wist dat hij er was.

De andere man in de kamer trok veel sterker Danny's aandacht. Het was een blonde kerel met een kromme neus in een rood-wit gestreept trainingspak en met een blinkende gouden ketting om zijn rechterpols. Voorovergebogen, met zijn ellebogen op zijn knieën keek hij Danny met harde, indringende, felblauwe ogen aan. Hij zag eruit als een bokser die op het punt stond in de ring te stappen.

De ogen van een moordenaar. Dat was het eerste wat Danny dacht toen hij hem zag. Dit was geen advocaat. Geen ontzet familielid of slachtoffer. Wat het doel van deze bijeenkomst ook was, het ging zeker niet om een vermissingsgeval.

Moest er dan iemand worden beschermd? Mogelijk. Maar Danny geloofde dat niet. Want tegen wie of wat moest een man als deze worden beschermd?

'Er was me verteld dat dit een een op een ontmoeting zou worden,' zei Danny. Het had geen zin meer om tegen de vrouw of de man met de baard te praten. De man met haviksneus was duidelijk degene die deze situatie regisseerde.

Glimlachend ontblootte de man kleine, schone, witte tanden. 'De plannen zijn gewijzigd,' zei hij. Hij had een zachte stem en eveneens een Russisch, of misschien Servisch accent, gokte Danny. 'Een kop koffie?' vroeg hij.

'Nee, dank u.'

Mis! dacht Danny. Jezus, dit voelde allesbehalve goed. Want waarom zou iemand binnen de Amerikaanse regering Crane een Russische of Servische klant aanbevelen?

'Waarom vertelt u niet gewoon waarom u mij hierheen hebt laten komen?' vroeg hij.

De blauwe ogen van de man twinkelden. 'Dat zul je niet leuk vinden.'

'Vertel maar.'

De kalende man schoof zijn niet aangeraakte koffie weg. Hij tilde een zwartlederen attachékoffer van de vloer en zette die op de glazen tafel. Zijn handen waren schoon, zijn nagels gevijld. Zijn duimen rolden over het dubbele combinatieslot van de koffer. Hij hield de koffer gesloten.

'Jij bent hier omdat je bent wat je bent,' zei de man met de haviksneus.

'Wat ik bén?' Danny begreep het niet.

'Een huurling. Een ingehuurd pistool. Een man van wie bekend is dat hij in ruil voor geld in geweld handelt.'

'Ik weet niet wie u heeft gesproken,' zei Danny, terwijl zijn angst met woede werd vermengd, 'maar dat is niet wat ik...'

'Jij bent hier omdat we gemakkelijk de schuld op jou kunnen schuiven.'

'De wát?'

'De schuld. Voor wat ik straks ga doen...'

Toen wist Danny het zeker. Hij zat heel diep in de shit.

Dat besef kwam te laat.

Achter hem hoorde hij een deur opengaan. Hij draaide zich om en zag een grote kerel met een zwarte bivakmuts uit de aangrenzende kamer komen. Hij droeg hetzelfde rood-wit gestreepte joggingpak als de man met de haviksneus. Een machinepistool stevig in zijn handen.

Danny zou met geen mogelijkheid langs hem heen kunnen glippen of hem kunnen overweldigen. Dit type wapen zou hem meteen omleggen. Maar zou ook zo veel lawaai maken dat de doden ervan zouden schrikken.

Exitstrategie. Proberen te ontsnappen, dacht Danny. Nu!

'Er zit geen geluiddemper op,' zei hij. 'Als je de trekker overhaalt, heb je binnen vijf minuten het hele Londense politiekorps voor je deur.'

'Ach, maar begrijp je het dan niet?' vroeg de man met de haviksneus. 'Dat willen we juist.'

Danny draaide zich om en zag dat de man nog steeds op de bank zat, ontspannen achterover leunend nu, alsof hij naar een scène van zijn lievelingsfilm zat te kijken en wist wat er ging komen.

Hij schatte de afstand tussen hemzelf en de uitgang van de suite in. De man met de baard en het achterovergekamde haar die hem had gefouilleerd, stond klaar met een Russisch PSM-pistool dat hij op Danny's borst gericht hield.

Danny vocht tegen de opkomende paniek. Dit was niet zoals het moest zijn. Hoe had hij de controle zo kunnen verliezen? Wat wilden deze lui in godsnaam? Dat was het moment waarop hij in de gaten kreeg dat de kalende man met bril uit het zicht was verdwenen.

Danny hoorde hem voordat hij hem zag.

Een klik.

Hij had zijn kaken zo stevig op elkaar geklemd, dat hij zijn tanden bijna had stukgebeten. De pijn schoot door zijn lichaam. Het was alsof hij werd geradbraakt.

Zijn benen bezweken.

Tijdens zijn val zag hij in een flits dat de man met de bril een Taser x3 stroomwapen in zijn hand had. Danny probeerde zich te bewegen. Zijn spieren deden niets meer. Hij kon niet om hulp roepen. De randen van zijn blikveld werden gevuld met schaduwen. Hij voelde iets scherps langzaam en diep zijn nek ingaan. Een koelte verspreidde zich door zijn aderen. Het duister begon in te vallen.

Daarna voelde hij niets meer. Danny Shanklin voelde helemaal niets.

Elf

11.39 uur, Green Park, Londen W1

Kolonel Zykov beefde onbedwingbaar. Aan de andere kant van de muur had hij opgewonden stemmen en een klap gehoord.

Zijn mond was gekneveld en hij zat al meer dan zes uur vastgebonden aan de radiator in de verduisterde hotelkamer. Hij had niets te eten of te drinken. Bloedkorsten plakten aan zijn gescheurde lippen. Hij had een gevoel alsof er lood in zijn spieren was gespoten.

Door zijn goede oog staarde hij naar de gesloten slaapkamerdeur, en hij was doodsbang dat die weer open zou gaan.

Aan de andere kant van de stad, in het penthouse van de kolonel gisteravond, had de bebrilde beul met een scalpel Zykovs rechterhoornvlies losgepeuterd en tussen duim en wijsvinger opgerold alvorens het plat te drukken.

Nadat de kolonel het door zijn knevel heen had uitgeschreeuwd, had de beul hem verteld dat hij ernaar uitzag het andere oog schoon te pulken en de waterige substantie te bestuderen, maar dat hij daar helaas nog even mee moest wachten. Eerst moest de kolonel namelijk toezien hoe zijn dochter langzaam werd verkracht en afgemaakt.

De beul had zacht geneuried terwijl hij wachtte tot de kolonel van de schrik was bijgekomen en opnieuw in de greep kwam van het waarheidsserum.

Toen dat gebeurd was, had hij Zykov gevraagd waar het spul dat hij uit de wapenfabriek van Biopreparat had gestolen, verstopt lag. Pas daarna had hij zijn mondknevel losgemaakt.

De herinneringen van de kolonel aan de gebeurtenissen daarna, waren vaag. Het waarheidsserum kreeg weer de overhand. Het was alsof hij verdronk. Hij worstelde in duistere, verstikkende diepten. Snakte naar adem. Hapte in braaksel. Daarna werd hij weer teruggehesen naar het licht. Opgehengeld als een vis. En kraamde hij nonsens uit. Telkens weer. Waarna hij opnieuw in de koude, bulderende waterstroom werd gestort.

Zykov kon zich het exacte moment waarop hij lang geleden de eed aan zijn zes mede-officieren had gezworen, niet herinneren. Fragmenten van de waarheid kwamen als wrakstukken van een zinkend schip bovendrijven. Totdat zijn beul eindelijk alle stukjes van de puzzel van zijn geheime verleden bij elkaar had gelegd.

Uit gespreksflarden die de kolonel die ochtend had opgevangen, bleek duidelijk dat hij deze beesten uiteindelijk alles had verteld wat ze wilden weten.

Als er een hel was, zou hij daar zeker in belanden, wist hij nu. Als er een God was, zou Zykov worden gestraft voor het kwaad dat hij mogelijk had aangericht.

Opnieuw probeerde hij zich te bevrijden. Het had geen zin. Op een gegeven moment werden zijn polsen en enkels tijdens de foltering strak aan elkaar gebonden met dikke, fluwelen lappen, zodat het geen pijn meer deed wanneer hij probeerde los te komen. Stofdeeltjes dansten in het zonlicht dat door de spleten tussen de dichtgetrokken gordijnen viel. De kolonel ving in de spiegelkast een glimp op van zijn wanhopige spiegelbeeld. Ze hadden hem in zijn eigen kleren gehesen nadat ze de informatie die ze wilden hebben uit hem hadden geperst. Zijn vulpen – een geschenk van zijn vrouw – was stukgegaan in zijn binnenzak. Hij voelde de punt in zijn borst prikken. Een zwarte inktvlek had zich uitgespreid over zijn shirt.

Ze hadden hem in de vroege ochtenduren meegenomen vanuit zijn penthouse. Voor vertrek had hij een injectie gekregen met een ander middel, dat hem verlamd en sprakeloos had gemaakt.

Ze hadden hem een donkere zonnebril opgezet om zijn bloederige oog te verbergen. Daarna hadden ze hem in hun busje vervoerd en langs de receptie geloodst van het hotel waar hij nu was.

Telkens wanneer hij de aandacht van de nachtportier had geprobeerd te trekken, hadden de man met de haviksneus en de gebaarde dief gelachen en de portier verteld dat hun met dikke tong pratende Russische vriend te veel wodka had gedronken en naar bed moest.

Het gestommel en het schuiven met meubels was door de muur heen te horen.

Opnieuw rook de kolonel de indringende geur van de genezende balsem waarmee de beul zijn enkels en polsen had gemasseerd toen het schemerig werd. Alsof de zwellingen die de blondine had veroorzaakt toen ze hem vastbond in zijn appartement ineens reden tot bezorgdheid gaven.

Hij dacht aan zijn dochter. Hij hoopte dat er in godsnaam niets met haar gebeurd was...

Gedempt geschreeuw.

Snelle voetstappen.

Het lichaam van de kolonel verstijfde.

Laat ze alsjeblieft niet voor mij komen...

De deur vloog open. Het licht viel binnen. Een grote man met een kaalgeschoren kop in een rood-wit gestreept joggingpak beende op Zykov af. Hij had een week, ziekelijk gezicht, en toen hij neerkeek op Zykov, grinnikte hij.

De hele ochtend had deze man de kolonel zwijgend bewaakt. Behalve toen de blonde vrouw en de man

91

met haviksneus in deze kamer waren om elkaar voor de ogen van Zykov als honden te nemen en toen die teef haar mes had gebruikt om in zijn lippen te kerven totdat hij zijn mond hield en stil was.

De skinhead maakte de kolonel los van de radiator en sleepte hem aan zijn touw mee naar de aangrenzende kamer.

'Wees voorzichtig met hem, idioot,' snauwde de blondine hem in het Russisch toe. 'Je mag niet zien dat hij is gefolterd en vastgebonden.'

Na alles wat je met mijn oog hebt gedaan? dacht de kolonel ongelovig. Na de snijwonden om mijn mond? Pas op voor blauwe plekken, zeg je nu? Maar waarom? Waarom houden jullie me eigenlijk nog in leven?

Die laatste onbeantwoorde vraag vond hij het meest verwarrend. Want deze mensen konden hem toch niet meer laten gaan? Niet na alles wat hij ze had verteld. Ze beseften toch wel dat hij, nadat hij was vrijgelaten, zou doen wat hij kon om te voorkomen dat zij terugstalen wat hij zo veel jaren geleden van hen had gestolen?

De skinhead liet hem als een verschrompeld hoopje mens op de vloer achter. Toen kolonel Zykov omkeek, staarde hij naar de blonde vrouw.

De teef. De hoer.

Ze zat gehurkt bij een glazen tafel en trok plastic

wegwerphandschoenen aan. Uit een zwart koffertje haalde ze een chirurgisch mes en hield het lemmet tegen het licht.

Er klonken zware voetstappen. Witte gymschoenen. Twee mensen, telde Zykov. Een vage indruk van rood-wit gestreepte joggingpakken. Zwarte bivakmutsen. Zwarte zonnebrillen. Automatische wapens, vastgehouden door in handschoenen gestoken klauwen.

Rechts van hem bewoog iets.

Een gezicht uit een nachtmerrie. De beul. Glimlachend keek hij neer op de kolonel terwijl hij zijwaarts lopend als een krab op hem af kwam. Al neerhurkend maakte hij zijn koffer open. Hij hield een volle injectienaald in zijn door chirurgische handschoenen bedekte vingers.

Nee, schreeuwde de kolonel door zijn knevel. Alsjeblieft, ik heb jullie alles verteld wat ik weet.

Zykov was de schaamte voorbij. Hij zou smekend op zijn knieën vallen als hij kon. Hij zou alles, werkelijk alles doen wat ze vroegen. Hij kreunde en probeerde zich los te wringen. Opnieuw voelde hij urine langs zijn benen lopen.

Hij verstijfde. Zojuist had hij een andere man roerloos op de grond zien liggen met zijn rug naar hem toe. Iemand die duidelijk bewusteloos was of dood. Er ontbraken twee vingertopjes aan zijn linkerhand.

De beul knielde neer. Hij hield de kolonel in de houdgreep en injecteerde de vloeistof in zijn lijf. Hij verstevigde zijn wurggreep toen Zykov begon te schoppen. Terwijl het verdovende middel begon te werken,
verzwakte het verzet van de kolonel om ten slotte
op te houden.

De beul rolde kolonel Zykov op zijn rug. Hij haalde
nog een spuit te voorschijn en gaf hem opnieuw een
injectie. Deze keer in zijn pols. De kolonel gaf geen
krimp. De beul scheen met een penlight in zijn linkeroog.

Alles werd rood voor het oog van de kolonel. Vergeefs probeerde hij het weg te knipperen. Toen verdween het lampje en dook het gezicht van de blondine op.

'Is hij al dood?'

Ben ik dood, vroeg de kolonel zich af. Vraagt ze dat
echt? Mijn god, heeft hij me vermoord? Is dat wat er
zojuist is gebeurd?

Diep vanbinnen welde bij de kolonel een drang op
om te huilen. Om jankend te gaan protesteren. Maar
zijn tong wilde niet bewegen. Uit alle macht probeerde hij zich van zijn ketenen te bevrijden. Hij wilde
door de kamer rennen. Uit het raam springen. Vliegen.

De beul scheen weer met het lampje in zijn oog.

Ik adem niet meer, besefte de kolonel. Alstublieft,

help me, alstublieft, kan iemand me helpen...

'Nog een paar seconden,' zei de beul, terwijl hij de prop uit de mond van de kolonel haalde.

Roze vlekjes dansten voor Zykovs ogen.

Er kwam een herinnering boven. Aan de avond daarvoor. Aan de man die voor het appartementengebouw van zijn dochter in Moskou stond. Ze hadden later nog andere beelden van hem aan de kolonel laten zien tijdens zijn foltering. Maar ditmaal stond de man met de holle blik in het gebouw. In de donkere gang bij de voordeur van Katarina's appartement.

Er verschenen steeds meer roze vlekjes voor de ogen van de kolonel, ze werden groter en draaiden rond. Felkleurige patronen als van vlindervleugels vielen samen. Zijn hart ging plotseling sneller kloppen. Er trok een kramp door zijn ribben.

Ondanks alles wat er met hem gebeurde, kreeg hij een sprankje hoop.

Alstublieft, God, bad hij. Laat die man haar alstublieft niet gepenetreerd hebben. Laat mijn lieve Katti door de informatie die ik deze mensen heb gegeven dat alstublieft bespaard zijn gebleven...

De beul boog voorover en fluisterde in zijn oor: 'Het duurde meer dan drie uur voordat ze doodging. Maar weet je? Aan de blik in de ogen van dat sletje te zien, denk ik dat ze haar hele leven nog nooit zulke lekkere seks had gehad.'

De beul ging met een glimlach rechtop staan. Hij tuitte zijn lippen alsof hij een kus gaf.

Toen voelde kolonel Nikolai Zykov het. Woede. Een toestroom van bloed. Razernij. Het opzwellen van zijn hart. Een verlammende pijn. Een marteling in hem die alsmaar groter werd en niet ophield.

Mijn god, het is waar, dacht hij. Dit is het dan, ik ga...

Daarna verdween de pijn, en kolonel Zykov voelde zijn hele wezen ineenschrompelen tot een klein zwart balletje.

Twaalf

De bebrilde beul keek de hele voorstelling uit. Hij keek hoe het licht uit het goede oog van de kolonel verdween. Naar de barstende adertjes. Als hij alleen was geweest, zou hij het verloop vast en zeker hebben gefilmd. Hij zou er misschien zelfs bij geapplaudisseerd hebben, dacht hij.

'Hij is dood,' zei hij.

'Wat zei je nog tegen hem?' De blonde vrouw knielde aan de andere kant naast Zykov neer. 'Wat fluisterde je in zijn oor?'

'Dat hij zich geen zorgen meer hoefde te maken over zijn dochter. Dat ze in veiligheid was en ongedeerd.'

'Dat is dan meer troost dan hij heeft verdiend.' De blonde vrouw opende een zakje voor medische monsters. 'Maar uiteindelijk heeft hij inderdaad toch haar leven gered.' Ze keek op naar Danny Shanklin. 'Ga nu maar verder met hem.'

Toen de beul een pas achteruit deed, opende de vrouw een zwarte reistas waaruit ze twee rood-wit gestreepte trainingspakken haalde. Ze gooide er een naar de beul en trok het andere over het pak van de kolonel. Met opzet scheurde ze zijn shirt kapot en ze liet zowel zijn colbert als het trainingsjasje tot zijn middel openhangen. Zo leek het net alsof iemand geprobeerd had hem te helpen na wat – dankzij de chemische cocktail die de beul bij hem had ingespoten – gediagnosticeerd zou worden als een fatale maar volstrekt natuurlijke hartaanval.

Ze verving Zykovs gepoetste, zwarte leren schoenen door een paar stralend witte Nike-schoenen. Met een betonschaar knipte ze de vingers van de kolonel af en deed ze allemaal, op zijn rechterwijsvinger na, in het zakje. De wijsvinger legde ze voorzichtig in een petrischaaltje met conserverende gel, dat ze daarna in een bak met koolzuurijs in de reistas zette.

Vervolgens begon de vrouw het gezicht van kolonel Zykov te bewerken. Met een chirurgisch mes maakte ze een diepe, schuine snee vanaf de rechterkant van zijn haargrens door het neuskraakbeen. Ze trok eenzelfde streep van links naar rechts. Daarna hakte ze willekeurig op zijn gezicht in en maakte er een slagveld van rood vlees van, met witte uitsteeksels van kraakbeen en bot.

Met een schuin hoofd bestudeerde ze haar werk. Het was smeriger dan ze had verwacht. Maar het gaf zeker de kick waar ze op had gehoopt. Ze voelde zich zelfs bijna high.

Het belangrijkste was dat haar man tevreden zou zijn. Ze had haar werk goed gedaan. De voormalige militair attaché van de Russische ambassade in Londen was nauwelijks herkenbaar. Zijn gezicht zag eruit als gehakt. Zijn identiteit viel onmogelijk op het oog vast te stellen. Er was een DNA-test voor nodig en er zou een match in een database gevonden moeten worden.

Hierdoor hadden de blonde vrouw en haar collega's meer dan genoeg tijd voor wat ze verder nog moesten doen.

Ze trok haar bebloede handschoenen uit en stopte ze in de zak voor medische monsters. Nadat ze die had afgesloten, legde ze hem in haar reistas, naast de schoenen van de kolonel. Daarna trok ze nieuwe handschoenen aan.

Haar hart begon sneller te kloppen toen ze het machinegeweervuur hoorde. Het kwam in korte, beheerste salvo's. Vanaf het balkon. Ze wou dat ze erbij kon zijn. Ze wou dat ze die roes kon voelen.

Ze concentreerde zich opnieuw op haar eigen taak en legde een bivakmuts met een zwarte zonnebril naast de kolonel neer. Ze greep de dode man bij zijn haar, tilde zijn hoofd op en hing een USB-stick van vier gigabyte om zijn hals.

Ze zorgde ervoor dat de stick half zichtbaar was op zijn borst, zodat alleen een idioot eroverheen zou kijken.

In het binnenzakje van zijn colbert, bij zijn gegraveerde pen, stopte ze een witte sleutelpas. Midden in de inktvlek. Opnieuw op een gemakkelijk te vinden plek.

Stilte. De schietpartij was afgelopen.

Ze besefte dat ze transpireerde.

Vanaf de straat klonk een schreeuw. En nog een. Het geluid van mensen die doodgingen, een schreeuw om hulp.

Opnieuw klonken er schoten vanaf het balkon van de hotelkamer.

Daarna voetstappen. Gehijg. Een gespierde man in een trainingspak en met een bivakmuts knielde naast haar neer. Haar man.

Ze had bewondering voor zijn sterke polsen, de werktuiglijke manier waarop zijn pezen bogen toen hij zijn geweer voorzichtig naast de kolonel legde. Hij wreef met zijn gehandschoende handen over de handpalmen van de dode man.

Als betoverd keek ze toe, dromerig terugdenkend aan hun vrijpartij van twee uur daarvoor. Daar in de slaapkamer, terwijl de vastgebonden kolonel op de vloer zich kreunend probeerde los te rukken totdat ze ervoor had gezorgd dat hij zijn bek hield.

Gepenetreerd worden door deze man was alsof je door een machine werd geneukt, vond ze altijd. Koud en meedogenloos, en inderdaad, godallemachtig, zo puur. Hij hoefde haar maar aan te raken of ze begon al te zweven, alsof ze geen gewoon mens meer was, maar iets veel beters.

Terwijl hij zijn witte sportschoenen uittrapte en zijn trainingspak uitdeed, raakte ze zo opgewonden dat ze haar uiterste best moest doen om niet te gaan kreunen. Hij zou haar zonder pardon afwijzen, wist ze, als hij er geen zin in had. Maar het feit dat hij haar nog steeds om zich heen kon velen, betekende toch dat hij ook van haar hield? Ze zou alles doen voor deze mooie man. Alles om hem te houden.

Onder zijn sportkleren droeg hij een mooi gesneden donker maatpak en een wit T-shirt. Merkloos. Hij nam de gepoetste zwarte, Engelse brogues aan die ze aangaf. Nadat hij zijn bril en bivakmuts had afgedaan, stopte hij die samen met het trainingspak en de sportschoenen in haar zak.

Pas toen glimlachte de man met de haviksneus. Haar hart zwol van trots. Het was hem gelukt. De schietpartij was geslaagd. Ze kuste hem stevig op zijn lippen.

'Opschieten nu,' zei hij.

De gordijnen van het balkon waren al dichtgetrokken. De folteraar had het lichaam van Danny Shanklin geprepareerd en op een stoel tegenover het balkon gezet. Eigenlijk hing hij er meer op dan dat hij erop zat. Een zwarte bivakmuts en bril bedekten zijn gezicht. Hij droeg een rood-wit gestreept trainingspak en hagelwitte Nikes.

Shanklins eigen kleren lagen op de vloer. De blondine gooide ze in haar reistas. De lange skinhead smeet zijn schoenen, trainingspak en bivakmuts naar haar toe. Ook hij had al die tijd een donker pak onder zijn sportkleren gedragen.

Hij wreef met zijn gehandschoende handen over heel het lichaam van Danny Shanklin en zette de loop van het wapen tegen de rugleuning van de stoel die voor de Amerikaan was neergezet, zodat het nu leek alsof hij zijn wapen door het raam naar buiten richtte.

De skinhead ging bij de man met de haakneus en de gebaarde dief in de korte gang van de suite naar de uitgang staan. Alleen de blonde vrouw en de beul bevonden zich nog in de zitkamer.

Ze ging naast de balkondeur staan voordat ze de gordijnen opentrok. Er kwam een schroeilucht van beneden. Ze wilde naar buiten kijken om het zelf te zien, maar kon de verleiding weerstaan. In plaats daarvan luisterde ze naar het gegil. God, wat werd ze nat. Kruipend, zodat ze vanaf de straatkant niet gezien werd, voegde ze zich bij de drie mannen in pak die in het gangetje van de suite stonden te wachten. Ze droegen nu allemaal een baseballpet en een zonnebril. De man met de haviksneus liep voor hen uit naar buiten.

De blondine bleef nog even. Ze haalde de kooi van Faraday uit de klerenkast.

'Nu,' zei ze tegen de beul, die achter Shanklin gehurkt zat.

Geconcentreerd zoog de beul op zijn onderlip. Hij sidderde van genot toen hij de naald van de spuit behendig in Danny Shanklins halsslagader zette.

De beul had al vaker Amerikanen gedood. Meestal tegen betaling. En twee keer puur voor de lol toen hij op vakantie was in de Florida Keys.

Het zou interessant zijn om te zien hoe dit exemplaar zijn laatste adem uitblies. Zou hij gaan vechten? Schreeuwen? Smeken? De beul was er graag getuige van geweest en even vond hij het jammer dat dat niet mogelijk was.

Toen vermande hij zich en hij drukte met kracht de pomp van de spuit in.

Dertien

11.47 uur, Green Park, Londen W1

Wakker.
Danny Shanklin ontwaakte hyperventilerend, zijn hart leek door zijn ribben heen te bonzen. Op het moment dat hij zijn ogen opende, deinsde hij terug. Het felle licht. Vuurrood. Hij draaide zich om.
Ik moet hier weg.
Pijn.
Zijn rechterwijsvinger. Die zat ergens in vast. Zijn linkerhand ook. Hij probeerde te zien wat het was. Zag nog meer vuurrood voor zijn ogen. Dwong zichzelf te blijven kijken. Het rood barstte uiteen in een wolk van roze vlekjes. De roze vlekjes verdwenen in het blauw.
Een blauwe rechthoek. Vlak voor hem. Vlak voor zijn neus.
'Wat is dit...?' Danny's mond was uitgedroogd. Hij voelde iets hards tegen zijn rug. Een leuning? Zat hij op een stoel? Zijn nek gloeide alsof hij was gestoken. Hij kon niet rustig ademhalen. Zijn hart bleef tekeergaan.
Waar ben ik? Wat gebeurt er?
Een schreeuw in de verte. Gedempte kreten.
Het blauw was de lucht, besefte Danny. De recht-

hoek was het kozijn van de dubbele balkondeur. De gebouwen aan de overkant werden zichtbaar. Rijen ramen schitterden in het zonlicht. Hij voelde een warme bries in zijn gezicht.

Danny probeerde op te staan. Hij wankelde. Datgene waar zijn handen aan vastzaten, viel met een plof opzij. Hij voelde koud metaal in zijn rechterhand. Zijn linkerhand zat verstrengeld in een soort strop.

Al voordat hij naar beneden keek en het voorwerp helemaal in zijn gezichtsveld verscheen, had hij geraden wat het was.

Een geweer. De loop stond gericht op de vloer naast hem. Zijn rechterwijsvinger zat vastgeklemd in de beugel van de trekker. Zijn linkerhand zat verstrikt in de schouderriem.

Een Heckler & Koch G36.

Maar waarom houd ik dit vast?

Zijn hart ging nog steeds tekeer. Zijn spieren waren gespannen. Ze trilden. Hij voelde zich versuft. Alsof hij zojuist had gevochten.

Een stem in hem schreeuwde: *Maak dat je weg-komt!*

Danny verstevigde zijn greep op het geweer, stond op en begon te tollen. In het gangetje achter hem stond niemand. De deur aan het eind ervan was dicht.

Hij schopte de stoel waarop hij had gezeten weg, zakte neer op één knie en keek om zich heen. Een glazen tafel. Een zitbank. Chique meubilair overal. Een openstaande deur van waarschijnlijk een slaap- kamer. Geen mens te zien.

Hij zag een witte vlek op de vloer. Zijn eigen voeten. Hij droeg een paar hagelwitte Nikes die hij nog nooit had gezien.

Hij kon zich niets herinneren. Hallucineerde hij? Was dat het? Een soort nachtmerrie?

De geluiden van buiten, het gebrul en getoeter, dre- ven de kamer binnen op de wind. Een sirene loeide. Opnieuw gegil.

Danny's blik viel op de zitbank. Iemand had daarop gezeten. Er begon hem iets te dagen. Een spottende glimlach in de zware kop van een blonde man met een kromme neus.

Flarden van informatie kwamen terug in Danny's geest. Dit was het Ritz Hotel, herinnerde hij zich. Kamer 112. Derde verdieping.

Maar wat doe ik hier?

Opnieuw geschreeuw.

Van buiten.

Danny draaide zich om naar het balkon. Hij deed een stap naar voren. Daarna nog een. En verstijfde. Van onder een lage, houten tafel stak een paar witte sportschoenen. Ze werden gedragen door een dode man, zag Danny, toen hij er langzaam omheen liep. Het gezicht van de man was met een mes bewerkt, zijn vingers waren geamputeerd.

Hij droeg een rood-wit gestreept trainingspak. Witte Nikes. Dezelfde als Danny.

Een nieuwe flits uit het geheugen. Het beeld van de blonde man op de bank. De man met de ogen van een moordenaar... Had hij niet ook zo'n trainingspak aangehad?

Er klonk opnieuw gegil van buiten. Nog meer jammerkreten. De sirene klonk nu dichterbij.

Danny vond nog een geweer. Identiek aan het wapen dat hij vasthield. Het lag op de vloer, naast de dode man. Daarnaast een donkere pilotenbril van het merk Ray-Ban.

Danny hurkte neer en voelde de pols van de man. Niets. De huid van de man was nog warm. Hij was nog niet lang dood.

Opnieuw geschreeuw.

Danny keek naar het balkon. Hij wilde niet naar buiten gaan. Hij wilde niet weten wie daar lag te schreeuwen. Maar hij wist dat hij geen keuze had. Daar buiten lagen de antwoorden op zijn vragen.

Ineengedoken schuifelde hij door de openstaande balkondeur en gluurde over de tot zijn middel reikende stenen balustrade.

Overal waar hij keek renden mensen weg. Weg van het hotel. De straat in. Ze renden onbeholpen. Alsof ze het voor het eerst deden. Struikelend en uitglijdend. Alleen of met zijn tweeën. Met de handen boven het hoofd. Hoe verder ze van het hotel verwijderd waren, hoe sneller ze renden. Ze zochten dekking. Ze renden voor hun leven.

Overal op het asfalt lagen lichamen. Geknakt en in rare houdingen. Minstens twintig telde Danny er. Een waar slagveld. Met dit verschil dat deze lijken fleurige burgerkleren droegen. En dat dit hartje Londen was. Midden op een warme zomerdag.

Danny keek naar links en rechts over Piccadilly. In beide richtingen was de weg over een lengte van ongeveer dertig meter vrij van verkeer. Daarachter begon de chaos.

Verlaten auto's stonden schots en scheef in de straat. Achteruitgereden en ergens tegenaan gebotst. Een rode dubbeldekker was tegen een lantaarnpaal tot stilstand gekomen. Een gehavende motorfiets had zich voor de helft in een kiosk geboord, die nu volledig in brand stond. Verderop probeerden andere voertuigen zich uit de verkeerschaos te bevrijden, hortend en stotend als botsauto's op de kermis. Overal waar Danny keek, zag hij mensen rennen, kruipen, dekking zoeken.

In de verte klonken nog meer sirenes. Getoeter van auto's. Een zwerm flikkerende blauwe lichtjes kwam in het oosten samen en schoof langzaam zijn kant op, als een ijsbreker op een bevroren zee: politieauto's en ambulances, die door het verkeer probeerden te komen.

Van veel dichterbij loeide een sirene.

Danny schuifelde naar voren en keek drie verdiepingen naar beneden.

Voor de hoofdingang van het hotel stond een zwarte limousine strak tegen de stoeprand geparkeerd. De linkerbanden waren aan flarden geschoten. Er kringelde zwarte rook op van onder de verwoeste motorkap. Er zaten tientallen vuistgrote gaten in het dak. Het leek wel een conservenblikje dat door een schooljongen als schietschijf voor zijn luchtbuks was gebruikt.

Het portier aan de chauffeurskant stond open. Het lichaam van een man hing er als een vergeten jas overheen. Een bloedspoor leidde van de openstaande achterdeur aan de straatkant naar een vrouw in een lila jas, die ineengedoken midden op straat zat. Er klopte iets niet met de vorm van haar lichaam. Er was iets met haar benen.

Het patroon van lichamen... de zwarte limousine in het midden. Wie dit ook op zijn geweten had, die limousine was het doelwit geweest. Het draaide allemaal om die limousine.

Een politieauto had zich los weten te maken uit de verkeerschaos. Hij reed stapvoets langs het trottoir, bijna tegen de rij gebouwen aan links ten oosten van het hotel. Hij reed de stoeprand op en stond stil, met zijn blauwe zwaailicht nog aan.

De vrouw die iets aan haar benen had, kwam in beweging. Traag en hulpeloos bewoog ze zich voort als een onhandig jong vogeltje dat uit het nest was gevallen en probeerde te vliegen.

Van haar kwamen die jammerkreten, realiseerde Danny zich. Zij was degene die onophoudelijk schreeuwde.

De deuren van de politieauto vlogen open. Twee geüniformeerde agenten renden naar haar toe. Ze zigzagden, half gehurkt. Een van hen verloor zijn pet, maar sloop verder. Hij beschermde zijn hoofd met zijn handen alsof hij zojuist een klap had gekregen en er nog een verwachtte.

Toen ze de vrouw optilden zag Danny dat van haar benen niet meer dan een bloedige pulp over was. Haar kreten klonken luider, terwijl de agenten van de Ritz wegstrompelden en haar meenamen naar het gebouw aan de overkant. Uit het zicht.

Nog meer jammerkreten. Pal beneden hem. Een paar vrouwen vlogen de straat op. Ze droegen zwart met witte kleren. Serveersters of kamermeisjes. Hotelpersoneel. Schreeuwend met hun handen in hun haar renden ze weg.

Eén groepje mensen bleef roerloos in de chaos staan. Daardoor vielen ze op. Het waren er drie. Hurkend bij de ingang van een winkel tegenover hem. Er fonkelde iets van glas naar hem. Iets wat een van hen vasthield.

Een televisiecamera, besefte Danny. Hij keek naar een televisieploeg. En de mensen met de camera keken naar hem.

Veertien

Danny ging terug naar binnen en trok de gordijnen dicht.

Hij staarde naar het wapen in zijn handen. Het wapen dat hij in het volle daglicht in zijn handen had gehouden. Voor het oog van de wereld.

Dit was geen droom. Geen hallucinatie.

Wat was hier in godsnaam aan de hand? Waarom weet ik niet meer waarom ik hier ben? dacht hij.

Een lichtflits. Rechts van hem. Een deur. Op een kier. Danny zag een dunne streep van een fel verlichte tegelmuur. Een andere herinnering kwam boven. Aan iemand die daaruit kwam, iemand die het op hem gemunt had.

Na vijf stille passen in het hoogpolige, crèmekleurige tapijt was Danny er. Hij schopte uit alle macht tegen de deur, trapte hem open, zijn geweer in de aanslag.

Een man met een zwarte bivakmuts en pilotenbril staarde hem aan.

Danny schoot. Fatale kogels. De herrie was oorverdovend. De man viel in honderden scherven uiteen.

Het was zijn spiegelbeeld...

Danny trok de bivakmuts van zijn hoofd en staarde

naar zichzelf in de ene splinter van het spiegelglas die nog aan de muur hing. Hij keek opgefokt uit zijn ogen, gestoord alert.

Hij droeg een rood-wit gestreept trainingspak. Net als het lijk. Hij keek naar zijn voeten. Dezelfde Nikes. Vers uit de verpakking.

Hij liep de badkamer uit. Wierp een blik in de andere kamers. Een studeerkamer. Onaangeroerd. Een tweepersoonsslaapkamer waarvan het bed nog was opgemaakt. Een donkere vlek op het tapijt bij de radiator. Waarschijnlijk bloed.

Fel oplichtend zonlicht weerkaatste in de glazen tafel toen hij terugkwam in de zitkamer. De koffie. Nu wist hij het weer. Hij had toegekeken toen die werd ingeschonken. De kenmerken van een andere man schoten hem te binnen. Iemand met dunnend haar. Een ziekenfondsbril.

Een stroomstootwapen.

De schok en de pijn.

En toen?

Lexie. De gedachte aan zijn dochter kwam in hem op als een brandende fakkel in de duisternis. De diepe angst dat wat hem overkwam zo erg was dat hij haar nooit meer zou zien, verdreef het laatste restje delirium dat nog in zijn hoofd zat.

Op dat moment kwam alles terug. Een stortvloed aan herinneringen die hem even overweldigde.

Russen. Ze klonken als Russen. Of als Serviërs. Hij wist weer wat de reden voor zijn komst was. Een ontmoeting. Die door Crane geregeld was. Hij herinnerde zich de blonde vrouw bij de deur. De man met de baard die hem fouilleerde. De blondine had een scanner voor communicatieapparatuur gebruikt. Ze had zijn jasje gepakt. Ze had zijn jasje gepakt om te voorkomen dat de ontmoeting werd vastgelegd.

De Kid...

Danny rende naar het halletje bij de ingang en trok de klerenkast open. De kooi van Faraday was weg. Net als, besefte hij, zijn colbert, hoed, creditcards, rijbewijs en paspoort.

Hij ging met zijn hand naar zijn nek en voelde het weer kloppen. Een nieuwe herinnering... Hij had een injectie gekregen. De kalende man had hem eerst met het stroomstootwapen onderuitgehaald en hem daarna een injectie gegeven waardoor hij buiten westen raakte.

Danny wilde op zijn horloge kijken, maar dat was verdwenen. Hij keek naar de klok aan de muur. Elf uur negenenveertig. De blonde vrouw had de deur van de suite precies om elf uur dertig opengedaan. Aan zijn gesprek met de man met de haviksneus was amper een paar minuten later op gewelddadige wijze een einde gekomen. Hij kon dus niet langer

114

dan twaalf à dertien minuten bewusteloos zijn geweest.

En terwijl de limo werd beschoten, hadden ze hem uitgekleed, in dit trainingspak gehesen. Daarna kreeg hij dit wapen in zijn handen geduwd.

Het wapen dat gebruikt was om de limo en de mensen eromheen te beschieten, daar twijfelde Danny niet aan. Dus al voordat hij op zijn eigen spiegelbeeld had geschoten, waren zijn handen waarschijnlijk al vervuild met kruitresidu, dat ongetwijfeld door een bompoortje zou worden gedetecteerd en het sluitende bewijs zou zijn om Danny levenslang te geven.

Daarom wist Danny het nu zeker. Hij had al het vermoeden. Ze hadden hem er niet zomaar in geluisd, ze hadden hem er flink in geluisd.

Het stond als een paal boven water dat hij zou moeten vluchten.

Maar nu nog niet, zei hij bij zichzelf. Eerst moest hij alle informatie vergaren die nuttig zou kunnen zijn...

Hij rende door de kamers van de suite. Met de mouwen van zijn jasje over zijn vingers trok hij lege kasten en laden open. Hij zocht in vuilnisemmers en onder stoelen en bedden.

Maar ze hadden alles schoon achtergelaten. Zelfs de koffiepot en de kopjes, die hier op de glazen tafel hadden moeten staan, waren spoorloos. Omdat het gemakkelijker en veiliger was ze mee te nemen dan alle vingerafdrukken eraf te vegen.

Het enige wat ze voor de politie hadden achtergelaten waren de wapens, het lijk, het bloedbad buiten – en hem.

Danny beende naar de dode man. Hij had niet de haarkleur van de man met de haviksneus of van de man die hem had gefouilleerd en ook niet van de man met het stroomstootwapen. Hij had een andere lichaamsbouw dan de man met de bivakmuts die hem vanuit de badkamer had belaagd.

Snel inspecteerde hij de voor- en achterkant van het lijk op een dodelijke wond. Niets. Ook geen bloedspetters om hem heen. Niets wees erop dat hij was doodgeschoten.

Hoe was die vent dan wél aan zijn einde gekomen? De snijwonden in het gezicht van de man waren hem niet fataal geworden. Dat was duidelijk. De beperkte bloedingen daar en bij de stompjes van zijn vingers wezen erop dat hij na zijn dood was verminkt.

Ze hadden hem waarschijnlijk zo toegetakeld om zijn identiteit te verbergen. Wat erop wees dat deze man lid was geweest van de bende van de man met de haviksneus, een lid dat hij niet eerder had gezien. Wat erop duidde dat de anderen bang waren dat ze via deze gemutileerde man konden worden opgespoord. *Als ik weet wie deze kerel is, kom ik hen misschien op het spoor...*

Vingerafdrukken afnemen was geen optie. In plaats daarvan doorzocht Danny gehaast de binnenzakken van de dode man. De kans was groot dat daar niets meer in zat. Maar aangezien ze hem met zoveel haast hadden moeten verminken, hadden ze waarschijnlijk weinig tijd. En mensen met haast maken fouten. Geen portefeuille. Wat losse munten. Allemaal Brits. Een kapotte gouden pen met de initialen NZ, plakkerig van de zwarte inkt. Toen voelde hij een dun, rechthoekig voorwerp. Een creditcard, hoopte hij eerst. Maar in plaats daarvan vond hij een met inkt bevlekte pas met magneetstrip.

Hij veegde de inkt eraf. Het was een witte pas. Zonder logo. Kon van alles zijn. De pas van zijn sportschool, zijn wasserette. Danny hoopte desondanks dat de naam van het slachtoffer op de magneetstrip stond.

Hij controleerde de polsen van de man. Geen horloge. Toen werd zijn blik getrokken door iets anders. Precies op de plek waar het met bloed bevlekte shirt was opengescheurd, waarschijnlijk in een poging de man te reanimeren, dacht Danny.

Danny scheurde het shirt verder open. Om de hals van de man hing een USB-stick aan een koord. Interessant voor de Kid...

Maar net toen Danny ernaar wilde grijpen, verstijfden zijn vingers. Eerst die pas en nu dit... Niet één fout, maar twee. Hij besefte dat beide voorwerpen misschien opzettelijk voor de politie waren achtergelaten. Om die op het verkeerde been te zetten. Toch nam hij ze mee. Hij had geen andere keus. Een klein beetje informatie was beter dan niets. Hij trok de stick los en stopte hem in zijn broekzak, met de pas, de pen en het muntgeld.

Toen kwam hij in beweging. Hij rende. Naar de badkamer. Hij pakte de bivakmuts en de zonnebril die hij op had gehad. Hij rolde de muts op tot een pet en deed zijn bril op. Zette de kraag omhoog. Hij verborg zijn gezicht zo goed hij kon.

Hij wist niet wie hem in de gang buiten de hotelsuite stonden op te wachten. Toch liet hij het geweer liggen. Degenen die hem in deze val hadden gelokt waren allang ontsnapt. Want waarom zouden al die moeite doen om hem erbij te lappen, als ze bleven hangen?

Dit waren geen martelaars, zoveel was zeker. Dit was geen Mumbai. Geen aanslag op een hotel. Dit was een gerichte moordaanslag. Op de persoon in die limo. En dit geweer dat ze voor hem hadden achtergelaten, zou hem alleen maar vertraging opleveren of nog meer verdenking op hem laden. Hij zou in de verleiding worden gebracht om het ter zelfverdediging te gebruiken tegen de Britse militairen of agenten die hem wilden tegenhouden. Wat voor niemand een happy end zou betekenen.

Hij raapte een scherf op van de gebroken spiegel in de badkamer. Met de op alcohol gebaseerde schoonmaakdoekjes voor schoenen uit het gastenpakket van het hotel poetste hij zijn vingerafdrukken van het geweer en van alles wat hij had aangeraakt, inclusief de pols van de dode man die hij had opgepakt om diens hartslag te voelen.

Het was het minste wat hij kon doen. Maar waarschijnlijk niet voldoende. Als hij DNA-sporen had achtergelaten op de kleren van het slachtoffer, was daar niets meer aan te doen. Bovendien wist hij bijna zeker dat de lui die hem in deze situatie hadden gebracht, zijn vingerafdrukken en DNA-sporen – zweet, speeksel, losse haren – op allerlei andere plekken hadden achtergelaten. Waardoor hij er zowel op grond van de indirecte als de forensische bewijzen bij was als hij in handen van de politie kwam, of wanneer hij zichzelf zou aangeven en beweren dat hij ergens anders in het hotel was geweest op het moment van de moord en het bloedbad buiten.

Langzaam duwde hij met zijn elleboog de deurklink van de hotelsuite naar beneden. Hij zette de deur op een kier en luisterde, maar hoorde niets. Via de scherf van de spiegel keek hij naar buiten. De gang was vrij. Danny verliet de kamer en zette het op een lopen.

Vijftien

11.52 uur, Green Park, London W1

Ik mag van geluk spreken dat ik niet meer bewusteloos in die stoel hang, dacht Danny, terwijl hij zonder om te kijken al halverwege de gang liep.

Maar dat was dan ook zijn enige troost: dat hij die hotelkamer uit was waarin ze hem als prooi voor de politie hadden achtergelaten.

Of – een andere misselijkmakende gedachte – misschien wilden ze juist dat hij verward bij bewustzijn zou komen. Dat hij met dat geweer naar het balkon strompelde. Of al vechtend zou proberen te ontsnappen. Zodat de politie haar aandacht op hem zou richten en degenen die deze moordpartij op hun geweten hadden, konden ontsnappen.

Hoe dan ook, ze hadden geknoeid met het spul waarmee ze hem hadden willen drogeren. Ze hadden het niet goed gedoseerd. Want hij kon nu helder denken. Helder genoeg om te ontsnappen. Ze waren dus niet zo slim als ze dachten.

Dat gaf hem een kans. Want het laatste wat ze zouden verwachten was dat hij achter hén aan zou komen.

Danny geloofde nog steeds dat hij uit het hotel kon ontsnappen voordat gespecialiseerde politieteams en eenheden van de antiterrorismedienst arriveerden en hem zouden insluiten.

De grijnzende man met de haviksneus en de blonde haardos... dat was het brein achter deze operatie, daar was Danny van overtuigd. Die man moest hij opsporen en laten boeten.

En de anderen... die zou hij ook vinden...

Hij ving een glimp op van zijn in rood-wit gestoken gestalte toen hij voorbij een spiegel aan de muur rende. Hij hield zijn pas in en opende een willekeurige deur aan het einde van de gang. Uit alle macht trapte hij tegen de deur, vlak onder de klink.

Hij moest proberen andere kleren te vinden. Die cameraploeg had hem ongehinderd kunnen filmen. Gelukkig had hij zijn bivakmuts en zijn zonnebril toen op gehad. De kans was echter groot dat de beelden van hem in dit trainingspak over een minuut of tien in alle nieuwsprogramma's te zien zouden zijn. Als hij deze uitmonstering bleef dragen was hij een wandelend doelwit voor de gewapende politie.

Toen hij voor de tweede keer een trap gaf, vloog de deur open. Danny strompelde een eenpersoonskamer in, die veel kleiner was dan de suite die hij zojuist had verlaten. Er stond een bed, bureau en een stoel. De gordijnen waren dicht. Een open deur leidde naar een kleine, donkere kamer.

Een niet-uitgepakte koffer stond open op het onbeslapen bed. Terwijl hij zijn vingers opnieuw bedekte met de mouwen van zijn trainingsjas, doorzocht Danny de inhoud. Niets van zijn gading. Alleen maar vrouwenkleren. Jurken, slipjes, beha's en hoge hakken. Het enige wat hij zou kunnen gebruiken was een effen zwart T-shirt, maar dat was veel te klein. Hij zag haar toen hij zich omdraaide om te vertrekken. Half verborgen achter de stoel. Een vrouw van achter in de vijftig. Ineengedoken onder het bureau. Een witte badhanddoek om zich heen geslagen. Haar make-up was uitgelopen en er biggelden tranen over haar wangen. Ze had asblond haar, dezelfde kleur als Danny's moeder had gehad in haar laatste maand in het ziekenhuis.

'Alstublieft...'

De vrouw stak haar trillende rechterarm naar hem uit, spreidde haar vingers, alsof ze hem niet wilde zien. Danny kende dit gebaar. Hij had het tientallen keren in tientallen landen gezien. Van oude en jonge mensen. Ze had de geweerschoten gehoord. Of het bloedbad buiten gezien. Ze probeerde zich te beschermen. Ze dacht dat zij nu aan de beurt was. Danny vond het vreselijk om iemand zo te zien sidderen.

'Het is oké, ik doe u niets,' zei hij. Hij praatte met een neutraal accent, hield zijn klanken kort, net als de Britten. Hij wilde niet als Amerikaan herkend worden, voor het geval de vrouw later door de politie zou worden verhoord. 'U hoeft niet bang te zijn... De lui die dit op hun geweten hebben, zijn waarschijnlijk al lang vertrokken.'

'U... u bent van de politie?'

Er gloorde hoop in haar ogen.

Maar die was snel verdwenen.

'Nee. Maar die komt zo. En voordat ze hier zijn, wil ik dat u naar de badkamer gaat en de deur op slot doet. Daar bent u veilig. Begrijpt u wat ik zeg?'

Ze opende haar mond alsof ze iets wilde zeggen, maar kon niets uitbrengen.

'Er zal u niets overkomen,' zei Danny. 'Dat beloof ik u. Alles komt goed.'

Ze knikte en stond langzaam op.

Achter in het halletje voelde Danny dat de schrik hem om het hart sloeg. Hoe had hij het zover kunnen laten komen? Hoe had hij zich zo voor de gek kunnen laten houden? Die Crane... Wie was zijn tussenpersoon in de Amerikaanse regering eigenlijk? En waarom hadden ze Danny hiervoor gebruikt?

Er was geen tijd meer om een andere deur van een hotelkamer in te trappen en naar kleren te zoeken. Hij rende de gang door naar het trappenhuis. Even overwoog hij via een nooduitgang of brandtrap aan de achterkant van het gebouw te ontsnappen, maar daar zag hij snel van af.

Voordat hij een beslissing zou nemen, had hij meer informatie nodig. Wat hij nodig had, was de Kid. Met twee treden tegelijk nam hij de trap. Rende in een spiraal naar beneden. Het leek hooguit een paar minuten geleden dat hij de andere kant op ging. Had hij maar beter geluisterd naar zijn gevoel en naar de alarmbellen in zijn achterhoofd die hem hadden gewaarschuwd. Hij had de afspraak gewoon moeten afzeggen.

Hij dacht terug aan Anna-Maria gisteravond. Aan de rust en de warmte. Ze was nu bezig het restaurant van haar man in Borough Market te openen. Nog geen drie kilometer hiervandaan. Hoewel dat net zo goed op een andere planeet kon zijn, want hun levens waren compleet van elkaar gescheiden sinds hun afscheidskus.

In een oogwenk was alles veranderd. In die fractie van de seconde waarin de trekker van de taser werd overgehaald en de schok die zijn centrale zenuwstelsel tijdelijk uitschakelde door Danny's vlees pulseerde.

In minder dan een halve minuut had hij de begane grond bereikt. Hij staarde naar de deur van het trappenhuis. Wat stond hem aan de andere kant te wachten? Een muur van agenten? Ineengedoken personeelsleden en hotelgasten? Of een hoop lijken? In verkrampte houdingen, neergeschoten door dezelfde lui die Danny in de val hadden gelokt terwijl ze naar buiten ontsnapten?

Met zijn hand in zijn mouw duwde Danny de klink omlaag. Via de spiegelscherf keek hij om zich heen. Geen lijken. Geen politie. Aan het einde van de gang links zag hij een deel van de receptie. Warme verlichting. Het enige wat op een vechtpartij wees was een omgevallen stoel.

Danny dacht terug aan de kamermeisjes die hij naar de wachtende politieagenten had zien rennen. Ze deden hier hun werk goed. Ze werkten iedereen snel naar buiten. Na Mumbai hadden de meeste grote internationale hotels – notoire doelwitten voor terroristen – op beveiligingsfora routines geoefend om hun evacuatieprocedures op te frissen.

Dat was een geluk voor hen. Maar niet voor Danny. Want hierdoor was het nog moeilijker om het hotel uit te komen, als hij al een van de laatsten was die wegging.

Hij schoot op. Sloop de deur uit. Meed de receptie. Ging dieper het hotel in. Bij elke stap piepten zijn Nikes oorverdovend. Via een klapdeur belandde hij in de keuken. Het rook er naar gebraden ham en vers brood.

Het gekras van een portofoon verried de positie van de agent.

125

Zestien

11.56, Green Park, Londen W1

Danny was niet uit op een confrontatie. Als het had gekund, had hij deze situatie gemeden. Maar daarvoor was het nu te laat. De agent – een man van begin twintig met een hoekig gezicht en een dikke, gehavende wenkbrauw – had hem al gezien.

Hij staarde naar Danny door de openstaande deur van een klein, raamloos kantoortje, waar hij in een hoek naast de kapstok hurkte. De tl-verlichting was uit, maar het scherm van zijn portofoon lichtte op in zijn hand.

Hij staarde naar Danny's trainingspak. Hij kon zijn ogen niet van hem afhouden.

Danny was geen reus, maar van dichtbij maakte hij een stevige indruk, alsof een heel gebouw om hem heen kon instorten en hij ongedeerd zou weglopen. Hij was intimiderend genoeg om de politieman te doen aarzelen.

Danny's blik scande de zakjes van diens zwarte gevechtsvest: traangas, taserpistool. Een uitschuifbare wapenstok van gehard staal op zijn heup.

Waarschijnlijk liep hij toevallig langs toen de schietpartij begon en had hij zich hier zonder na te denken verschanst om ondersteuning te bieden. Een held dus. Slecht nieuws voor Danny. Zo'n man was onvoorspelbaar. Hij moest hem snel uitschakelen.

Iets in de ogen van de agent vertelde Danny dat hij zojuist tot dezelfde conclusie was gekomen. Hij krabbelde overeind toen Danny naar binnen liep. Hij was langer dan Danny, wel tien of vijftien centimeter. Hij nam Danny van top tot teen op om te zien of hij gewapend was.

'U hebt het...' De politieman stamelde en probeerde het opnieuw. 'U hebt het recht om te zwijgen... maar voor uw verdediging kan het nadelig zijn als...'

Danny had de afgelopen jaren vaak naar de Britse televisie gekeken en vier jaar geleden had hij in Londen deelgenomen aan een zorgvuldig in scène gezette arrestatie. Daardoor herkende hij de waarschuwing die de Britse politie altijd voorafgaand aan een arrestatie aan de burgers gaf.

'Hou je bek en draai je om,' beet hij de agent toe. Hij probeerde een Brits accent na te doen.

De man slikte. Zijn handen beefden, maar in zijn ogen schitterde verzet. Hij greep naar het zakje in zijn gevechtsvest waarin de wapenstok was gestoken.

'Niet doen,' zei Danny.

De agent deed het toch. En wel met een snelle beweging. Sneller dan Danny had gedacht.

Maar toch niet snel genoeg. Nog voordat hij de wapenstok uit zijn vest had getrokken, had Danny een stap naar voren gezet, de politieman bij zijn rechtermouw gegrepen en diens arm omhooggerukt om te voorkomen dat hij de stok kon pakken.

De agent verloor zijn evenwicht. Danny draaide de man zijwaarts om. Hij haakte zijn rechterarm door die van de politieman en klemde diens elleboog onder de zijne. Terwijl de agent de wapenstok met zijn linkerhand in de lucht stak, plantte Danny zijn knieën in zijn rug.

De man zakte een halve meter door zijn knieën, waardoor Danny zijn linkerarm om diens linkerschouder kon klemmen. Danny trok de agent dichter naar zich toe. Hij draaide de wapenstok in horizontale positie en rukte die met een bevredigende stoot tot onder de kin van de politieman. Hij hield de stok stevig tegen zijn strottenhoofd geklemd. En liet niet los.

De agent bood weerstand, maar gaf zich al reutelend gewonnen. Kreunend. Hij probeerde op te staan, Danny weg te duwen, maar die trok de wapenstok nog strakker naar zich toe, ging op zijn andere been staan en hees hem iets omhoog.

De politieman begon te beven en hapte naar lucht. Hij zwaaide met zijn armen. Hij probeerde over zijn schouders heen Danny's gezicht te grijpen, maar kon er niet bij komen.

Danny zou hem nu gemakkelijk kunnen uitschakelen, hem zo smoren dat hij flauwviel of zelfs doodging. Maar hij wilde hem niet meer pijn doen dan hij al had gedaan. Hij liet de druk vieren totdat de agent uiteindelijk op zijn knieën viel.

Uit de portofoon op de vloer klonk een bericht. Danny hoorde niet wat er gezegd werd.

De politieman snakte naar adem en probeerde zich om te draaien. Danny duwde hem met zijn gezicht plat op de grond. Hij legde de armen van de agent op zijn rug. Terwijl hij hem met één hand bij zijn polsen vasthield, greep hij met zijn andere hand naar de telefoon op het bureau. Met het krulsnoer van de hoorn bond hij de agent bij zijn polsen vast. Daarna stond hij op.

'Alstublieft...' smeekte de man. 'Ik heb kinderen...'

Opnieuw piepte de portofoon. Een mannenstem siste: 'Patrick, ben je daar nog?'

Danny pakte de portofoon en drukte die tegen zijn borst.

'Zeg dat er niets aan de hand is,' fluisterde hij naar de agent. 'Zeg hem dat de batterij van de portofoon bijna leeg is.'

Hij drukte de portofoon tegen de wang van de politieman aan.

'Alles is goed hier,' zei Patrick. Zijn lippen waren vochtig van zijn speeksel. Het kostte hem met moeite

te praten. 'Maar mijn batterij is... is bijna op...'
Danny zette de portofoon uit.
'Waar zit het noodkanaal?'
Patrick keek hem verward aan, maar plotseling leek hij het zich te herinneren. 'Op vier zeven drie,' antwoordde hij.
Danny zette de portofoon weer aan, stemde af op het noodkanaal en luisterde.
Onmiddellijk ving hij flarden op van een gesprek tussen agenten. Verschillende stemmen. Allemaal even paniekerig. Danny ving twee keer de naam van het hotel op. Eén keer Piccadilly. En het metrostation Green Park. Dat werd afgesloten.
Alles wat hij hoorde bevestigde wat hij al wist: dat de hoofdstedelijke politie al zijn middelen rondom dit gebouw inzette.
Danny schakelde de portofoon uit. Hij had op die manier heel veel nuttige informatie bij elkaar kunnen sprokkelen, maar als hij het toestel aan liet staan, zou hij zichzelf verraden, zoals deze agent had gedaan.
Hij keek snel om zich heen.
Wat heb ik verder allemaal nog aangeraakt?
Met de laatste schoonmaakdoekjes uit de badkamer veegde hij de telefoon en het krulsnoer zo goed mogelijk af. Hij stak de portofoon in zijn broekzak, pakte de wapenstok en verliet het kantoortje.

De herentoiletten waren aan het einde van de gang. Danny ging naar binnen en luisterde geconcentreerd. Er druppelde een kraan. Het rook er sterk naar schoonmaakmiddel en eau de toilette. Hij checkte of alle hokjes onbezet waren en ging naast een groot raam met ondoorzichtig glas staan.

Er viel veel daglicht naar binnen. Stukjes lichtgroen tussen blauwe en grijze vlakken. Dat betekende dat dit deel van het hotel uitkeek over het zuidwesten van Green Park. Hij meende rennende voetstappen te horen. Daarna werd het weer stil.

De Phillips-schroevendraaier bevond zich nog op de plek waar hij hem had achtergelaten, achter de radiator. Hij pakte het gereedschap en ging op de wc-pot in het eerste hokje staan. Nadat hij de plafondplaat boven zijn hoofd had losgeschroefd en de schroeven op de vloer had laten kletteren, tastte hij naar zijn zwarte gore-tex rugzakje.

Als je niet op je hoede blijft, ben je er vroeg of laat bij. Dat was een van de regels die hij ooit van zijn vader had geleerd. Hij was hem er nu dankbaarder voor dan ooit.

Hij haalde zijn mobiel en de bluetooth-headset uit de rugzak, het feit vervloekend dat de blonde vrouw zijn colbertje met de zender en het oortje had ingenomen.

Niet alleen was de technische kwaliteit van die verloren voorwerpen veel beter dan wat hij nu had, maar als het hem gelukt was een geluidsopname te maken van de ontmoeting, had hij zich bij de politie durven aangeven. In combinatie met de opname zou de Kid als Danny's getuige hebben kunnen optreden. Maar de waarheid was, dat hij niets had.

Hij zette de telefoon aan.

'De Kid,' zei hij.

Met deze woorden activeerde Danny het stemherkenningsysteem van de telefoon, dat daarop automatisch het nummer van de Kid koos.

Enkele seconden later siste de Kid in Danny's oor. 'Danny? Hoe gaat het? Wat is er in godsnaam aan de hand?'

Zeventien

12.00 uur, Green Park, Londen W1

'Zorg dat ik hier wegkom en niet door de politie word gepakt! Ik ben erin geluisd,' zei Danny.

'Jezus, man... Je zit nog in het hotel...'

Dat was een opmerking, geen vraag. De GPS-positie van Danny's telefoon knipperde als een icoontje op een van de schermen voor de Kid.

'Ik sta in de herentoiletten op de begane grond.'

'Ik wist verdomme dat het misging toen die vrouw de zender vond,' zei de Kid. 'Zij zaten achter de schietpartij, toch?'

'Klopt.'

'Goed, luister. Ontsnappen via de voorkant kun je wel vergeten. Ik volg de livebeelden van de Deelraad van Westminster en ook alles op Trafficmaster en Camerawatch. De politie stuurt alle voetgangers naar Berkeley Square. Daar worden ze vastgehouden in bankgebouwen en autoshowrooms totdat ze iedereen hebben gecheckt.'

Het was geen verrassing dat de Kid alle relevante informatie paraat had. Als voormalige medewerker van de Britse inlichtingendienst had hij vier jaar voor de European Network and Information Security Agency gewerkt. In die periode had hij – 'let wel:

133

puur uit academische interesse' – de hand weten te leggen op illegale kopieën van programmeeratlassen en handleidingen met codes en procedures van honderden politiebureaus, telefoonmaatschappijen, overheidsinstellingen en banken.

Dat betekende dat de Kid tegenwoordig ongeveer elk gewenst computersysteem kon hacken.

'Ik kijk nu naar de achterkant van het hotel...' Danny hoorde de Kid als een razende op zijn toetsenbord tikken. 'Ik zie politieauto's op zes of zeven straathoeken in het oosten. Rijen oproerbusjes. Ze veroorzaken files in Pall Mall en Marlborough Road. Agenten te voet in het park, ten westen en aan de achterkant van het hotel. Bewapend met MP5's, zo te zien. Ze verspreiden zich tot op driehonderd meter afstand van elkaar.'

De harde kern dus, dacht Danny. Hoogstwaarschijnlijk CO19 of SO15, de gespecialiseerde gewapende en antiterreureenheden van de hoofdstedelijke politie.

Driehonderd meter afstand tot elkaar was de standaard. Voor het geval er bermbommen lagen. De politie nam aan dat degenen die de limo hadden aangevallen en op al die burgers hadden geschoten, ook mijnen rondom het hotel konden hebben gelegd.

'O, man,' zei de Kid, 'straks staat het politienet om

het hotel zo strak als de netkousen om de benen van een hoer. Het lijkt erop dat ze het gebouw gaan belegeren. Ze gaan ervan uit dat de daders nog meer mensen zullen neermaaien.'

'Nou, dan hebben ze het bij het verkeerde eind,' zei Danny. 'Dit was een gerichte aanslag. Er zijn geen slachtoffers in het hotel. De daders zijn al vertrokken.'

'Goed, blijf waar je bent,' zei de Kid. 'Ik zoek in de archieven van ruimtelijke ordening de bouwtekeningen van het hotel op.' Er klonk een kort krasgeluid en het geritsel van een sigaret die werd aangestoken. 'Er moet een ontsnappingsroute zijn.'

De stem van de Kid kwam slecht door. Zijn woorden werden door korte onderbrekingen van elkaar gescheiden.

'Is er iets met de lijn?' vroeg Danny.

'Ik leid ons gesprek door via een encryptiefilter, zodat niemand ons kan afluisteren. Ook schakelen we vanaf nu tussen verschillende netwerken. Om ze een stap voor te blijven.'

Danny was al gaan lopen. De herentoiletten waren een doodlopende weg. Hij verruilde de spiegelscherf uit zijn zak voor een spiegeltje aan een telescopische antenne uit zijn rugzak. Met een bolle lens. Van een SWAT-eenheid.

Hij dronk water uit de kraan. Had geen idee wanneer hij dat weer zou kunnen doen. Deed geen moeite zijn handen te wassen. Er was meer voor nodig dan dure vloeibare zeep om het kruitresidu uit zijn poriën te krijgen.

Hij haalde een paar SPE COPS handschoenen van neopreen uit zijn rugzak tevoorschijn. Terwijl hij de deur van de wc op een kier zette, gaf de spiegel hem een ruime blik op de gang. Die was zo rustig als een kerk op maandag.

Hij glipte de gang op. Drie meter verderop splitste de gang zich in vieren. De andere gangen waren verlaten. Gehurkt keek hij rond en wachtte op nieuwe instructies van de Kid.

'Dus wat is er verdomme precies gebeurd, Danny?' vroeg de Kid met een stem die kraakte door de slechte verbinding.

Danny zette de gebeurtenissen op een rijtje.

'Ik werd getaserd en daarna gedrogeerd. Kwam even later bij met een geladen automatisch wapen in mijn handen. Gehuld in een rood trainingspak, een bivakmuts en Nikes. Naast me lag een dode vent. Zijn gezicht was onherkenbaar bekrast en zijn vingers waren geamputeerd. Maar pas toen ik naar het balkon van de hotelkamer liep en al die neergeschoten mensen zag, besefte ik dat ik ontzettend was genaaid.'

'Jezus, Danny, was jij dat? Je stond te staren alsof ze je zojuist vanuit Mars hadden binnengestraald.'

'Ik heb kennelijk indruk gemaakt.'

'Dat kun je wel zeggen. En ik heb er maar een glimp van opgevangen. Ik moest zorgen dat ik als de donder wegkwam uit het verkeer, voordat het helemaal vast kwam te zitten.'

'Waar zit je nu?'

'In een steeg aan de andere kant van Knightsbridge.'

Eindelijk goed nieuws, dacht Danny. Want nu de Kid door de mazen van het politienet was geglipt, kon hij ongestoord voor Danny blijven werken.

'Heb je de schietpartij gezien?' vroeg Danny.

'Dat kon niet missen, zo gingen ze tekeer. Geloof me, Dan: het woord "subtiel" komt niet in hun vocabulaire voor. Ze waren met zijn tweeën. In rode trainingspakken. Met bivakmutsen op. Ze schoten onophoudelijk op die limo zodra die naar buiten kwam gereden. Doorzeefden die. Daarna schoten ze lukraak op iedereen op de stoep die probeerde te vluchten. Zomaar in het wilde weg. Alsof ze in een schiettent op de kermis stonden.'

Danny zag de lichamen weer voor zich. De fleurige kleding. Hoe verschrikkelijk fout het allemaal was.

'En dat was het laatste wat je van ze hebt gezien? Op het balkon?'

'Meer heb ik en de rest van de wereld niet van ze gezien. Ik heb de politiezenders afgeluisterd en ze hebben nog niet één verdachte opgepakt. Volgens schattingen zijn er twintig burgers omgekomen, inclusief degene die in die doorzeefde limo zat.'

'De schutters kwamen uit Rusland,' zei Danny. 'Ze klonken in elk geval Russisch.'

'En die dooie vent bij jou in de kamer? Enig idee wie dat kan zijn?'

'Ik heb een USB-stick en een pas gevonden. Maar die pas is zo goed als onbruikbaar, zit onder de inkt.'

'Laat mij daar maar naar kijken.'

'Misschien hebben ze die dingen met opzet achtergelaten. Voor de politie.'

'Of niet,' zei de Kid. 'Daar kom je alleen maar achter door ze te onderzoeken.'

Het gerammel op het toetsenbord van de Kid hield op.

'Oké, bingo!' zei hij. 'Ik heb de bouwtekening van het hotel hier voor me.' Hij nam een trek van zijn sigaret. 'Via het dak kun je niet weg. Het is een vrijstaand gebouw. En op de brandtrappen word je gegarandeerd gezien.'

Gezien of neergeschoten, dacht de Kid. De scherpschutters van de politie hadden tijd genoeg gehad om hun posities in te nemen. Straks werden er ook helikopters ingezet. Met infrarood-detectors.

Het had geen zin om te proberen zich in het hotel te verstoppen, had hij al bedacht. Zodra de politie het gebouw had omsingeld, zouden ze binnenkomen met draadloze warmtedetectors en hondenteams die alles wat groter was dan een rat konden opsporen.

Danny had het gevoel dat de muren op hem af kwamen, nu het vooruitzicht van de gevangenis steeds reëler werd. Hij dacht aan Lexie. Aan wat het met haar zou doen. Als hij werd opgepakt, wist hij zeker dat ze hem nooit meer zou willen spreken.

Opnieuw vervloekte hij zichzelf omdat hij zijn twijfels over deze ontmoeting in de wind had geslagen. Opnieuw vervloekte hij Crane voor zijn waardeloze inlichtingen. Opnieuw vroeg hij zich af wie zijn tussenpersoon bij de Amerikaanse regering kon zijn geweest.

'Goed, plan B,' zei de Kid. 'Als de voorkant, achterkant en het dak zijn uitgesloten, kunnen we de onderkant misschien proberen.'

'Hoezo de onderkant?'

'De kelder. Aan de achterkant van het gebouw zie ik een leveranciersingang. Naast het terras van het restaurant. De trap komt uit in Arlington Street. Mogelijk is dat een ontsnappingsroute. Aan de overkant staat een kantoorgebouw. Kijk eens, daar lijkt zelfs een soort onderhoudsruimte voor het riool te zitten...'

Danny dacht aan de duisternis. Aan kou en angst. Aan een plek onder de grond waar hij lang geleden was geweest. Hij dwong zichzelf aan iets anders te denken.

'Weet je zeker dat het ergens heen leidt?' vroeg hij.

'Nee. Ik kijk nog of er andere mogelijkheden zijn. Maar volgens mij is dit de beste optie die we nu hebben.'

Danny woog de mogelijkheden tegen elkaar af. Het getuigde van wanhoop om via een leveranciersingang te ontsnappen en een straat in te lopen waar hoogstwaarschijnlijk talloze scherpschutters stonden opgesteld. Ook al zou hij het gebouw aan de overkant halen, dan nog belandde hij, als hij de politie hem zag, van de regen in de drup.

Maar het riool... Daar zou de politie niet zo snel aan hebben gedacht. Dat was de moeite van het proberen waard, al kromp zijn maag ineen bij het vooruitzicht.

Hij dacht terug aan een andere regel van zijn ouwe: hoe langer je twijfelt over een beslissing, hoe minder tijd je hebt om te handelen.

Danny herinnerde zich zijn vaders gezicht weer toen ze elkaar voor het laatst hadden gezien. Zijn ouwe was al half verteerd door kanker en stond op het punt aan boord te gaan van een cruiseschip. Toen ze met een omhelzing afscheid van elkaar namen, wisten ze dat ze elkaar nooit meer zouden zien.

'Goed, dan doen we dat,' zei Danny, terwijl hij opstond, klaar voor vertrek, in het besef dat de schijn van een kans beter was dan geen enkele kans.

'Acht meter voorbij de herentoiletten staat hier een vergaderruimte aangegeven. Loop daardoorheen naar het trappenhuis aan het einde van de volgende gang.'

Danny rende, stond stil bij elke openstaande deur waar hij voorbijkwam. Vanuit één ruimte klonk een radio. Jimmy Hendrix, werd ergens in zijn hersens herkend. 'All Along the Watchtower'. Een van zijn favoriete nummers, maar nu niets meer dan achtergrondgeruis.

De vergaderruimte bevond zich precies waar die volgens de Kid moest zijn – een goede indicatie van de precisie van de bouwtekening en het bestaan van die onderhoudsruimte beneden.

Een tiental laptops en iPads stond aan op een glanzende mahoniehouten vergadertafel. Een echtpaar uit de Regency-periode staarde vanaf een enorm olieverfschilderij de ruimte in. Een kolossale kroonluchter hing aan een sierplafond en verlichtte een vergadering zonder mensen. Half leeggedronken glazen water. Colbertjasjes om rugleuningen. Een koffiekopje in scherven op de vloer.

Een van de drie brede erkers met uitzicht op Piccadilly stond open. De mensen die in deze ruimte zaten waren dus via het raam naar buiten gevlucht. En misschien wel tijdens die vluchtpoging neergeschoten.

Danny liep gebogen over de vloer, zich schuilhoudend achter de tafel, onder de zichtlijn van de ramen. Hij duwde de deur aan de andere kant van de zaal open en rende door de gang.

Precies op het moment dat hij bij het trappenhuis aankwam, deed een oorverdovende explosie de lucht trillen.

Achttien

Danny lag op de grond. Opgekruld in foetushouding. De rook kringelde door een hoog, getralied raam terwijl hij wachtte tot het gerommel ophield. Wat nu weer?

Twijfel stak de kop op. Voor het eerst sinds hij de suite had verlaten. Met knipperende ogen overzag hij zijn opties. Het trappenhuis leidde naar boven en beneden. Hij kon twee kanten op, hij moest kiezen. Misschien had hij zich vergist. En liep dit uit op een belegering. Of bevonden de mensen die hij zocht zich nog steeds in het hotel. Hadden ze gewacht tot de politie en ambulances de slachtoffers op straat hadden omringd en schoten ze er met raketwerpers op los.

Of misschien waren de Britten door het lint gegaan en hadden ze besloten het hotel te bestormen. FIDO – 'Fuck it and drive on' – luidde het officieuze motto van de paratroepen. 'Who Dares Wins' was het motto van de SAS. De Britten stonden niet bepaald bekend om hun terughoudendheid als het ging om snel en hard toeslaan.

Maar hier in het centrum van Londen? Daar zouden ze toch wel omzichtiger te werk gaan? Waarschijnlijk zouden ze dit deel van het centrum afsluiten en proberen de terroristische splinterbeweging die deze aanslag volgens hen op zijn geweten had in hun net te vangen.

Het gerommel stierf weg.

Er volgden geen schoten. Geen geschreeuw of brekend glas.

'Jezus christus, wat was dat?' Danny raapte zijn headset op.

'De limo bij de hoofdingang.' De stem van de Kid was weer terug. 'Of wat daar nog van over was. De benzinetank is ontploft. De auto ligt nu op zijn dak.'

'Ik sta in het trappenhuis. Welke kant moet ik op?'

'Ga naar de onderste verdieping. Je loopt via de wasserij naar de wijnkelder en gaat er aan de andere kant uit.'

Danny liep met drie treden tegelijk de trap af.

'Ik heb goed nieuws,' zei de Kid, toen Danny op de onderste verdieping aankwam.

De Kid kwam krakend door. Waarschijnlijk verslechterde de ontvangst naarmate Danny dieper ondergronds ging.

'In de database van het waterschap heb ik gecheckt of dat onderhoudspunt van het rioolstelsel op de bouwtekening echt bestaat, en het wordt erin genoemd,' ging hij verder.

'Mooi. Nu maar hopen dat niet juist dit gedeelte van

het victoriaanse rioolstelsel al was dichtgemetseld voordat wij geboren waren.'

De Kid reageerde niet. Danny concludeerde hieruit dat zelfs de Kid dat niet kon weten.

Shit, dat kwam slecht uit.

Hij was bij de wasserij aangekomen. Een zee van licht en kunstmatige bloemengeur. Hij wilde zoeken naar kleren om zijn trainingspak mee te ruilen, maar het enige waar zijn blik op viel, was de zwarte rook die opsteeg in de hoek.

Een stoomstrijkijzer stond aan en lag op een beddenlaken. Binnen de kortste keren zou dat vlam vatten. Danny beende eropaf, haalde de bout van het verschroeide laken af en trok de stekker uit het stopcontact.

Daarna liep hij door. Geen tijd om stil te staan. Hij stak zijn arm uit naar de kelderdeur. Duwde ertegenaan. De deur zat op slot. En stevig ook. Intrappen had geen zin.

Hij maakte zijn rugzak open, haalde er snel de slotenkraker uit en zette die in elkaar. Het voorwerp had nog geen pakkende naam, simpelweg omdat het nog niet op de markt was. Het was een prototype, een aardig kerstcadeautje van een oud-collega van de Company, die nu werkte voor een Zwitserse wapenfabrikant, gespecialiseerd in hardware voor politie, leger en spionagediensten.

Danny schoof de loop van het apparaat in het slot en haalde de trekker over. Het ding zette zich schrap als een muilezel en begon te zoemen. Een door merg en been gaand geloei van draaiende mechanieken en snijdende bladen werd gevolgd door een harde klap van bezwijkend metaal.

Hij kon naar binnen.

Het was donker. Ontvochtigers zoemden. Danny pakte zijn zaklamp uit zijn rugzak en scheen de langwerpige, lage ruimte in. Een boogplafond van baksteen. Duizenden wijnflessen in diepe alkoven. De felle straal van de lamp scheen over dure etiketten. Hij liep snel door.

Danny had geen verstand van wijn. Toen hij nog dronk, hield hij het meestal bij sterkedrank en bier. Anna-Maria wist er wél alles van.

Als ik hier ooit levend uitkom, dacht hij, neem ik haar mee naar dit hotel en bestel ik de beste fles die ze hebben. Als ik hier verdomme ooit levend uitkom, zuip ik mezelf misschien wel helemaal lam...

De deur aan de andere kant van de kelder moest ook met de slotenkraker worden geopend.

'Oké, ik sta nu in een dienstgang,' zei hij meteen toen hij naar binnen was gelopen.

De gang vertakte zich naar links en rechts. Veel rood baksteen. Afbrokkelende specie. Hij vermoedde dat hij tussen de fundamenten van het gebouw stond.

Zijn headset bevestigde dit door te miauwen als een kat die zojuist op zijn staart was getrapt: de ontvangst werd steeds slechter.

'De nooduitgang is vlak om de hoek aan je rechterkant.' De stem van de Kid kwam in staccato door. Danny rende erheen en opende de deur. Hij werd overspoeld door buitenlucht en daglicht. Met zijn bolle spiegel verkende hij de omgeving. Afgezien van een waaier aan sigarettenpeuken op de oude stoeptegels, was er geen teken van leven te bekennen.

Hij stapte in een stenen geul die de vorm had van een T en drie meter naar het oosten, westen en zuiden liep vanaf het punt waar hij stond. Hij was twee meter breed en drie meter diep. Naar het oosten liep een steile helling tot aan het straatniveau. Aan de andere kant was een stenen trap met halfronde treden die omhoogliep naar de tuin van het hotel.

Door de gaten van de aan elkaar geklonken gietijzeren roosters boven Danny's hoofd viel zonlicht. De achtermuur van het hotel rees op in een heldere blauwe lucht.

Overal klonken sirenes. Danny's hart begon nog sneller te kloppen, het leek elk moment te kunnen barsten.

Hij holde naar een groen geschilderde metalen deur in een lage bakstenen boog. In het midden was een felgekleurde sticker geplakt, met het symbool van

een waterkraan en daaronder de woorden: THAMES
WATER.

'Ik ben er,' zei Danny.

'En?' De Kid kwam iets beter door nu Danny buiten
stond.

'En wat?' Danny was morrelde koortsachtig aan de
deur.

'Is hij dichtgemetseld?'

Danny grijnsde gemelijk. 'Nee, maar hij zit wel op
slot,' zei hij, terwijl hij er uit alle macht een trap tegen gaf. 'Maar nu niet meer.'

Negentien

12.09 uur, Green Park, Londen W1

Danny tuurde in het donker. Een onderhoudsruimte. Precies wat de Kid had gezegd. Functioneel. Een fonteintje, een zeep- en een tissueautomaat in de hoek. In het midden twee stoelen en een tafel. Een sensatiekrant lag open op de sportpagina's. Aan de beschimmelde wand, recht tegenover Danny, hing een rek met metalen gereedschap, naast een gesloten deur.

Danny stapte naar binnen, de zaklamp in zijn hand. Hij deed geen moeite het kale peertje aan het plafond aan te doen. Hij trok de deur achter zich dicht, brak de dunne, gebogen houten rugleuningen van een van de stoelen in tweeën en daarna nog eens, drukte de stukken hout tegen elkaar aan en klemde ze stevig tegen de onderzijde van de buitendeur.

Toen hij zijn zonnebril in zijn zak deed, keek hij naar de datum van de krant. Hij was slechts drie weken oud. Nog niet zo lang geleden werd hier dus nog gewerkt. Dat stemde hem optimistisch over de te vinden ontsnappingsroute.

Met zijn zaklamp over het rek aan de muur schijnend, pakte Danny een stuk gereedschap dat de vorm had van een T en nog iets wat leek op een enorme imbussleutel. Hij veronderstelde dat die bedoeld waren om putdeksels en dergelijke te openen, en ze zouden hem ongetwijfeld van pas komen.

Meteen al zelfs, zag hij, toen hij de gesloten deur in de beschimmelde muur zag. De T-sleutel paste precies in het gat. Hij draaide hem eenmaal naar rechts. De deur ging met een klik van het slot.

Danny zette de goed geoliede deur helemaal open en bleef even staan. Hij staarde in de koude, donkere opening van de verticale schacht. Zijn zaklamp bescheen tot ongeveer drie meter diep een metalen ladder die in het donker verdween.

Er was een tijd geweest dat Danny doodsbang was op dit soort plekken, een tijd waarin het duister hem bijna voorgoed had verzwolgen. Maar hij had leren omgaan met zijn angst. Niet omdat hij zo moedig was, maar omdat hij geen keus had. Hij had ontdekt dat woorden hem moed gaven. Daarmee kon hij de angst uit zijn hoofd verdrijven.

Ik zal er zijn. Niets kan me weerhouden.

'En, hoe is het daar?' vroeg de Kid. Zijn stem kwam krakend en sissend door.

Danny stond nog steeds met opengesperde ogen in het gapende gat te staren.

'Danny?' zei de Kid.

'Wacht...'

Doorgaan, zei Danny tot zichzelf. Gewoon doorgaan, verdomme.

En dat deed hij. Hij haalde diep adem en dwong zichzelf de ladder af te klimmen. Sport na sport. Het donker in.

Toen hij op de koude betonnen vloer stond, had hij achttien sporten geteld. De lucht was vochtig en koel. Hij scheen met zijn lamp in de rondte en zag dat hij in een bakstenen gang van tweeënhalve meter hoog stond; rechts van hem liep een ijzeren leuning langs de muur.

Hij liep een pas of twintig langs de leuning totdat de gang uitkwam bij een verhoogd stenen pad dat door een veel bredere tunnel liep.

Danny scheen met zijn lamp van links naar rechts. De hoofdtunnel was veel groter dan hij had verwacht. Cilindervormig. Met een diameter van minstens zes meter. Ruimte om rechtop te staan. Je zou er met een auto doorheen kunnen. De wanden waren van victoriaans metselwerk, hier en daar opgelapt met een veeg modern cement, als een stoplap in een oude, versleten beddensprei.

De rioolgoot werd niet gebruikt, constateerde Danny opgelucht toen hij naar de vloer keek. Geen stinkende, kabbelende, ijskoude zwarte stroom water waar hij zoals gevreesd doorheen zou moeten waden. De kille, aanhoudende tocht duidde op een veel groter stelsel. Dit was maar een klein gedeelte ervan.

Eveneens optimistisch stemmend waren de voetaf-drukken. In de modder op het stenen pad. De meeste liepen weg vanaf het punt waar Danny stond. Door de hoofdtunnel. Naar rechts. Dat betekende dat het pad ergens heen leidde, concludeerde hij, waardoor hij weer wat hoop kreeg.

Er droop water van het plafond. Overal klonken val-lende druppels, als regen in een fles of pan.

'Kid? Hoor je me nog?' vroeg Danny.

Hij hoorde alleen een vaag geklik.

Hij klom gehaast terug naar de onderhoudsruimte. 'Hallo, Kid? Ben je daar nog?'

'Ik hoor je.'

'Volgens mij heb je mijn vluchtroute gevonden...'

'Jezus Christus, gelukkig maar. Maar ik waarschuw je, Danny, je mobiel zal het daar beneden niet doen. Ik wijs je de weg met behulp van de plattegrond die ik net van het waterschap gedownload heb.'

Danny zag op zijn scherm dat hij een bericht had. Er werd een Acrobat-bestand gedownload. Meteen na-dat het downloaden voltooid was, selecteerde hij het pictogram. De plattegrond van het rioolstelsel ver-scheen op het scherm. Danny verkleinde het beeld en scrolde er met zijn duim doorheen.

'Jezus, man, dit lijkt wel een doolhof,' zei hij, plot-seling overweldigd door de omvang van het stelsel.

'Waar sta ik nu?'

'In G-drie.'

Danny scrolde naar de coördinaten. Slechts één weg in dit gedeelte liep dood. Dat moest de tunnel zijn waar hij nu stond. 'Oké, ik heb het bestand ontvangen,' zei hij. 'Waar moet ik nu heen?'

'Ik kijk nu op een stadsplattegrond die ik op de kaart van het rioolstelsel heb geprojecteerd,' zei de Kid. 'Zodat ik een beetje kan inschatten waar de tunnels boven de grond uitkomen.'

'Een beetje kan inschatten?'

'De schalen van deze plattegronden komen niet exact overeen. Maar wel zo ongeveer, hoop ik.'

Dat hoop ik ook maar, dacht Danny. Maar die gedachte hield hij voor zich. Hij had er niets aan om de Kid onzeker te maken.

De Kid zei: 'Je telefoon heeft niet de grijze cellen om de twee plattegronden te synchroniseren. Daarom moet je luisteren naar de aanwijzingen die ik je geef en die precies opvolgen daarbeneden.'

Danny wreef met zijn duim over zijn telefoon langs de route die de Kid nu voorlas, en leerde die uit zijn hoofd. De uitgang die hij volgens de Kid moest nemen, was ongeveer een kilometer verderop.

'Waar kom ik dan uit?'

'Op een mooie plek aan de achterkant van een bijgebouw van Royal Parks, een werkplaats, aan de

153

zuidkant van Hyde Park, als ik het goed heb.'
'Goed. En nog iets.'
De grijnzende man in de hotelsuite. Danny kreeg
hem maar niet uit zijn gedachten.
'Ja?'
'Kun je voor me uitzoeken wie er in die kapotge-
schoten limo zat?' Als hij wilde weten door wie hij
erin was geluisd, moest hij er eerst achterkomen wie
die lui hier hadden willen vermoorden.
'Ben ik al mee bezig, Danny. Het is me gelukt een
deel van het kenteken te noteren.'
Verdomd als het niet waar was: de Kid was hem altijd een stap voor. Ook daarom was hij de beste.
'En?'
'Ik zoek het nummer op in de database van de Rijksdienst voor Wegverkeer. Nog even en we weten op
wiens naam die auto staat.'
Danny glimlachte. Zijn neusvleugels sperden zich
open alsof hij een geurspoor had gevonden. Hij
kreeg weer moed. Het voelde zo veel beter om jager
te zijn dan prooidier. Hij keek langs de ladder naar
beneden. Hij kon het, zei hij tegen zichzelf. Hij dééd
het.
'Dank je wel, Adam,' zei hij.
'Jezus, Danny, alsjeblieft, niet doen.'
'Wat?'
'Me bij mijn echte naam noemen. Als je dat doet,

krijg ik pas echt het gevoel dat we in de penarie zitten.'

Danny glimlachte, ondanks alles. 'Ik zie je aan de andere kant,' zei hij.

'Veel succes, broer,' zei de Kid.

Broer. Oftewel broeder. Als in wapenbroeder. Hoewel de Kid het woord met een nep-Amerikaans accent had uitgesproken, wist Danny dat hij hem oprecht als zodanig beschouwde. Hij was meer dan een collega. Intiemer dan een vriend. Als een bloedverwant. Ze hadden zo veel intense situaties meegemaakt dat het niet anders meer kon zijn.

En dat gevoel was wederzijds. De Kid was een van de slechts drie mensen op aarde die Danny volledig durfde te vertrouwen. Hij kon niemand bedenken die hem betere rugdekking kon geven.

Hij verbrak de verbinding. Hij wilde niet langer wachten. Zou hij dat wél doen, dan durfde hij waarschijnlijk niet meer terug te gaan.

Terwijl hij afdaalde naar de tunnel, pakte hij de sleutelpas en geheugenstick uit zijn broekzak, stopte ze in zijn rugzak en ritste die dicht.

Hij wist dat deze twee bescheiden voorwerpen en de Kid zijn enige hoop waren.

Twintig

Danny liep zuidwaarts over het verhoogde pad van de grote riooltunnel. Hij scheen met zijn zaklamp recht voor zich uit en probeerde niet te denken aan de duisternis die hem bij elke stap die hij zette nauwer omsloot.

Hij bleef doorlopen, in het spoor van de voetafdrukken. Alsof hij meeliep in een grote mars. Hij probeerde zich te troosten met het feit dat vele gewone burgers die hier hun werk deden hem waren voorgegaan. Maar de oude herinneringen bleven door zijn hoofd spoken.

Zijn sportschoenen knerpten over modder en gruis. Hij moest nog veertig meter doorlopen, had de Kid hem verteld. Daarna zou de tunnel zich in twee gangen splitsen. Danny moest de rechtertunnel nemen, meegaan met de flauwe bocht van het riool langs nog eens vier aftakkingen, en dan nog ongeveer een kilometer in zuidwestelijke richting verder lopen.

Hoe zou de situatie boven zijn? Liep hij op dit moment onder de laarzen van een waakzame agent die hem opwachtte? Of stel dat de politie iemand in dienst had die net zo slim was als de Kid? Stel dat de politie ook aan het rioolstelsel had gedacht? Niet alleen als mogelijke route om het hotel te ontvluchten, maar ook als manier om daarin te komen? Stel dat, ergens anders in dit labyrint, een opsporingseenheid op dit moment naar Danny op weg was? Doorgaan, maande hij zichzelf. Je niet overgeven aan de angst.

Tijd bleef zijn kostbaarste bezit. Hij mocht geen seconde verliezen.

Ergens beneden hem, in het uitgestrekte, kronkelige riool waar eens, in het victoriaanse Londen het afvalwater door had gestroomd, hoorde hij een mini-lawine van cementgruis en piepende ratten. De duisternis kwam dichterbij. Maar hij gaf niet op.

Ik zal er zijn. Niets kan me weerhouden.

Hij herinnerde zich die woorden weer.

En deze keer herinnerde hij zich ook de omstandigheden waarin hij die woorden voor het eerst had gebruikt. Toen de duisternis hem bijna voorgoed had verzwolgen. In North Carolina. In een ander koud gat onder de grond. Waarvan hij toen had gedacht dat hij er nooit uit zou kunnen ontsnappen.

Na het overlijden van zijn vader studeerde Danny af als taalkundige aan de Universiteit van New York, met Russisch en Arabisch als hoofdvakken. Vervolgens meldde hij zich bij de Army Rangers. Deels omdat hij wist dat zijn vader dan trots op hem zou zijn, want die had daar zelf ook gediend. Maar vooral omdat hij weg wilde uit het lege ouderlijke huis in New York, dat allang geen thuis meer voor hem was.

Drie jaar later werd Danny door de CIA gerekruteerd. Kort daarna werd hij ingedeeld bij de Special Activities Division, waar hij voor allerlei taken werd opgeleid, van de rekrutering van agenten tot het onschadelijk maken van bommen. Op een gegeven moment werd hij het Gat in gestuurd.

De oefening was bedoeld om het uithoudingsvermogen en de kameraadschap te testen. Van Danny en vier andere geheim agenten die kort daarna als team in Koeweit spionagewerk zouden gaan doen, maar daar indien nodig ook gevechtsacties zouden uitvoeren.

Het Gat, zoals op de SAD het verraderlijke labyrint van grotten werd genoemd, lag nog geen uurtje rijden van het gebouw van de Special Activities Division in Harvey Point. Danny's team was intensief getraind en voorbereid op elke ramp die hen daar zou kunnen overkomen.

Maar nog geen twee uur nadat ze het grottenstelsel waren binnengegaan – inmiddels zo'n dertig meter onder de grond – werden ze verrast door een overstroming. Danny kwam terecht aan de verkeerde kant van een diepe, verticale schacht in een deels ingestorte tunnel. Hij had geen touw, geen voedsel en geen plattegrond bij zich, en na drie kwartier was de batterij van zijn zaklamp leeg.

Hij kroop door het donker. Naar boven. Weg van het snel stijgende water.

Hij probeerde allereerst zijn route te bepalen door in zijn hoofd alle splitsingen en hellingen te tellen. Hij concentreerde zich op de zwak lichtgevende plaat van zijn kompas. Hij probeerde niet te denken aan de koude rots waaraan hij zijn bloedende hoofd bleef schuren. Of te luisteren naar de amechtige echo van zijn ademhaling, of naar het stromen, klateren en suizen van het stijgende water onder hem.

Al snel was er in de volledige duisternis ook niets meer te zien op de plaat van zijn kompas. Danny moest zich inhouden om niet om hulp te schreeuwen.

Even later zat hij vast. In de knel. Hij kon niet meer voor- of achteruit. Hij had het zo benauwd dat hij niet eens kon schreeuwen. Hij wist niet of de rest van zijn team deze oefening had overleefd. Evenmin kon hij weten hoe diep hij in het stelsel zat. Of wanneer het water aan zijn lippen zou staan.

Hyperventilerend besefte hij dat hij daar onder de grond zou sterven. Begraven in rots. Verdronken, gestikt, onderkoeld of uitgehongerd.

Maar hij gaf niet op. Iets weerhield hem daarvan,

drong door tot zijn doodsangst, gaf hem de kracht voorzichtig zijn vingers te bewegen. Daarna zijn hand. Millimeter na millimeter. Hij schaafde zijn knokkels tegen de scherpe rotsuitstulping in zijn zij. Totdat hij eindelijk in staat was zijn patroonriem los te maken en de vrijgekomen speelruimte te benutten om zich er draaiend, kerend en kruipend doorheen te wurmen.

Iets dreef hem voort. Daar in de diepte van die duisternis vond hij ergens in zijn hoofd een lichtpuntje. Een herinnering. Aan haar. En een toekomst. Met haar.

Iemand om voor te leven, om de strijd niet op te geven.

Ik zal er zijn. Niets kan me weerhouden.

Onder in dat grottenstelsel hoorde hij die woorden luid en duidelijk, alsof iemand ze in zijn oor fluisterde.

Maar in feite waren het zijn eigen woorden. Het waren de woorden die hij zes maanden daarvoor had geroepen naar een meisje aan het einde van de avond waarop hij haar had ontmoet. En die hij daarna, als grap, bleef herhalen wanneer ze afscheid van elkaar namen.

Het was liefde op het eerste gezicht geweest. Danny had dat altijd grote onzin gevonden. Een mythe. Maar het meisje dat laat op die dinsdagavond naast hem in de metro was gaan zitten, terwijl hij nog maar een paar haltes van huis was, had meteen zijn aandacht getrokken.

Ze had kort blond haar. Diepblauwe ogen. Zachte, fijne gelaatstrekken en volle lippen. Haar glimlach brak als zonlicht door een dik wolkendek, terwijl ze zich verdiepte in de kruiswoordpuzzel in haar krant en de opgaven een voor een invulde.

Drie haltes verder riep Danny spontaan uit: 'Diva.' Ze keek hem verrast aan en richtte zich weer op haar puzzel. Haar pen bleef even stilstaan boven het papier. Toen keek ze weer op en lachte naar hem. Met een mengeling van verontwaardiging en geamuseerdheid.

'Elf horizontaal,' verzuchtte ze, terwijl ze haar blik weer op de krant richtte en hardop de opgave voorlas die hij zojuist had opgelost: '"Gevierde zangeres of actrice..." Klopt als een zwerende vinger. Diva. Goed gedaan.' Ze had een Engels accent, net als zijn moeder. Londen, gokte hij.

Ze vulde het woord in, keek daarna nieuwsgierig op naar Danny en bood hem haar krant en pen aan.

'Weet je wat?' zei ze. 'Volgens mij weet ik niets meer. Als jij hem wilt afmaken...'

Ze lachte weer, maar deze keer licht uitdagend, al liet ze Danny vermoeden dat ze niet zomaar zou opstaan en weglopen, want daar leek de pen die ze hem

161

had gegeven veel te duur voor.

Daar kreeg hij gelijk in. Hoewel hij daarna nog maar één opgave had kunnen oplossen, raakten ze in gesprek. Daarna hielden ze niet meer op met praten. Hij kon haar niet precies vertellen wat hij voor de kost deed, maar hij gaf haar een verhaal dat eerlijker was dan wat hij meestal vertelde. Hij was echter vooral aan het luisteren. En zo kwam hij te weten dat zij, net als hij, een dubbele nationaliteit had, dankzij haar Engelse moeder en haar onlangs overleden Amerikaanse vader. Ze woonde iets langer dan een jaar in de States en reisde rond. Ze had geschiedenis gestudeerd, maar moest nog bedenken wat ze ermee wilde gaan doen. Op dat moment werkte ze in de souvenirwinkel van het Guggenheim, maar ze droomde van een eigen keramiekzaakje in Greenwich. Ze was vanuit haar laatste verblijfplaats in California naar New York getrokken, alleen maar omdat *Breakfast at Tiffany's* haar lievelingsboek was.

Pas toen de wagon leegliep en de metro stilstond, beseften ze dat ze bij de eindhalte waren aangekomen.

Terwijl ze het donkere station uit liepen zei hij: 'Dus je woont in deze buurt.'

Ze gaf geen antwoord, maar vroeg: 'Jij?'

'Ik had al vijf haltes eerder moeten uitstappen.'

Ze begon te lachen. 'Ik de halte daarvoor.'

Buiten regende het. Ze hadden allebei geen paraplu of regenjas bij zich. Hij ging op straat staan en hield een taxi aan. Hij zorgde ervoor dat de chauffeur de stoeprand op reed, zodat ze geen plens water over zich heen kreeg. Hij hield het portier voor haar open terwijl ze instapte. Nadat ze het portier had dichtgetrokken, zei ze iets tegen hem en liet het raampje naar beneden zakken.

Maar hij kreeg nooit te horen wat ze wilde zeggen. De taxi scheurde meteen weg en hij bleef perplex achter, starend naar haar, terwijl ze zwaaiend door de achterruit in de regenachtige nacht verdween. Pas op dat moment besefte hij dat hij haar niet eens om haar telefoonnummer had gevraagd.

Hij begon te rennen. En bleef rennen. Gleed uit. Struikelde. Hollend zigzagde hij tussen de mensen en vuilnisbakken op de stoep door, als een quarterback in een footballteam die alles op alles zette. Daarna het verkeer in. Hij liep niet door rood, hij rénde erdoorheen – een stunt die hij daar ter plekke had uitgevonden.

Twee keer was hij bijna bij haar. Maar twee keer sprongen de verkeerslichten net op groen.

De derde keer had hij geluk. Bij de stoplichten stond hij hijgend bij het portier van haar taxi. Terwijl hij zijn nagels in haar raampje zette, keek ze hem met een mengeling van verbijstering en verrukking aan.

Het raampje ging zoemend omlaag. Danny was zo buiten adem dat hij niets meer kon zeggen.

'Morgen om zes uur ben ik klaar met mijn werk,' zei ze.

Hij ging rechtop staan toen het licht op groen sprong. 'Ik zal er zijn. Niets kan me weerhouden,' antwoordde hij.

Niets weerhield hem. Hij ontmoette haar de volgende avond. En de drie avonden daarna. Zo had hij Sally Gillard leren kennen, de vrouw die twee jaar later zijn echtgenote werd.

Ik zal er zijn. Niets kan me weerhouden.

Het was een mantra die hem door het tunnelstelsel in North Carolina had gesleept. En drie uur later bracht die hem hijgend naar de schemerdonkere buitenlucht, ongeveer anderhalve kilometer van het punt waar hij ondergronds was gegaan.

Danny had Sally nooit verteld dat ze hem ooit het leven had gered zonder zelfs maar in zijn buurt te zijn. Hij had het vaak overwogen, maar iets had hem ervan weerhouden, de gedachte dat het maar een onnozele mededeling was.

En vervolgens ging Sally dood en kón hij het haar niet meer vertellen. Nu was het een geheim dat waarschijnlijk voor niemand een betekenis had.

Ik zal er zijn. Niets kan me weerhouden.

Terwijl deze woorden in Danny's hoofd klonken, onder in het rioolstelsel van Londen, dacht hij niet meer aan Sally. Hij hoopte dat er een hemel was, en dat zijn vrouw en zoontje daar voortleefden. Hij hoopte dat hij ze allebei op een dag weer zou ontmoeten. Maar hij wist het niet.

Ik zal er zijn. Niets kan me weerhouden.

Nee, toen deze woorden door Danny's hoofd spookten, waren ze noch voor Sally noch voor Jonathan bestemd. Ze waren voor Lexie. Niet omdat zijn dochter zijn hulp op dit moment nodig had, of die ooit nodig zou hebben. Maar omdat hij, mocht dat ooit wel zo zijn, voor haar klaar wilde staan. Voor Lexie zou hij altijd willen blijven leven.

Eenentwintig

Danny bescheen met zijn zaklamp de ladder die naar boven leidde, de duistere, betonnen schacht in. Geen voetsporen op de roestige sporten. Dat zag er niet naar uit alsof hier pas nog iemand was geweest. Maar volgens zijn oplichtende telefoonscherm was dit doodlopende eind in het rioolstelsel de uitgang waar de Kid het over had gehad.

En inderdaad, drie meter boven aan de ladder bevond zich een gietijzeren putdeksel. Danny hoopte dat daarboven frisse lucht was.

Hoe verleidelijk het ook was om ondergronds te blijven tot de storm was uitgewoed, het was nog maar een kwestie van tijd voordat de politie en het leger beseften dat er niemand meer in het hotel was. Ze zouden naar binnen gaan en de ingeramde deur van de onderhoudsruimte van het riool ontdekken.

Hij moest wel naar buiten.

Nadat hij zijn telefoon en headset in zijn rugzak had opgeborgen, begon hij opgelucht te klimmen. De stank was niet te harden. Het soort lucht waar nooit aan zou wennen, hoelang je er ook aan werd blootgesteld.

Het ruimtelijke, victoriaanse gedeelte van het stelsel

waar hij vanuit de Ritz was begonnen, bleek een valse voorbode, niet alleen wat betreft de luchtkwaliteit, maar ook qua toegankelijkheid.

Na die eerste vertakking waar hij doorheen was gegaan, was hij zijn angst dat hij door de politie zou worden onderschept volledig kwijt. Want alleen iemand die zo wanhopig was als hij zou deze ontsnappingspoging hebben overwogen.

Het was absoluut niet mogelijk geweest om de rest van de route die hij had genomen per auto af te leggen; hooguit met de fiets. Het afbrokkelende stenen pad voor het onderhoudsteam was op sommige plekken zo versleten dat Danny tegen de rand aan moest lopen en hier en daar zelfs moest kruipen. Bovendien moest hij soms om ladders, trappen en geautomatiseerde waterpompen heen, die niet op zijn plattegrond stonden aangegeven.

Er liepen moderne pijpen door de oude rioolgoten. Bij sommige lekte vies afvalwater uit de naden. Danny moest zijn bivakmuts over zijn gezicht uitrollen en zijn trainingsjasje als provisorisch filter voor zijn mond gebruiken, al was het maar om vergiftiging door waterstofsulfide te voorkomen.

Het gevolg was dat zijn blote armen en rug nu besmeurd waren met uitwerpselen en krassen opliepen als hij zijn bovenlichaam sneed aan de pijpen en tunnelwanden.

Boven aan de ladder stond hij stil om te luisteren. Hij hoorde niets boven. Geen verkeer. Geen sirenes. Met een beetje geluk had de Kid zijn berekeningen goed gemaakt en bevond Danny zich nu onder Hyde Park.

Dat hoopte hij maar.

Want dat betekende dat hij het belangrijkste kordon van de politie had omzeild. Het kordon dat niets of niemand zou doorlaten, waarbinnen ze iedereen meteen zouden verhoren en elk gebouw en elke vuilnisbak of auto uitkamden.

Als dat zou lukken dan zou Danny – mits de politie geen vingerafdrukken in de hotelkamer had aangetroffen die overeenkwamen met die in zijn archief van het Amerikaanse ministerie van Buitenlandse Zaken – eindelijk buiten gevaar zijn.

Het was maar een sprankje hoop. Maar meer had hij niet.

Ik moet bij het busje van de Kid zien te komen. En dan op zoek gaan naar het tuig dat dit heeft aangericht. Bewijzen dat zij, en niet ik, die onschuldige voorbijgangers hebben vermoord.

Terwijl hij zich met zijn linkerhand vasthield aan de trap, haalde Danny met zijn andere hand de T-sleutel uit zijn rugzak. Hij deed hem in het gat van het putdeksel. Draaide het slot volledig rond. Daarna greep hij, terwijl hij de sleutel in het gat liet hangen, het handvat van het deksel en draaide dat een halve slag tegen de klok in. Totdat de indicatiepijlen op één lijn stonden.

Hij negeerde het water dat uit de rand liep en duwde met de palm van zijn hand uit alle macht tegen het koude metalen oppervlak van het deksel.

Tevergeefs. Geen beweging in te krijgen.

Hij probeerde het nog eens. Zijn frustratie sloeg om in angst, want het deksel gaf nog steeds niet mee. Hij kon het niet geloven. Had hij al die moeite gedaan en was hij zo dicht bij de uitgang gekomen om uiteindelijk niet naar buiten te kunnen komen? En waardoor? Door roest? Door de een of andere aso die zijn auto boven op het putdeksel had geparkeerd? Of door het zoveelste geval van domme pech dat het Lot op zijn pad had gebracht?

Woede laaide in hem op. Hij trok de T-sleutel uit het gat en liet hem kletterend de schacht in vallen. Hij klom nog eens twee treden omhoog en klemde zijn rechterschouder en zijn nek stevig tegen het deksel. Hij zette zijn voeten nog één trede hoger, zodat zijn knieën nu onder zijn kin staken, strekte zijn benen en duwde met alle kracht die hij in zich had zijn schouders naar boven.

Een grote verrassing. Er kwam beweging in. Het deksel schuurde tegen het beton en klapte open. Een oorverdovende stortvloed aan water stroomde over hem heen. Een vloed die maar niet ophield. Die op hem in beukte alsof hij onder een waterval stond en elk moment kon worden meegesleurd.

Danny hield zich vast aan de ladder alsof zijn leven ervan afhing.

Alleen door zijn instinct werd hij gered. Een oerkern in hem die besefte wat er zou gebeuren als hij losliet. Een val van drie meter hoog. Genoeg om je enkel te breken. Of waarschijnlijker nog: je nek.

Tweeëntwintig

12.38 uur, Knightsbridge, Londen SW3

Verblind door zonlicht kroop Danny uit de put. Hij gleed uit over glibberige stenen, hoestte water op. Steeds maar weer. Bij elke ademhaling leken zijn ribben te barsten. Hij trok zijn trainingsjasje van zijn gezicht. Er stroomde water uit zijn neusgaten. Hij gaf over, hapte naar lucht.

Hij probeerde op te staan. Draaide om zijn heup, glibberde op handen en voeten als een hond op glad ijs. Hij vond zijn evenwicht en stond eindelijk op. Zijn benen trilden. Zijn armen ook. Elke spier in zijn lichaam leek uitgerekt door een martelwerktuig.

Hij zag afwisselend scherp en vaag. Miljoenen lichtpuntjes dansten voor zijn ogen. En stonden stil. Toen hij om zich heen keek, zag hij dat hij in een soort fontein stond. Een openbare fontein, vulden zijn hersens verder in. Er stonden mensen naar hem te staren. Een stuk of tien, of twintig. Ze staarden naar hem en begonnen te schreeuwen.

De bivakmuts. Shit! Die had hij over zijn gezicht getrokken tegen de stank in het riool. Alsof zijn plotselinge verschijning vanuit de diepte niet al voldoende was om deze omstanders de stuipen op het lijf te jagen...

Maar het was uitgesloten dat hij zijn muts zou afdoen. Iedere voorbijganger zou hem met zijn telefooncamera kunnen filmen en met één druk op de knop zijn beelden op Flickr zetten.

Danny wierp zijn rugzak van zich af. Hij trok zijn trainingsjas weer aan. De littekens en tatoeage op zijn rechterschouder – van een ouroboros, een slang die in zijn eigen staart bijt – waren zo uniek als een vingerafdruk. Ook die konden op de foto worden gezet en zijn identiteit verraden.

Het water in de fontein stond nog maar amper tien centimeter hoog en bleef zakken, door de open put gorgelend naar beneden stromend. Danny deed zijn rugzak weer om en kroop naar de rand van de fontein.

De omstanders renden nu weg. Weg van Danny, zo snel ze konden. Wat wist het grote publiek inmiddels over de aanslag? Misschien hadden ze gehoord dat er dodelijke burgerslachtoffers waren gevallen. Misschien dachten ze dat hij hen achterna zou komen. Terwijl ze van hem weg renden begonnen ze te schreeuwen.

Verontrustender was de plek waar ze naartoe renden.

Nog geen tweehonderd meter verderop zag Danny agenten staan. Heel veel agenten. Misschien wel meer dan hij in zijn hele leven ooit bij elkaar had gezien.

Dat kordon dat hij hoopte te ontglippen, was hij inderdaad voorbij.

Zij het maar net.

De agenten hadden allemaal de rug naar hem toegekeerd. Ze zaten gehurkt achter een stilstaand konvooi van politie- en burgerwagens en keken voor zich uit de straat in waarin die voertuigen geparkeerd stonden.

Waarschijnlijk zaten ze tegenover Green Park en tuurden ze naar de Ritz, dacht Danny. Naar het oosten. Dan moest hij precies de andere kant op rennen. Naar Knightsbridge in het westen.

En snel. Want zodra deze agenten die burgers op hen zouden zien afkomen, zouden al die roerloze figuren in hun zwart-witte uniformen zich omdraaien als een rijtje dominostenen en Danny's kant op kijken. Hij hees zich over de stenen rand van de fontein, voelde vaste grond onder zijn voeten en begon te rennen. Hij holde over een met houtsnippers bezaaid pad.

Links van hem ving hij door de bomen een glimp op van een brede, lege straat. De weg tussen Knightsbridge en Hyde Park Corner, gokte hij. De afwezigheid van verkeer betekende dat de weg al was ontruimd en aan beide kanten afgesloten. In het westen zouden er dus nog meer wegafzettingen en agenten zijn.

Voor Danny's oog ontrolde zich tot in de verte een grastapijt, begroeid met platanen en eiken. Hyde Park. De Kid had er dus niet zo ver naast gezeten met zijn aanwijzingen. Hij had Danny helemaal tot aan het park geloodst. Jammer dat hij hem niet meteen naar een veilige plek had gebracht.

Het park was veel te open, Danny kon zich er niet verschuilen. Vooral niet in die uitmonstering. En met al die agenten die elk moment de jacht op hem konden openen.

Vóór hem uit was geen mens te zien. Hij rolde zijn bivakmuts weer op tot een pet en zette zijn zonnebril op, zodat hij er niet meer uitzag als een terrorist, maar eerder als een bezwete jogger die op het punt stond een hartaanval te krijgen.

Hijgend bereikte hij een van de schaarse schuilplaatsen bij een boom, honderd meter verderop. Het was een soort prieeltje. Met geasfalteerde paden. Hoge bloembedden. Bankjes.

Er waren mensen. Tieners op rolschaatsen en skateboards, die elegant tussen gele plastic kopjes door manoeuvreerden, op muziek die uit boxen schalde. Ze lieten zich niet storen door de politiesirenes in de verte.

Danny dacht terug aan zijn schooltijd. Aan een geasfalteerde baan die zich voor hem uitstrekte. Vroeger haalde hij de honderd meter in precies dertien seconden. Als hij daar nu bij in de buurt kon komen, maakte hij misschien een kans.

Hij struikelde al na vijftig meter. Zijn rugzak leek met bakstenen gevuld. Maar hij stond op en rende verder.

Tien seconden later holde hij tussen bomen en schaduwplekken. Toen het pad een bocht maakte, hield hij in om op adem te komen. Zilverkleurig water glinsterde door de bomen rechts van hem.

De Serpentine, vermoedde Danny. Eens had hij daar met Anna-Maria een middagje doorgebracht, hèen en weer roeiend in een oude houten skiff, sigaretten rokend en koude cola drinkend in de zon.

Gravend in zijn rugzak diepte hij zijn headset en telefoon op. Die hadden dankzij de gore-tex de stortvloed overleefd.

Hij zette de pas er weer in voor een laatste sprint. Hij rende recht vooruit, dwars door een hechte strook met bosjes en struiken, scheurde zijn broekspijp aan een rozenstruik en haalde zijn huid open aan de doornen.

Hier heb je al die jaren voor getraind, zei hij bij zichzelf. Hiervoor heb je al die saaie uren in de sportschool doorgebracht.

Snakkend naar zuurstof begon hij eindelijk langzamer te rennen. Zijn spieren deden pijn, waren verzuurd. Door de bomen heen zag hij de achterkant van hoge gebouwen. Hotels en buitenlandse ambassades, als zijn geheugen hem niet in de steek liet. Daarmee kwam nog een herinnering boven. Aan de bestorming door de SAS van de Iraanse ambassade in Londen in 1980. Operatie Nimrod. Zijn vader had Danny er alles over verteld, alsof hij er zelf bij was geweest.

Later in zijn leven had Danny regelmatig met jongens van de SAS gewerkt. Hij had respect voor ze. Genoeg om bang voor ze te zijn. Hun regimentskazerne stond in Regent's Park. Slechts zes kilometer hiervandaan.

'De Kid,' zei hij, terwijl hij weer begon te rennen en wachtte tot hij werd doorverbonden.

'Danny?' fluisterde de Kid vijf passen later terug.

'Waarom heb je verdomme niet de uitgang genomen die ik gezegd had?'

'Ik heb me vergist. Ik ben door een of andere klotefontein naar buiten gekomen.'

'Wat zeg je!'

'Hou alsjeblieft op met vragen stellen.'

Recht voor zich, door de bosjes heen, zag Danny de stenen pilaren van een uitgang. 'Ik loop nu naar Edinburgh Gate,' zei hij, terwijl hij het smetteloos witte bordje in het pas gemaaide gras las.

'Oké, ik zie op mijn GPS weer waar je bent,' antwoordde de Kid. 'Ik zit zeshonderd meter verderop. In

Egerton Crescent. Ten zuiden, zuidwesten van jou. Ik stuur nu een route aan je door.'

'Dan ga ik me alvast opwarmen,' zei Danny. 'En Kid?'

'Wat?'

'Bewaar alsjeblieft een donut voor me. Ik heb zo'n honger dat ik op het punt sta mijn eigen tong op te vreten.'

De Kid antwoordde niet. Waarschijnlijk waren de donuts op.

Danny haalde zijn telefoon tevoorschijn en zag dat er een Acrobat-document werd gedownload. Zijn pas inhoudend opende hij de plattegrond en leerde de elf afslagen die hij moest nemen om bij de Kid te komen uit zijn hoofd.

'Nog nieuws over de limo?' vroeg hij.

'Ja, maar geen goed nieuws. Om te beginnen was het een diplomatennummerbord. Ik moest inbreken in het systeem van Buitenlandse Zaken en het Gemenebest om het te achterhalen.'

Als er nu iets stevigs in de buurt was geweest, had Danny er van opwinding een klap op gegeven. Bij gebrek daaraan baande hij zich een weg door het struikgewas, tot aan het zwarte hek van een parkeerplaats.

Dat het een diplomatieke nummerplaat was, betekende vrijwel zeker dat de aanslag op de limo een politieke aanslag en geen willekeurige criminele afrekening was. Dat verklaarde het feit dat er een televisieploeg klaarstond aan de overkant van de Ritz. Dat was geen toeval. Ze waren getipt. Door dezelfde lui die de limo aan flarden hadden geschoten. Zodat hun aanslag zoveel mogelijk media-aandacht zou krijgen. Het verklaarde ook waarom er zo veel burgerslachtoffers waren gevallen. Om net zo veel internationale media-aandacht te genereren als de zelfmoordaanslag op de internationale aankomsthal van het Moskouse vliegveld Domodedovo in januari 2011 had opgeleverd.

'Ook zul je het niet leuk vinden om te horen bij welke ambassade de limo stond geregistreerd,' zei de Kid. Danny rende door een andere struikenhaag. 'Nou?'

'Georgië.'

Danny vertraagde zijn pas. 'Ik neem aan dat je het niet hebt over de perzikstaat die aan Florida in Noord-Amerika grenst,' zei hij.

'Nee. Ik heb het over de voormalige Sovjetrepubliek...'

Hoewel Danny al met riooldrek besmeurd en tot op het bot doorweekt was, en werd achternagezeten door zo ongeveer het voltallige Londense politiekorps, daalde zijn stemming nog verder: hij zat nog dieper in de problemen dan hij had gedacht.

Hij zette de feiten op een rijtje. Georgië was in 1991 onafhankelijk geworden tijdens de zogeheten Rozenrevolutie. In 2008 hadden Russische troepen echter Zuid-Ossetië en Abchazië bezet, twee bufferstaten die tot dan toe door Georgië werden opgeëist. De Russische en door Rusland gesteunde troepen waren daar nog altijd. Georgië wilde nog steeds dat ze vertrokken. En bijna heel de VN was het daarmee eens.

Waardoor zowel Rusland als Georgië op dit moment behoefte had aan een excuus om de tegenpartij publiekelijk zwart te maken.

Maar een aanslag als deze zou verder kunnen gaan dan dat, afhankelijk uiteraard van wie die persoon in de limo was. Een dergelijke aanslag zou zelfs tot een oorlog kunnen leiden.

En dat riep de vraag op wie het bevel tot de aanslag zou kunnen hebben gegeven. Geen gemakkelijke vraag. Het kon iedereen zijn die baat had bij een escalatie van geweld in de regio. Wapenhandelaars. Russische expansionisten. Separatisten uit Zuid-Ossetië. Zelfs gas- en oliemaatschappijen. De man met de haviksneus en zijn collega's konden voor alle mogelijke partijen werken. Of misschien had hij gewoon persoonlijk een rekening te vereffenen.

Opnieuw zag Danny hem vanaf de bank naar hem kijken, zo volledig beheerst. Natuurlijk. Hij staarde naar zijn perfecte zondebok, die hij duidelijk zorgvuldig voor deze taak had geselecteerd.

Een voormalige CIA-agent die nu voor het geld werkte. Danny was uiterst kieskeurig als het ging om zijn opdrachtgevers, maar de rest van de wereld dacht daar ongetwijfeld anders over. Hij was de perfecte dader van de aanslag op een of andere hoge oom uit Georgië, die in die limo had gezeten. En van het bloedbad dat er als toegift bij werd gegeven.

Jij bent hier omdat we gemakkelijk de schuld op jou kunnen schuiven... Voor wat ik straks ga doen...

'Ja, eikel, dat zullen we nog wel eens zien.'

'Wat?'

Danny besefte niet dat hij die woorden hardop had gezegd.

'Laat maar,' antwoordde hij. 'Zeg, weet je al wie er in die limo zat?'

'Nee. Het zou iemand kunnen zijn met connecties met de Georgische ambassade. Ik heb al gekeken in de administratie van de Ritz, maar er waren geen Georgiërs of diplomatieke bijeenkomsten over Georgië ingeboekt.'

'Wat zeggen ze op het nieuws?'

'Berichten over het bloedbad komen mondjesmaat door. Via Reuters, de BBC, CNN. En Twitter, natuurlijk. Dat loopt over. Maar tot nog toe heeft niemand bijzonderheden over de limousine kunnen geven.'

'Neem contact met me op zodra je weet wat er verdomme aan de hand is.'

Danny liep tot zijn opluchting eindelijk over vlak terrein. Over zijn huid lag een laag zweet, en hij gloeide ondanks zijn natte kleren. Hij probeerde de pijn in zijn dijbenen te negeren toen hij de laatste zes meter naar de uitgang rende.

Hij kwam aan bij de poort, vertraagde zijn pas en jogde erdoorheen. Hij zag een blonde vrouw naast een groen talud uit een zilverkleurige Volkswagen stappen. Vanaf de andere kant kwam een jong stel met een spaniëlpuppy aan de lijn, die opgewonden kefte.

Geen van hen keek naar hem om.

Tien meter verderop kwam hij bij een plek waar twee ventwegen elkaar kruisten. Hij liep naar het zuiden, waarna hij nog maar tien keer van richting hoefde te veranderen voordat hij bij de Kid was.

Toen hoorde hij de eerste sirene aankomen. Loeiend vanuit het oosten. Op het moment dat hij die kant op keek, wilde hij dat hij dat niet gedaan had. Want de zwarte auto kwam met een rotvaart op hem af gestormd. Met meer dan 140 kilometer per uur. Misschien wel sneller. De auto zag eruit als een raket, die zich door niets liet tegenhouden. Twee andere politieauto's scheurden erachteraan.

Drieëntwintig

Met pompend hart en stijgende lichaamstempera-
tuur stak Danny de South Carriage Drive over. Hij
keek niet om toen hij de stad in rende. Vlak achter
hem kwam van rechts het gepiep van slippende banden. Drie politieauto's kwamen over de stoeprand
op hem af gescheurd; ze keerden met de handrem
en kwamen bijna op hem terecht.
Hij sprong opzij naar rechts, zijn hart bonsde in zijn
keel, en dook weg achter een rij geparkeerde auto's,
die een schild vormden tussen hem en de straat.
Nog geen seconde later raasde de eerste politiewagen langs hem. Een zwarte auto in burger. Met een
rotvaart keerde de wagen om en kwam midden op
een zebrapad met een schok tot stilstand. Vijf meter
voor Danny.
Danny hield zijn pas niet in. Het had geen zin om de
afgesloten binnenplaats van het gebouw aan zijn
rechterzijde in te duiken. Dat was een te makkelijke
val. Maar hij kon ook niet meer teruggaan. Niet nu
die twee andere politieauto's ongetwijfeld aan de
andere kant de weg afsloten.
Het portier aan de chauffeurskant van de zwarte ach-
tervolgingswagen vóór Danny ging open. Een man

van begin veertig met een hard, doorgroefd gezicht en korte, grijs-zwarte baard stapte uit en trok zijn pistool.

Danny aarzelde niet. Terwijl de agent in burger nog maar half was uitgestapt, liet hij zijn rechterschouder zakken en ramde zo hard hij kon tegen het portier.

Het metaal klapte tegen de benen van de agent. De man schreeuwde van de pijn en zakte in elkaar, terwijl Danny door zijn vaart naar voren werd geslingerd, om de voorbumper van de auto tolde en zijn handen voor zich uit moest steken om te voorkomen dat hij plat met zijn gezicht tegen een zwart geschilderde bakstenen muur viel.

Hij draaide zich om in de verwachting dat de agent naast de chauffeur nu op hem af zou komen. Maar het enige wat hij zag was een verbluft gezicht dat hem door de voorruit aanstaarde naast het manisch knipperende, blauwe zwaailicht op het dashboard.

Danny strompelde hijgend weg van de politiewagen en liep naar een brede, afgezette straat. Zijn rechterknie kraakte bij elke stap, de muis van zijn linkerhand bloedde van de klap tegen de muur.

Vijftig meter links van hem stond een menigte mensen als een zwerm opgewonden bijen voor metrostation Knightsbridge. Dat betekende vermoedelijk dat de Londense metro was afgesloten.

De door Danny voorspelde wegversperring aan de andere kant stond er ook al, en daarmee was de hele straat afgesloten. Zover zijn blik reikte, strekte het verkeer zich voor hem uit.

Een verkeersopstopping was goed. Voor Danny tenminste. Die politieauto's konden hem nu niet meer achtervolgen. Ze stonden nu gelijk. Als die agenten hem nog steeds achterna wilden, zouden ze dat te voet moeten doen.

Half rennend, half strompelend stak hij de straat schuin over, weg van de blokkade in westelijke richting, zigzaggend tussen de stilstaande auto's.

Niemand lette op hem. Alle omstanders stonden naar de agenten bij de versperring te kijken. Ze beseften dat er iets ernstigs aan de hand was. Een aanslag of zoiets. Waarschijnlijk hadden ze op de radio iets gehoord over gewapende mannen die op burgers hadden geschoten. Een man stond op de motorkap van zijn truck met zijn mobiele telefoon te filmen.

Danny hield zijn hoofd gebogen tot onder de lijn van autodaken en rende steeds verder weg van de agenten. Hij rolde zijn bivakmuts nog een paar centimeter verder af tot aan zijn wenkbrauwen. Het zweet gutste eruit als uit een spons. In plaats van te rennen begon hij gelijkmatig te joggen. Hij probeerde eruit te zien als een van de vele stedelijke *would-be* atleten die aan hun conditie werkten.

Uit een ooghoek zag hij iets wat hem naar rechts deed omkijken. Aan de overkant van de straat stonden twee gewapende soldaten. De koninklijke cavalerie, zag Danny aan de uniformen. Ze hielden de wacht voor Hyde Park Barracks.

Zelfs zij keken niet naar hem om. Net als iedereen vroegen ze zich af wat er daarginds in het oosten in godsnaam aan de hand was.

Danny keek om over zijn schouder en was niet blij met wat hij zag. De agenten die de blokkade bemanden, draaiden zich om. Waarschijnlijk hadden ze het gerucht gehoord dat hij zich in deze sector bevond. Ze keken zijn kant op.

Lopen. Niet rennen, maande hij zichzelf.

Eindelijk kwam de kruising met Trevor Street in zicht. Toen pas durfde hij zich – noodgedwongen, want anders zou hij de straat voorbijlopen – van achter het stilstaande verkeer te laten zien en ging hij op de stoep lopen.

Niet omkijken.

Hij had het gevoel alsof hij in de schijnwerpers over een podium liep. Hij herinnerde zich de laatste keer dat hij dat had moeten doen, in een kersttoneelstuk toen hij zeven was. Het zweet stroomde van zijn voorhoofd. Elke seconde duurde eindeloos, zijn gedachten sloegen op hol. Hij dacht aan de priemende blikken van de agenten in zijn rug. Hij verwachtte dat ze hem iets zouden toe schreeuwen, dat ze met stampende laarzen achter hem aan gingen. Dat de jacht opnieuw begon.

Maar toen hij bij het begin van Trevor Street aankwam, was het enige angstaanjagende wat hij hoorde het mitrailleurachtige geratel van zijn bonzende hart.

'Oké, je bent nu in beeld,' fluisterde de Kid in zijn oor.

Danny keek op naar een bewakingscamera die aan een verkeerslicht was bevestigd bij een voetgangersoversteekplaats tien meter verderop. De Kid had dit gedeelte van het systeem van Trafficmaster blijkbaar al gehackt.

'Het is niet te geloven dat je nog steeds in dat trainingspak rondloopt, man...'

'Leuk, grapjas,' antwoordde Danny. 'Er waren weinig kledingzaken in het riool.'

Op het moment dat hij Trevor Street in liep, viel de herrie van het stilstaande verkeer achter hem weg. De straat bleek een pleintje met woonhuizen. Met alleen maar geparkeerde auto's. Geen politie.

'De enige mode waar ik me op dit moment om bekommer,' zei de Kid snuivend, 'is hoofdmode. De beelden van jou die ik nu zie... Straks heeft de politie die ook. Vervolgens kunnen ze op de harde schijf naar meer opnamen zoeken en jouw route precies nagaan, vanaf het punt waar jij uit die fontein kroop tot waar je nu staat. En elk redelijk shot van jouw kop zullen ze onmiddellijk doorsturen naar de VII-DO.'

De VIIDO. Het welluidende acroniem dat de Britse politie had bedacht voor de Visual Images, Identifications and Detections Office, de visuele opsporingsdienst van Scotland Yard. Hun technisch ingewikkelde taak bestond erin verdachten op beelden van bewakingscamera's te identificeren en te helpen opsporen.

'Het eerste wat ze zullen doen is die foto van jou door alle grote databases met digitale beelden halen waarop ze zijn aangesloten, inclusief de Amerikaanse...'

'En dat betekent dat ze vroeg of laat mijn gezicht aan mijn naam zullen koppelen.' *En aan mijn adres en mijn hele vervloekte levensgeschiedenis.*

'Precies. Dus zorg dat je die bril en die muts ophoudt,' zei de Kid.

Danny was eindelijk op adem gekomen en begon weer te joggen. Hij zag dat er bij bijna alle Regency-huizen waar hij langskwam een bewakingscamera hoog aan de buitengevel of glurend vanuit de portiek was bevestigd. Dat bracht een ander statistisch gegeven over Groot-Brittannië in herinnering. Ondanks recente pogingen van de regering om deze epidemie tegen te gaan, waren er naar schatting vier komma twee miljoen beveiligingscamera's in Groot-Brittannië. Alleen in Londen al een half miljoen. Dat betekende dat wanneer een Londenaar op een gewone dag door zijn stad wandelde, hij gemiddeld door meer dan driehonderdvijftig camera's op vijfendertig verschillende beveiligingssystemen werd gefilmd.

Nergens anders op de wereld was de kans dat Danny's portret herhaaldelijk werd vastgelegd zo groot.

Vierentwintig

Danny sjokte door het verlaten steegje dat Montpelier Mews verbond met Montpelier Street.

Hij hoorde een helikopter in de verte. Hij bleef dicht bij de woonhuizen die hij passeerde en gebruikte waar mogelijk de bomen als dekking.

Het lawaai van het vastgelopen verkeer nam weer toe. Een monotoon koor van loeiende claxons. Net als in Knightsbridge zat het verkeer in Brompton Road aan twee kanten vast.

Het gekletter van een drilboor deed hem huiveren toen hij de stoep op liep. Het klonk als een reeks schoten uit een klein wapen. Zozeer zelfs dat hij zich even afvroeg of hij werd beschoten.

Zijn maag draaide zich om bij het grimmige voorgevoel dat hij door een kogel zou worden geraakt. Er kwam niets. Hij maande zich tot rust en dwong zichzelf te blijven waar hij was. Hij hurkte op het warme trottoir en deed alsof hij de veters van zijn sneakers strikte, terwijl hij links en rechts om zich heen keek. Ook in het oosten was een wegversperring. Zo te zien bij warenhuis Harrods. Hij zag nog meer agenten. Meer ME-busjes ook. Maar niemand keek zijn kant op. Alle blikken waren gericht op het noorden, waar hij door zijn achtervolgers bijna was uitgeput.

Danny daarentegen liep in zuidwestelijke richting Brompton Road in, versnelde zijn pas en jogde verder. Hoe meer modeboetiekjes hij voorbij sjokte, hoe vaker hij in de spiegelende etalageruiten een glimp opving van zijn verlopen uiterlijk, en hoe dieper de moed hem in de schoenen zonk.

Niet opgeven, mompelde hij in zichzelf. Je gaat het redden. Je bent er bijna...

Nog geen tweehonderd meter verderop was de splitsing naar Egerton Terrace. En vijftig meter daarvandaan zou Danny de Ford Transit van de Kid al duidelijk kunnen zien.

De gedachte aan de beker koud water die daar voor hem klaar zou staan, deed hem even duizelen. Hij voelde zijn benen bijna onder zich wegzakken.

Doorgaan... Nog even...

'Zo meteen wordt de verbinding even verbroken,' zei de Kid.

'Waarom?'

'Volgens politieberichten gaan ze alle commerciële telefoonnetwerken platleggen. Om jou volledig te isoleren, voor het geval je niet alleen werkt. Ze denken dat jij en de anderen op afstand nauwkeurig worden aangestuurd, zoals dat ook in Mumbai het geval was. Ik schakel ons over op een noodnetwerk. Maak je geen zorgen, onze communicatie blijft ge-

codeerd. Ze zullen niet eens weten dat we er zijn.'
Gekraak. Gesis. Vier seconden later was de Kid er weer.
'Er gaan geruchten over het doelwit in de limo,' zei hij.
'Brand los!'
'Toepasselijke woordkeus...'
Danny moest te veel moeite doen om niet van uit-putting in te storten; er kon geen glimlach van af.
'Madina Tskhovrebova,' zei de Kid.
Die naam zei Danny niets.
'Een journaliste die de Nobelprijs heeft gewonnen,' vertelde de Kid. 'Vandaag zou ze de VN-Veiligheids-raad vragen om steun voor nieuwe resoluties, waar-in terugtrekking van Russische troepen uit haar ge-boorteland Zuid-Ossetië werd geëist.'
Wat natuurlijk de reden was waarom ze in een Geor-gische diplomatenlimousine zat. Want ze zou de VN namens dat land hebben toegesproken. Als de Rus-sische troepen zich ooit uit Zuid-Ossetië zouden te-rugtrekken, kon Georgië het in potentie lucratieve gebied weer voor zich opeisen.
'En, is ze dood?' vroeg Danny.
'De agenten hebben haar naar het gebouw tegenover de Ritz gebracht. Daar is ze doodgebloed.'
De vrouw die lag te schreeuwen op straat. De enige van alle op straat liggende slachtoffers die nog be-woog. De vrouw die geen benen meer had. Zij was

dus het doelwit. En de daders hadden haar laten liggen. De man met de haviksneus had haar met opzet laten lijden. Hij wist dat ze toch snel zou doodgaan. Ze leverde het zoveelste fraaie shot voor de cameraploeg. Een beeld dat door alle nieuwsprogramma's overal ter wereld eindeloos kon worden herhaald. Een wereldberoemde, pro-Georgische schrijfster uit Zuid-Ossetië. Die nu een internationale martelares was.

'Er wordt al naar de Russen gewezen,' zei de Kid. Maar Danny zag daar niets in.

Hij zei: 'Als ze deze vrouw alleen maar het zwijgen hadden willen opleggen, hadden ze dat wel discreter kunnen aanpakken. Jezus, zelfs een tweede Litvinenko-kwestie had geen slechtere publiciteit voor de Russen kunnen zijn.'

Alexander Litvinenko was een voormalige officier bij de Russische Federale Geheime Dienst, die in Engeland politiek asiel had aangevraagd om vervolging in Rusland te voorkomen, en kort daarna werd vergiftigd met polonium-210. In 2006 was hij in Londen aan stralingsziekte gestorven.

'Misschien,' zei de Kid. 'Maar er zijn nog genoeg onverzettelijke facties binnen de Russische regering die maar al te blij zouden zijn als dit tot een oorlog zou leiden.'

Danny zag nu duidelijk de hoek naar Egerton Terrace voor zich. Nog vijftig meter en dan was hij er. Een ongelooflijk lawaai aan de andere kant van de lijn deed hem plotseling stilstaan.

'Jezus,' siste de Kid.

'Wat?'

'Een agent stapt zojuist van zijn motor af in de straat waar ik nu ben... en...' Er klonk paniek door de lijn. 'En, o, shit, Danny, hij komt mijn kant op...'

Geritsel. Een gedempte vloek.

Stilte.

Danny voelde plotseling de aandrang om over te geven. Hoe was het mogelijk dat een agent de Kid had opgespoord? En wat gebeurde er als de Kid in het nauw werd gedreven? Hij ging zichzelf echt niet aangeven.

Gelukkig hoorde hij de Kid een zucht slaken.

'Het is oké. Hij is weg.' Er klonk opluchting en verbijstering in zijn stem. 'Hij kwam niet eens in de buurt van de bus. Hij draaide zich om en rende terug naar zijn motor. Was nog sneller vertrokken dan Steve *fucking* McQueen in *The Great Escape*. Alsof hij plotseling ergens naartoe moest.'

Het duurde niet lang voordat Danny wist waar. Nog geen drie seconden later scheurde een politiemotor Brompton Road in, en trok op over het trottoir. Koelbloedig richtte de motorrijder zijn blik op Danny en racete op hem af.

Vijfentwintig

12.57 uur, Knightsbridge, SW3

Danny spurtte naar links. Hij stak Brompton Road over. Naar Beauchamp Place. Elke spier in zijn lichaam gloeide, alsof hij elk moment in brand kon vliegen.

Voetgangers stoven voor hem uiteen als dorre bladeren voor een opstekende storm. Ze vluchtten niet voor hem, maar waren bang voor wat er achter hem aanzat.

Sirenes. Vlak achter hem.

Danny dook het stilstaande verkeer in, dat hij opnieuw als schild gebruikte. Beauchamp Place eindigde in een kruispunt. Hij schoot Walton Street in en ging met een slinger naar rechts. Hij hijgde, hield zijn armen om zijn verkrampte borst geklemd.

Nadat hij een hoek was omgegaan klom hij over een hoge stenen muur. Naar een kerkhof. Een donkere, stenen toren wees als een tovenaarsvinger de lucht in. Glibberend over klimop en rotte bladeren wankelde hij tussen graven en mausoleums naar de andere kant.

'Hoe zijn ze mij in godsnaam op het spoor gekomen?' vroeg hij, puffend en rochelend.

'Iemand heeft je gezien. Die beelden van je op het

balkon... Die worden nu door alle journaals uitgezonden. Ik weet alleen dat de politie je inmiddels probeert te traceren op livebeelden van bewakingscamera's. Dat kon elk moment gebeuren, had ik je gezegd.'

Dan ben ik erbij...

'Ze komen met versterking vanuit het westen,' ging de Kid verder. 'Leggen een reeks wegversperringen aan. Ze denken dat je die kant op gaat.'

'Dan hou ik het oosten aan.'

Terug naar de vuurlinie... wat ze geen moment zouden verwachten...

'Een slimme zet. Ik loods je naar Pavilion Road. Daarna naar het zuiden. Door Sloane Street. Als het je lukt je om te kleden, verdwijn je misschien voorgoed van hun radar.'

Danny slingerde zich over de muur. Met een harde plof belandde hij op een trottoir. Het was alsof hij een hamerslag op zijn knie had gekregen. Hoeveel kon hij nog aan?

'Steek over naar Hans Place,' zei de Kid. 'Schuin tegenover je.'

Danny rende verder naar een lommerrijk stadsplein. Hoge, statige witte huizen. Fleurige bloembakken voor de ramen.

Een schoolplein vlak voor hem rechts. Het gegil van spelende, rennende kinderen. Hij dacht terug aan de lach van zijn zoontje. En zag Jonathans gezicht voor zich. De gaten tussen zijn tanden. De manier waarop hij onbedaarlijk kon lachen tot hij bijna stikte.

'Er loopt een steegje achter langs een lang, groot gebouw aan je rechterzijde,' zei de Kid, Danny uit zijn herinneringen halend.

Achter zich hoorde Danny een sirene loeien. Hij negeerde wat de Kid zojuist gezegd had en rende door. 'Geen denken aan,' zei hij. 'Dat is een schoolgebouw.' Hij zag de erop los schietende agenten al voor zich. Wie weet welke wapens ze bij zich hadden. Of hoe goed of slecht ze waren opgeleid.

'Doe verdomme wat ik zeg, Danny, anders word je gepakt.'

Piepende banden van een optrekkend voertuig. Toen Danny aan het einde van het plein naar rechts ging, keek hij om en zag een ME-busje op hem af stormen. Daarna – nog dreigender – kwam een agent op een motorfiets aangescheurd om de weg vóór hem te versperren.

Hij rende de straat naar links in. Zijn enige optie. Een muur van sierzandsteen met ramen torende hoog op aan het einde van de straat, honderd meter vóór hem. Dat moest de achterkant van Harrods zijn, dacht hij, terwijl hij een bloedsmaak in zijn mond kreeg.

Nog meer versperringen. Draaiende motoren. Schallende claxons. Overal loeiende sirenes.

Denderende rotorbladen. Danny zag recht boven hem een helikopter. Aan de onderzijde van de romp was een logo geschilderd. Sky News.

'Ik word achtervolgd door een cameraploeg in een helikopter,' zei hij, terwijl hij Basil Street in schoot, aan de achterkant van Harrods, en langs hotels en antiekzaken rende.

Een muur van vage beelden in de etalage van een Sony-zaak rechts van hem. Twintig verschillende beelden van hemzelf staarden hem aan. Van hemzelf op de vlucht. Allemaal van bovenaf gefilmd.

'Kid,' zei hij, 'Ze zenden me live uit.'

Het halve land zat nu dus naar hem te kijken.

Loeiende sirenes. Twee, drie – nee, vier telde hij er – motoragenten kwamen met gierende banden tot stilstand aan de andere kant van de straat. Omkijkend zag Danny twee andere motoragenten om het stilstaande verkeer rijden en achter hem precies dezelfde manoeuvre uitvoeren.

Hij rende terug naar de ingang van Harrods – het grootste en drukste gebouw in de omgeving. Via dat warenhuis kon hij misschien ontsnappen.

'O, Jezus, Danny. Je–'

Het waren de laatste woorden die Danny de Kid hoorde zeggen.

Want exact op dat moment knalde hij ergens tegen-aan. Hard. Tegen een man. Danny tolde om zijn as, struikelde en wankelde alle kanten op. Zijn headset viel van zijn hoofd in stukken op de grond. Hij veegde ze bij elkaar en stopte ze in zijn zak. Laten liggen was geen optie. Er zaten te veel vingerafdrukken en DNA-sporen op.

Omstanders deinsden voor hem terug als rimpelin-gen in een vijver waar een steen in was gegooid. Hij tastte naar zijn gezicht. Zijn zonnebril zat nog op zijn plek. Dat gold goddank ook voor de afgerolde bivakmuts op zijn hoofd.

Ze hebben mijn gezicht nog steeds niet gezien.

Die gedachte gaf hem hoop, waardoor hij weer ging rennen. Hij wist nu zeker dat de cameraploeg in die helikopter onmogelijk een fatsoenlijk shot van hem zou kunnen maken.

Dekking zoeken. Deze straat verlaten. Als ik nu uit handen van de politie weet te blijven, heb ik nog kans dat ze me niet meer kunnen vinden.

Hij strompelde naar de stoep aan de overkant en rende verder langs een paar lege metalen vuilnis-emmers.

Daarna boem! Opnieuw een botsing. Deze keer met een jongeman in een blauw krijtstreeppak die aan het bellen was. Danny bleef nog overeind, maar de man klapte voorover. Toch kon Danny niet voorkomen dat hij zelf ongenadig hard tegen de muur van het gebouw aan botste.

Hij wilde door rennen, maar kwam met een ruk tot stilstand. Zijn rugzak scheurde. Was blijven hangen aan een haak van de regenpijp. Hij draaide zich om, wurmde zich uit de schouderbanden en plukte zijn rugzak uit de lucht voordat die op de grond zou vallen.

Juist toen hij zich omdraaide om naar de ingang van Harrods te rennen, zag hij iets uit de scheur in de zijkant van de rugzak fladderen.

Een verschoten foto. Voor hem uit waaiend in de wind over de stoep.

Het was de foto van Lexie, lachend op de schommel in de speeltuin. Terwijl hij zich er naartoe boog, boorde haar blik zich in zijn ogen, alsof ze plotseling bij hem was.

Hij zou niet opgeven of haar in de steek laten.

Zijn zonnebril gleed van zijn gezicht. Hij raapte hem samen met de foto op en zette de bril weer op. Daarna richtte hij zijn blik op de ingang van Harrods en rende verder.

Zesentwintig

Vier minuten maximaal. Meer tijd zou hij niet hebben, dat wist Danny zeker, voordat de politie het hele warenhuis zou hebben afgesloten.

Hij keek op zijn linkerpols en herinnerde zich dat zijn horloge was gestolen. Door een van hén. Maar hij zou ervoor zorgen dat hij het terugkreeg. Het was een cadeautje van Sally geweest. De mensen die het hadden gestolen, zouden dat hun leven lang betreuren. Als hij ze al in leven zou laten.

Hij schakelde zijn interne klok in. Dat hoefde hij niet eens bewust te doen. Het ging gewoon vanzelf. Alsof hij in Windows werkte en gelijktijdig twee berekeningen uitvoerde. Het was een oude truc. Uit zijn kindertijd.

De wapenstok liet zich gemakkelijk uit de scheur in Danny's rugzak halen toen hij Harrods in rende. In een oogwenk had hij gezien dat de twee geüniformeerde veiligheidsagenten hoogstwaarschijnlijk voormalige soldaten waren, en zoals veel beveiligingsbeambten in de grotere warenhuizen in Londen uit het leger kwamen.

Ze zagen er in elk geval niet uit alsof ze iemand in Danny's huidige, onverzorgde toestand zonder slag of stoot zouden binnenlaten.

Nog drie meter. Ze hadden hem nog steeds niet op-gemerkt. Een lange brunette in een kort zwart rokje en strak wit topje trok hun aandacht en bracht hen aan het gniffelen.

Met nog twee meter te gaan liep Danny in versnelde pas over de geboende vloer om een groepje druk pratende buitenlandse toeristen heen. Al slingerend bracht hij de wapenstok met een grote boog om hem heen in stelling en activeerde gelijktijdig het uitschuifmechanisme.

Voordat de langste van de twee veiligheidsagenten besefte wat er aan de hand was, kwam de stok met zijn volle gewicht neer op zijn sleutelbeen, extreem hard en snel.

Danny wist dat een klap in de nek, op de schedel of tegen de lagere ruggenwervels effectiever was om deze man uit te schakelen. Maar waarschijnlijk zou die dodelijk zijn geweest. Of de man voor de rest van zijn leven invalide hebben gemaakt. En Danny wilde er alleen maar langs.

Voor dat doel was deze klap voldoende geweest. De bewaker viel op zijn knieën, zijn gezicht verwron-gen van de pijn.

Zijn collega – ouder, met een rood gezicht en ge-spierde kaken – kreeg meer van Danny te zien. In elk geval genoeg om hem zijn lepe blauwe ogen te

doen opensperren toen Danny hem met een zij-
waartse zwaai van zijn voet tackelde, waarna hij plat
op zijn rug naast zijn kreunende collega viel.
Danny liep langs de verbijsterde vrouw heen en
versnelde zijn pas. Het was druk in het warenhuis.
Een komen en gaan van mensen. Hij had meer dan
negentigduizend vierkante meter aan winkelruim-
te om onder te gaan in de massa, als dit feit dat Danny ooit had opgevangen werkelijk klopte. Allemaal
gunstige omstandigheden. Helaas zette de brunette
het plotseling op een gillen en deinsde de menigte
vóór Danny terug.
Dat vervloekte trainingspak. Daar moest hij snel
van af.
Airconditioning. Koele lucht. Danny zoog die op
alsof het vloeistof was. Hij besefte, dat als hij niet
snel aan water kon komen, de politie hem straks
zonder problemen kon oppakken.
Hij rende voorbij de roltrappen en liften. Hij kon
het beste op de begane grond blijven als hij straks
ongezien het gebouw wilde verlaten. Hij moest proberen zo snel mogelijk via een andere ingang naar
buiten te gaan. En dan in de mensenmassa verdwijnen. Of beter nog, in een menigte die in paniek was
geraakt. Of nog beter: terechtkomen in een op hol
geslagen mensenmassa.
Hij hoopte maar dat er nog niet zó veel agenten wa-

ren opgetrommeld dat het hele gebouw al was af-
gegrendeld.

Achter hem klonk nog meer kabaal. Ditmaal van
schreeuwende kerels. Van kerels die elkaar bevelen
gaven, om precies te zijn.

Danny schoot weg tussen een standbeeld van prinses Diana en Dodi Fayed en een wassen beeld van
Mohamed Al Fayed, de voormalige eigenaar van
het warenhuis.

Het geschreeuw kwam dichterbij. Dat betekende dat
die kerels, wie ze ook waren, hier niet alleen maar
waren om te voorkomen dat hij vluchtte. Kennelijk
had de politie zojuist op hoger niveau besloten dat
ze verder mochten gaan dan alleen maar proberen
hem in te sluiten.

Danny zigzagde tussen zuilen door, wanhopig zoe-
kend naar een schuilplekje. Mogelijk had de politie
op grond van zijn gedrag op de beelden van beveiligingscamera's ontdekt dat hij ongewapend was.
Waardoor het niet zo moeilijk voor ze zou zijn hem
levend in handen te krijgen.

Maar hij droeg ook een rugzak. Misschien dachten
ze wel dat hij van plan was zichzelf op te blazen, dat
hij zorgvuldig een wereldberoemd en druk warenhuis als de perfecte plek voor een explosie had uitgekozen.

In dát geval wilden ze hem natuurlijk zo snel mogelijk uitschakelen, op welke manier dan ook.

De winkelvloer spreidde zich voor Danny uit. Zachte verlichting. Spiegels. Rekken met merkkleding waaierden links en rechts voor hem uit. Warme lucht. Pianoklanken. De geur van leer, boenwas en koopwaar, rechtstreeks uit de fabriek.

Het winkelend publiek keek verbaasd op van de rekken waar ze in snuffelden toen Danny voorbij kwam rennen. Een bewaker – ditmaal een met een portofoon in zijn hand – zag Danny als een stier op zich afstormen en ging opzij om niet omver te worden gelopen.

Half rennend, half glijdend langs een etalage met tien gezichtsloze mannelijke etalagepoppen in zwarte jasjes, zag Danny een rijtje donkere silhouetten de uitgang blokkeren die hij had willen nemen.

Gewapende politie, besefte hij vrijwel meteen. Niet de massa toeristen waar hij zich in hoopte te verliezen.

Een van de agenten schreeuwde iets, en Danny wist het zeker: ze hadden hem gezien.

Hij week uit naar links, weg van de ingang, verder het warenhuis in. Er klonken MP5-schoten. Er stroomde bloed over de schouder van een vrouw die vlak voor Danny uit liep. Ze viel hard tegen een glazen vitrine aan en zakte door haar knieën.

Danny rende door. Achter een tussenwand, die het

begin van een grote Ralph Lauren-afdeling markeer-
de, kon hij zich verbergen voor de agenten. Nog
steeds klonken er schoten achter hem. Overal om
hem heen begonnen mensen te gillen.

Links van hem zag hij een brede, ronde boogingang.
Daarboven hing een verlichte pijl naar de roltrappen. Hij struikelde en viel door een vitrinekast met
parfums. De glazen flesjes tolden en sloegen stuk op
de vloer. Danny stopte de wapenstok terug in zijn
rugzak, dook dieper ineen en pakte zijn telefoon.

Hij stoof door de boogingang en kwam op een enorme cosmetica-afdeling terecht. Tientallen blinkende
toonbanken. Honderden glanzende spiegels. Stralende meisjes met perfecte make-up en kapsels. Een
bijna bedwelmende mengeling van zoete en kruidige
geuren.

Hij dacht terug aan Anna-Maria. Danny herinnerde
zich het afscheid en de geur van haar zoete parfum.
Deze herinnering riep een andere op. Aan een af-
spraakje van lang geleden. In een restaurant in dit
warenhuis.

Het geloei van een megafoon bracht hem terug naar
het heden. Overal waar hij keek, zag hij mensen wegrennen, ineenduiken, dekking zoeken. Danny trok
een grillig spoor langs de verschillende stands, langs
Dior, Karan, Ricci en Boss. Hun logo's drongen in
flitsen tot zijn onbewuste door.

Verderop was nog een boogingang. Daarachter zag hij roltrappen naar boven en beneden, sprankelend en aanlokkelijk als een waterval.

'Kid,' hijgde hij, met zijn mobieltje tussen kin en schouder geklemd.

Even later hoorde hij: 'Danny? Je bent er nog! Jezus! Ik dacht dat je je telefoon gemold had.'

'Wat?'

'Die tv-beelden,' zei de Kid, 'die waren opgenomen door die vervloekte helikopter. Ik heb ze net gezien. Je ging ergens voor terug bij de ingang van Harrods. En op dat moment werd de verbinding verbroken.'

'O, dat was niks. Alleen maar de headset.'

Danny zweeg over de foto van Lexie. De Kid wist niet eens dat ze bestond.

'Ze hebben het hele gebouw omsingeld,' zei de Kid. 'Het is nog erger dan de Ritz. Jezus, Danny! Waarom heb je niet gewoon mijn instructies gevolgd? Als je dat had gedaan was je nu buiten gevaar.'

Danny sprong over de leuning op de roltrap naar beneden. Zo snel hij kon liep hij over de scherp getande treden omlaag en wurmde zich langs de tegenwerkende uitstulpingen van het kwekkende, met zware tassen behangen winkelende publiek.

'Danny. Ik heb geen idee wat je nu moet doen.' De Kid klonk panisch, sloeg zowat op tilt. 'Jezus, man, dit is einde oefening. Ik vrees het ergste.'

'Om de dooie dood niet,' zei Danny. 'Alles komt goed. Ik heb een plan.'

Ooit had Anna-Maria hem verteld dat ze bij Harrods had gewerkt. Ze woonde toen nog maar pas als student in Engeland. De hele kerstvakantie had ze in de oesterbar gewerkt, waar ze met een Frans accent en een innemende glimlach champagne inschonk voor de vermoeide, shoppende elite van Engeland.

Jaren later had ze hier met Danny afgesproken. Na de lunch gingen ze naar de benedenverdieping, waar ze voor hem een overhemd en een sjaal had gekocht.

Ze had hem die middag iets verteld en laten zien dat bijna niemand wist. Ze was ervan op de hoogte geraakt toen ze daar ging werken. Datzelfde feit moest Danny nu uit de brand helpen.

'Ik bel je terug,' zei hij, toen hij zag dat het batterijtje op het scherm van zijn telefoon begon te knipperen.

'Nee, wacht. Je...'

Danny luisterde niet meer. Hij verbrak de verbinding met de Kid, schakelde de telefoon uit, stopte die weg en sprintte onder aan de roltrap weg. Een enorme afdeling met herenkleding ontrolde zich voor zijn oog.

Het was beneden nog drukker dan op de begane grond, zag Danny toen hij zich een weg baande door de slenterende menigte. Anna-Maria had hem verteld dat er dagelijks meer dan vijfendertigduizend bezoekers kwamen. Vandaag zouden die voor vijfendertigduizend gevallen van persoonsverwisselingen kunnen zorgen voor de agenten die hem zochten.

Terwijl Danny langs een kassa liep, griste hij een grijs pak weg onder de neus van een verbijsterde winkelbediende, die het kostuum net opvouwde om het in een zak te doen.

Danny ging een hoek om. Hij stond stil en telde de bewakingscamera's om zich heen. Vier in totaal. Een groepje jonge Amerikaanse mannen stond verderop ginnegappend petjes te passen. Danny liep recht op ze af. Hij trok een baseballpet van het hoofd van een etalagepop, en gapte tegelijk een zwarte pet van een plank daaronder. Voor het oog van de dichtstbijzijnde bewakingscamera zette hij de rode pet op.

Vervolgens dook hij snel weg achter een gigantische affiche voor Tommy Hilfiger-jeans, waar geen beveiligingscamera hem kon filmen.

Hij vermoedde dat er nog geen twee minuten waren verstreken sinds het moment dat hij naar binnen was gegaan.

Hij hurkte neer, zette de rode baseballpet af, evenals als de opgerolde bivakmuts, en stopte die in zijn rugzak. Naar beneden kijkend stak hij zijn armen in de mouwen van het zojuist gestolen colbert. Toen hij daarna de broek van het pak over zijn Nikes en vuile trainingsbroek trok, scheurde een van de pijpen. Hij had geen tijd om daar nog iets aan te doen.

Terwijl hij zijn colbert dichtknoopte om het rode joggingpak er zo goed mogelijk onder te verbergen liep hij verder. Hij besefte dat hij met deze verkleedpartij de persoon die straks de opnamen van de bewakingscamera's bekeek niet lang voor de gek zou kunnen houden. Maar in de chaos die zo meteen ongetwijfeld ook in de rest van het warenhuis zou ontstaan, gaf elke vorm van misleiding misschien net het beetje voorsprong dat hij nodig had. Bovendien zou hij in dit pak in de menigte kunnen opgaan.

Als hij zover kwam.

Opnieuw vocht hij tegen de neiging om te gaan rennen. Je bent gewoon een winkelende man, hield hij zichzelf voor. Hij dwong zichzelf niet te reageren op het eerste geschreeuw in de verte van agenten die hij nu vanuit de roltrappen achter zich aan hoorde komen.

Zijn ogen zochten onophoudelijk, scanden alles wat hij zag, terwijl hij diep in zijn geest groef naar zijn herinneringen aan de middag die hij hier met Anna-Maria had doorgebracht. Eindelijk vond hij waar hij naar zocht. Daar, recht voor hem was een espressobar. En ja – precies op de plek waar Anna-Maria in zijn herinnering naar had gewezen, was een klapdeur.

Op het bordje daarboven stond: PERSONEEL. Er hing een pasjesscanner aan de muur. Danny schrok. Hij bezat geen personeelspas die hij erdoorheen kon halen. Hij moest proberen erdoorheen te breken.

Toen kreeg hij een meevaller. Voor het eerst die dag. De deur ging open, bijna precies op het moment dat hij aankwam. Een stevige vrouw van middelbare leeftijd, een chef in een driedelig grijs mantelpak, keek Danny bevreemd aan toen ze hem passeerde. Zijn rode gezicht, zijn ongekamde haar – ze zag dat er iets niet helemaal klopte.

Danny aarzelde niet. Hij meed haar blik. Nog voordat de deuren dichtklapten dook hij naar binnen.

Zevenentwintig

Er waren iets meer dan drie minuten verstreken sinds hij het warenhuis was binnengegaan. Hij raakte snel door zijn tijd heen.

Het weinig bekende gegeven dat Anna-Maria Danny had verteld toen ze hier met hem had afgesproken, was het volgende: Harrods bezat een gebouw aan de overkant van de straat, dat via een korte tunnel voor het personeel in verbinding stond met het warenhuis.

Het aangrenzende gebouw was oorspronkelijk in het begin van de twintigste eeuw een fabriek voor goederen die in het warenhuis werden verkocht, maar werd nu voornamelijk gebruikt als kantoor en telde daarnaast zes ondergrondse verdiepingen voor opslag.

Het goede nieuws voor Danny was dat de tunnel tussen de twee gebouwen nog steeds in gebruik was. Bijna alle drieduizend personeelsleden die in het warenhuis werkten, verlieten het gebouw via deze weg wanneer hun dag erop zat.

De deur met het bordje PERSONEEL leidde naar een fel verlichte, raamloze gang. De airconditioning zoemde.

Danny stonk nog steeds naar het riool. Nog erger dan daarvoor, dacht hij, in deze afgesloten, hygiënische omgeving.

Hij liep door de gang met links en rechts ingangen en trappen. Toen hij het gedempte geronk van automotoren hoorde, keek hij op naar het plafond en besefte dat hij zich onder de straat bevond.

Tien meter verderop zag hij een controlepoortje. Alweer zo'n RFID-beveiligingspunt. Ditmaal echter niet zomaar een passcanner aan de muur, maar een elektronisch draaihek, dat ook gebruikt wordt in voetbalstadiums en de metro.

Vlak achter het hek stond een lange, in uniform gestoken bewaker met een baard naast een brede tafel. Een andere bewaker – breedgeschouderd en even kaal als Billy Zane – zat achter een controlepaneel met een krant voor zich uitgevouwen, naast een paar lunchbroodjes. Aan het plafond hing een beveiligingscamera.

De radio stond zacht en liet Sinatra horen. De monitor op het bureau naast de kale bewaker was afgestemd op beelden van interne bewakingscamera's binnen de ondergrondse opslagruimten. Gelukkig niet op een nieuwszender of de camera's buiten het gebouw.

Achter de bewakers zag Danny een trap naar boven. Naar het straatniveau, nam hij aan.

Op een bord boven de tafel stond: TASSENCONTROLE. Veel warenhuizen hadden tegenwoordig dit soort posten om hun personeel te controleren.

Het probleem was dat Danny's rugzak te groot was om te verstoppen. En als ze erin zouden kijken... Er zat een wapenstok in, een slotenkraker... om nog maar te zwijgen van een paar andere bijzondere voorwerpen die onvermijdelijk zouden opvallen. Vooral een bewaker die ooit bij de politie of in het leger had gediend. Wat zeer waarschijnlijk het geval was.

Ik kan het maar beter kort houden, dacht Danny.

Hij kwam aan bij het poortje en stond stil.

'Het spijt me verschrikkelijk,' zei hij met een zo Engels mogelijk accent en een ongemakkelijke glimlach. Hij doorzocht demonstratief zijn zakken. 'Ik vrees dat ik mijn portefeuille en pas boven heb laten liggen.'

Hij hurkte neer en maakte zijn rugzak open. Maar terwijl hij erin zocht, zag hij de schaduw van de gebaarde bewaker over hem heen vallen op het versleten linoleum. De man had dus al onraad geroken en tuurde over het poortje om hem beter te kunnen zien. Danny werd zich pijnlijk bewust van het boordje van zijn trainingsjas dat zijn hals irriteerde. Hij had het gevoel of de ogen van de bewaker als laserstralen achter in zijn hoofd brandden.

'Jezus, man. Waar komt die putlucht vandaan?'
'Van alles, voor iedereen, overal,' antwoordde Danny
toen hij opkeek.
'Wat zeg je?'
'Dat is de slogan van uw warenhuis,' zei Danny, nog
steeds met een zo Engels en natuurlijk mogelijk ac-
cent. Met een brede glimlach kwam hij overeind.
'Dat las ik toen ik binnenkwam.'
'Nou, en?'
'Nou...' Hij glimlachte weer. 'Als werknemer bij dit
bedrijf ga ik ervan uit dat u me precies geeft waar ik
om vraag.'
'Wat doet u hier eigenlijk?' De beveiligingsagent
trok een brede wenkbrauw op en vroeg zich af of
Danny een flauwe grap uithaalde. 'Zeg, ken ik u niet
ergens van?' zei hij.
Danny gaf geen antwoord. Zonder dat de bewaker
het zag, stak hij zijn hand in de scheur van zijn rugzak.
'Hé, Alan...' De gebaarde bewaker draaide zich half
om naar zijn kale collega achter het bureau, die net
een hap van zijn broodje had genomen en met lod-
derige ogen loom naar Danny opkeek. 'Komt deze
vent jou niet bekend voor?'
Danny wist dat hij niet zomaar over het poortje kon
springen en langs deze mannen kon wegrennen. Niet
omdat hij hen niet zou kunnen passeren en door die

klapdeur kon wegkomen. Maar juist omdat hij dat wél kon. Als hij zou wegrennen zouden deze bewakers ofwel alarm slaan of hem de straat op jagen. In beide gevallen zou hij de aandacht van de politie trekken.

Danny was tot de treurige conclusie gekomen dat hij maar beter kon doorgaan met waar hij mee bezig was en deze twee bewakers moest uitschakelen.

De intercom op het bureau van de zware man kwam plotseling tot leven.

'Dit is een boodschap voor de hele beveiliging van het gebouw. Code veertien twaalf. Ik herhaal, code veertien twa–'

Danny hoefde niet te weten wat die code precies inhield om te beseffen dat hij nu nog meer in de problemen zat. Volgens zijn interne klok waren er al iets meer dan vier minuten verstreken vanaf het moment dat hij het warenhuis was binnengegaan. Hij was dus te traag geweest. Iemand had het bevel gegeven het hele gebouw af te grendelen.

Hij gebruikte opnieuw de wapenstok. Inmiddels was hij aan het gewicht gewend. Hij hing achterover, sprong over het poortje en gleed door naar de tafel, zwaaiend met het verzwaarde uiteinde van de wapenstok waarmee hij op het gezicht van de man met de baard insloeg.

Het bloed spatte uit zijn mond. Danny landde naast

de man, hervond zijn evenwicht en gaf de bewaker genadeloos een trap tegen zijn ribben. De bewaker viel achterover en greep met zijn handen naar zijn hoofd. Als een sprinter uit de startblokken spurtte Danny weer weg; hij sloeg met één zwaai van de wapenstok de beveiligingscamera van het plafond en stortte zich op de dikke man achter het bureau. Snelheid, daar ging het om. Verrassen en ontzag inboezemen. Zijn plan was eenvoudig. Hij had de eerste bewaker zodanig willen toetakelen dat de andere geen seconde zou overwegen om het tegen hem op te nemen. Op die manier zou hij de tweede bewaker snel uitschakelen, voordat die zelfs maar kon denken aan alarm slaan.

Het pakte anders uit.

Terwijl de man met de baard die hij in elkaar had geslagen, bleef liggen waar hij lag, zette de kale bewaker zich op zijn rijdende bureaustoel verrassend snel af tegen zijn bureau.

Toen hij opstond bleek hij veel langer en breder dan Danny had verwacht. Met de rug van zijn hand veegde hij de mayonaise van zijn mond. En hij deed iets wat Danny geen moment verwacht had.

Hij grinnikte.

Achtentwintig

Het was het soort grijns die Danny wel vaker had gezien. Laat op de avond. Buiten bij een bar. Op de gezichten van junkies en straatdieven. Maar ook bij veel soldaten. Het was een oergrijns die niets met vriendelijkheid van doen had en alles met vechtlust. Danny besefte het te laat. Hij liep om het bureau heen en ging te snel op de bewaker af om nog op de rem te kunnen trappen.

De kale man had hem zien aankomen en dook met zijn zware lichaam opzij, precies op het moment dat Danny zijn wapenstok naar beneden liet suizen. Danny miste. De stok zoefde door de lucht op de plek die de kale man zojuist had vrijgemaakt. Maar door de vaart van de manoeuvre verloor Danny zijn evenwicht en viel hij op de vloer.

Hij had geluk. Zijn hoofd bleef ongedeerd. Hij had de klap grotendeels met zijn schouder opgevangen. Maar toen hij na een koprol weer rechtop stond, was zijn geluk voorbij.

De kale man had zich al naar hem omgedraaid. En hem een stomp gegeven. Een goed getimede stomp, die Danny niet had zien aankomen. Alleen het feit dat hij nog niet stevig op zijn benen stond, was zijn redding. Terwijl hij zijwaarts wankelde, schampte de man met zijn vuist met zoveel kracht de linkerkant van Danny's kaak dat hij besefte dat hij waarschijnlijk knock-out zou zijn geweest als hij beter was geraakt.

Danny proefde bloed. De wapenstok schoot uit zijn hand en hij zag hulpeloos toe hoe die over de vloer rolde.

Een schaduw rechts van Danny. Een trilling in de lucht. En hij deed net op tijd een stap opzij om te voorkomen dat hij zou worden uitgeschakeld door een rake linkeropstoot van de kale man, die zich al gereedmaakte voor de genadeslag.

Getraind, dacht Danny, terwijl hij als een krab schuin naar achter kroop om buiten het indrukwekkende bereik van deze grote kerel te blijven. Tegelijk probeerde hij om niet in een hoek of tegen de muur aan te worden gedreven.

'Yeah, goed zo, man,' zei de kerel met een diepe, knarsende stem, alsof hij Danny's gedachten kon lezen. 'Ik heb gebokst. In de boksschool aan Harrow Road, All Stars Boxing Gym. Ooit van gehoord?' Toen hij zijn bovenlip optrok zag hij een gouden tand schitteren. 'Vanaf vandaag zul je dat nooit meer vergeten.'

Twee, drie passen. Terwijl hij nog steeds de wacht bleef houden, volgde de kale man elke stap die Danny zette. Toen begon hij om hem heen te draaien, duidelijk om Danny terug te drijven naar de tafel voor de tasinspectie en misschien in de hoop dat zijn gevloerde collega hem van achter zou aanvallen.

Hij keek toe hoe Danny zijn kapotte zonnebril op de vloer liet vallen, en grijnsde weer.

'Weet je?' zei hij, terwijl hij het speeksel op zijn onderlip naar binnen zoog. 'Dit is een klotebaan. Het saaiste wat ik ooit gedaan heb. Al meer dan twee jaar hoop ik dat zo'n domme, idiote yup als jij voor mij door het lint gaat.'

Idiote yup? Kennelijk had Danny met zijn designerpak de indruk gewekt dat hij rijk was. Zijn kledingkeuze leek als een rode lap op een stier te werken. De man deed dit niet omdat hij wist wie Danny was. Hij was geen held die vocht voor zijn warenhuis. Hij deed het omdat hij het leuk vond.

Zacht wiegend kwam hij naar voren. Als een boom in de wind. Die schoft is goed in balans voor iemand met zijn postuur, dacht Danny. Hij was wel twintig kilo zwaarder dan Danny, en tien centimeter langer. Had boksles gehad... Maar toch...

Dit is geen ballet. Het gaat erom de ander uit te schakelen.

Dat zei zijn ouweheer altijd tegen zijn nieuwe rekruten op West Point. En ook vaak tegen Danny, toen hij hem zijn eerste vechtlessen gaf.

Leren véchten, niet boksen. Om te overleven, niet voor de lol.

Danny nam een klassieke verdedigingspositie in, alsof hij links en rechts wilde uithalen. Alsof hij bereid was deze wedstrijd uit te boksen.

De kale trapte erin. Hij grijnsde weer.

Op dat moment schopte Danny hem in het kruis.

De grote kerel strompelde weg. Hij hapte naar adem, kreunde en kromp ineen.

Danny deed een stap naar voren en hield zijn linkerarm schuin voor zijn borst, deels om zijn evenwicht te behouden, deels uit verdediging. Hij richtte een hamervuist op de neus van de kale kerel, maar miste en veroorzaakte in plaats daarvan een grote scheur in diens lip.

De grote kerel wankelde weer. Hij zwaaide vruchteloos met zijn rechterarm in een poging zijn evenwicht te hervinden.

Danny zag niet alleen pijn in zijn verwrongen gezicht; ook flitste in zijn ogen het gevoel dat hij zich verraden voelde.

Precies ja, dacht Danny. Donder op met je klassieke boksregels. Donder zelf ook maar op.

Hij gaf de man een linkse directe tegen zijn strottenhoofd, hurkte neer en greep zijn tegenstander bij zijn linkerhiel, die hij tegen de klok in omdraaide. De kale man maakte precies een halve slag en viel plat op zijn gezicht – een kreunend, stuiptrekkend hoopje vlees.

Danny rukte twee stekkerkabels achter uit de printer en computer op het bureau en bond daarmee de kale man aan handen en voeten vast. Daarna liep hij naar de andere bewaker. Hij had hem net zien wegkruipen van onder de inspectietafel, in een poging ertussenuit te knijpen. De man verstijfde toen hij het gepiep van Danny's sportschoenen op zich af hoorde komen. Hij kromp ineen tot een bal. Met twee telefoonkabels bond Danny de man bij zijn keel en enkels vast aan de tafel.

Danny zette alles op een rijtje. Hij tintelde nog van de adrenaline. Acht minuten geleden was hij Harrods was binnengegaan. Was hij wel snel genoeg geweest? Of was hij er nu bij?

Er was maar één manier om daarachter te komen. Hij raapte zijn kapotte zonnebril en wapenstok op en deed die in zijn rugzak. Hij pakte de leesbril van de kale bewaker die op het bureaublad lag, naast een roosterblad waarop bovenaan de naam ALAN OFFINIAH stond.

Alles om hem heen werd vaag toen hij de bril opzette. Hij schoof hem naar het puntje van zijn neus. Hij pakte de fles cola van het bureau en de rest van het broodje van de kale man.

Hij dronk de fles leeg en at het broodje terwijl hij de

trap op rende naar de klapdeur. Hij had wel tien flessen cola willen drinken. Hij had eigenlijk zo veel andere dingen willen doen. Vrijwillig schipbreuk lijden, bijvoorbeeld. In het klooster gaan. Een maand lang in een hangmat liggen.

Alles, behalve hier zijn.

Hij keek nog even naar de kale man om voordat hij naar buiten ging. De man keek woedend op met totale minachting in zijn ogen. Alsof hij was belazerd. Alsof hij nog één kans wilde krijgen en dan de titel zou winnen.

Ongetwijfeld, dacht Danny. In een andere tijd en onder andere omstandigheden had hij Alan Offiniah zeker een baan aangeboden.

Negenentwintig

Buiten op het trottoir zag Danny dat hij volledig was omsingeld.

Nog geen vijf meter links van hem sloot tegenover Harrods een blokkade Hans Crescent af. Twee politieauto's in burger stonden met blauwe zwaailichten schuin naast een rij verlaten burgerbakken. Een grote, witte ME-bus was de stoep op gereden.

Meer dan vijftien agenten bemanden de geïmproviseerde barricade. Drie van hen waren gewapend en hadden sluipschutterposities ingenomen.

Rechts van Danny kwam een stroom agenten aan. Deze waren zwaarder getraind, van co19. Een hele eenheid te voet. Druk in de weer tussen de verlaten auto's. Ze liepen er koddig bij in hun kogelvrije vesten, alsof ze uit een afslankinstituut waren gevlucht. Compleet in uniform. H&K-karabijnen in de aanslag.

Danny dacht terug aan een schokkerig filmfragment uit de Eerste Wereldoorlog dat hij ooit gezien had tijdens een college militaire geschiedenis, waarin een peloton ten dode opgeschreven jonge Britse soldaten de Duitse loopgraven bestormde en door machinegeweren werd neergemaaid.

Maar niemand zou deze kerels vandaag kunnen tegenhouden. En ze schoten niet op Duitsers. Ze wilden allemaal de schurk omleggen die volgens hen al die onschuldige slachtoffers bij de Ritz op zijn geweten had. Ze wilden allemaal hém omleggen.

'Hé, jij daar.'

Danny draaide zich om. De woorden klonken eerder als een schreeuw dan als een roep. De stevige agent die vanuit de versperring zijn kant op kwam gelopen droeg een oproerhelm met vizier. Met uitgestoken arm wees hij naar Danny. In zijn andere had hij een halfautomatische Glock 17.

Twee andere agenten – van wie er één een MP5 bij zich droeg – zagen wat hun collega aan het doen was. De omstanders keken om naar Danny, geschrokken door het geschreeuw van de agent.

Zelfs al zou het Danny lukken de agent die hem riep uit te schakelen, dan nog zou hij hier nooit wegkomen. Hij zou onmiddellijk worden neergeschoten door de man met de MP5.

Nu is het afgelopen.

Hij wist het zeker. Vreemd genoeg legde hij zich erbij neer. Hij voelde het laatste restje energie als water uit hem weg stromen toen hij daar in zijn persoonlijke niemandsland stond. Zijn hele lichaam werd slap.

Hij dacht aan Sally. Zoals zo vaak in de vele en lange

uren, dagen en maanden na haar dood, dacht hij dat ze nog leefde. Dat ze ergens op hem wachtte. Op een gewone plek. Op het stenen bruggetje in Central Park, waar ze elkaar rond lunchtijd altijd troffen toen ze pas verkering hadden. Of in hun eenkamerflat in Queens, waar ze sinds die zomer samenwoonden, waar ze haar kwast op de vensterbank had neergelegd en zijn hand op haar buik, omspannen door de spijkerstof van haar tuinbroek, had gelegd zodat hij zijn dochter Alexandra voor het eerst kon voelen schoppen.

'Uit de weg!' schreeuwde de agent die op hem af kwam rennen.

Uit de weg?

De zon scheen fel. Het zweet stroomde van Danny's wenkbrauwen. De agent greep hem bij de kraag van zijn colbert. Hij trok hem naar de kant, zodat de aankomende agenten erdoor konden. Hij greep Danny achter in zijn nek.

'Deze kant op.' De agent wees naar de andere kant, weg van de blokkade. 'Schiet op! Maak dat je wegkomt! Nu!'

Nog voordat Danny tot zich kon laten doordringen wat er aan de hand was – laat staan de stand van de sterren kon bedanken – rende de agent terug naar de versperring.

Ze denken dus dat ik een van de velen ben.

Zijn garderobewisseling bleek voldoende om de agent te misleiden. Getuigen, agenten – de meeste mensen keken slechts vluchtig naar een voorbijganger. Het was een feit waar Danny God op dat moment op zijn blote knieën voor wilde danken.

Aan de overkant van de volgende kruising zag hij een agent naast een politiewagen met flitsende zwaailampen druk naar hem zwaaien.

Hij herinnerde zich wat de Kid had gezegd over de mensen die de Ritz ontvluchtten en als vee naar Berkeley Square werden gedreven, waar ze werden vastgehouden totdat ze verhoord konden worden. Gebeurde dat hier ook? Danny wilde niet in die situatie terechtkomen. Zijn DNA zou overeenkomen met de sporen die het forensisch team in de Ritz zou vinden.

Geen tijd om daar nu over na te denken... Geen andere keus dan met de stroom mee te gaan... Niet met al die agenten om me heen.

Danny rende naar de wachtende agent. Ondertussen las hij het straatnaambordje. Pavilion Road. Dat kwam hem bekend voor. Over deze straat had de Kid het gehad. Aan het einde ervan richting het zuiden zou de Kid op hem wachten.

De agente keurde Danny geen tweede blik waardig toen hij bij haar was aangekomen. Ze hield haar ogen gericht op wat er achter hem bij de blokkade gebeurde en op het kleine beetje dat zichtbaar was van de voorgevel van Harrods daarachter. Ze greep hem, trok hem naar zich toe en schoof hem naar een andere agent, die hem zonder plichtplegingen verder naar het westen duwde.

Ze denken dus nog steeds dat ik die kerel in dat rode trainingspak in het warenhuis ben... Dan zullen ze niet proberen mij hier in te sluiten... Dan maken ze het gebied vrij van burgers en bereiden ze zich voor op een belegering.

De agenten duwden Danny door een muur van oproerschilden een korte straat in die vol stond met stilstaande voertuigen en angstige burgers.

'Die kant op. Door blijven lopen,' riep de laatste agent die Danny had aangeraakt.

Door blijven lopen? Hoe?

Want er leek iets bijzonders aan de hand. Mensen stonden tegen stilstaande auto's aan gedrukt. Met z'n honderden waren ze dit straatje in gedreven, uit Harrods en straten daaromheen. De menigte zat muurvast. Niemand kon weg.

Men begon te duwen, raakte in paniek. Het nieuws van het bloedbad vóór de Ritz was blijkbaar doorgesijpeld. Op alle bange gezichten stond hetzelfde te lezen. De terugkerende collectieve nachtmerrie, waar iedereen sinds 9/11 en 7/7 last van had. En plotseling was men midden in die angstdroom wakker

227

geworden. In het centrum van Londen had een terroristische aanslag plaatsgevonden. En niet alleen op een diplomaat. Ook onschuldige burgers zoals zij waren willekeurige slachtoffers geworden. En een van de gemaskerde schutters was op de vlucht geslagen.

Al die mensen in dat straatje waren ervan overtuigd dat als ze daar niet snel wegkwamen, zij het volgende slachtoffer waren.

Danny wilde de Kid bellen. Om meer zicht te krijgen op de situatie. Zaten er meer straten in het centrum van Londen zo vol? Wat gebeurde er in de Ritz? Maar hij kon nu niet bellen. De netwerken waren platgelegd. Bovendien kon hij zichzelf niet eens horen denken.

De aanslag bij de Ritz had nu een uur geleden plaatsgevonden. Maar pas sinds een kwartier had de politie de jacht op Danny in Harrods geopend. Hij dacht terug aan de arme vrouw met de schotwond en vroeg zich af hoeveel andere slachtoffers er waren gevallen.

Jean Charles de Menezes.

Die naam brandde als een vlam in Danny's koortsachtige geest. Een jaar geleden had Danny in Genève een conferentie bijgewoond. De kwestie Menezes werd beschouwd als het perfecte voorbeeld van hoe het niet moest.

Menezes, een onbewapende Braziliaanse elektricien van zevenentwintig jaar, was ten onrechte aangezien voor een terrorist. In 2005 werd hij in de Londense metro bij station Stockwell zeven keer in het hoofd geschoten door leden van de CO19, dezelfde gespecialiseerde wapeneenheid van de Hoofdstedelijke Politie die nu achter Danny aan zat.

De Londense agenten hadden geprobeerd de schuld af te schuiven. De slachtoffers in Harrods zouden waarschijnlijk ook worden toegeschreven aan de gemaskerde schutter.

Terwijl hij zich een weg door de menigte baande, zag Danny waarom men niet eens probeerde om hier weg te komen. Ze werden ingesloten door een versperring aan de andere kant. Een communicatiestoornis bij de politie. Aan het einde van de straat stond een rijtje donkerblauwe, ongemarkeerde politiewagens met geblindeerde ramen en één gewone politiewagen. Een stuk of twaalf geüniformeerde agenten vormden een front. Een van hen maande de menigte door een megafoon om kalm te blijven. Danny wurmde zich naar voren, prikte iemand met zijn elleboog in zijn ribben en liep hem voorbij. Gestaag baande hij zich een weg langs de kant van de straat.

Alle winkels die hij passeerde, zaten tot de nok gevuld met mensen die dekking zochten. Bij één ingang was een gevecht ontstaan tussen twee in maat-pak gestoken kerels die weigerden een bejaarde vrouw binnen te laten.

Mensen zwaaiden wanhopig of woedend met hun telefoons, als kinderen met kapot speelgoed. Ze waren boos omdat de netwerken ofwel opzettelijk waren platgelegd – zoals de Kid had voorspeld – ofwel door te veel verkeer waren vastgelopen.

Ook Danny raakte in paniek. Hij kon het zich niet permitteren om in deze flessenhals vast te komen zitten. Zodra de politie met die twee vastgebonden bewakers had gesproken, zouden ze de beelden van de beveiligingscamera's buiten Harrods bekijken. Daarop zouden ze zien welke kant Danny was op-gegaan. Welke kleren hij had aangetrokken. Als hij had gedacht te kunnen ontsnappen, was daar dan geen sprake meer van.

Piepende autobanden. Een waarschuwend geklet-ter van wapenstokken op schilden klonk uit boven het geschreeuw van de woedende menigte. De eerste van die ongemarkeerde politiewagens reed sputte-rend achteruit, zwenkte naar rechts en verdween uit het zicht. De andere auto's gingen erachteraan. De witte politieauto en de nu hopeloos geïsoleerde en onbeschermde rij agenten bleven achter.

Danny dacht terug aan die kleine plastic schuifpuz-zels die hij als kind soms in zijn kerstsok vond. Je

moest eerst de hele rechterkant van de puzzel vrij-
maken, pas daarna kon je de rest verschuiven.

Hij was niet de enige die deze kans had geroken. De
hele meute golfde als één blok naar voren.

Het leek op een damdoorbraak. Mensen renden de
straat uit en Danny holde met de massa mee. Even
later was hij al voorbij de verlaten witte politieauto.
En stond hij in Sloane Street.

Links van hem klonken sirenes. De menigte boog
naar rechts af en viel uiteen. Het gevoel van angst en
paniek verdween. Deze mensen waren geen poten-
tiële slachtoffers meer. Dat zag je aan hun gezichten.
Ze voelden zich overlevenden. Ze waren ontsnapt.

Bij elke stap voorwaarts leek de massa minder op de
achtergrond van een rampenfilm en meer op een
groep supporters die een stadion verliet.

Honderd meter verderop was het gevoel van solida-
riteit bijna weer de norm. Mensen begonnen weer
te praten in plaats van te schreeuwen. Danny hoorde
zelfs iemand lachen.

Bijna had hij zijn telefoon gepakt en de Kid gebeld.
Om hem te zeggen dat hij in orde was. En af te spreken waar ze elkaar dan eindelijk zouden ontmoeten.
Maar hij besefte dat hij nu geen gezellig telefoon-
gesprekje zou kunnen voeren.

Bovendien wilde hij eerst met iemand anders praten. Met Crane...

Zodra Danny de kans zag, verliet hij Sloane Street en liep hij Cadogan Place op.

Hij zag een brommer, aan een ketting tegen een hek voor een boetiekhotel. De enige beveiligingscamera in de buurt die hij spotte, stond niet op de straat, maar op de ingang van een bank gericht.

Danny kraakte het slot en kreeg de brommer aan de praat. De eigenaar was zo goed geweest een helm in de al even gemakkelijk te openen brommerkoffer te laten liggen. En de tank zat vol.

Een kilometer en dertien straten verder reed Danny door Passmore Street naar het zuiden met een gemiddelde snelheid van veertig kilometer per uur. Eindelijk was Danny wat hij wilde zijn vanaf het moment dat hij op het balkon van de Ritz naar die brandende, zwarte limousine stond te kijken.

Een anonieme figuur in de massa.

Dertig

13.42 uur, Chelsea, Londen SW3

'Hallo. Welkom bij Pasta Pronto. Mag ik u attent maken op een van onze speciale aanbiedingen?'
'Nee, dank je. Geef mij twee liter water zonder prik. Twee mokken sterke, zwarte koffie. Een bord spaghetti. Patat. En brood.' Danny sprak Engels, maar deze keer met een Frans accent.

De serveerster – een Argentijnse met hoog opgestoken, geverfd rood haar – liet haar blik van Danny glijden naar de drie lege stoelen om het tafeltje waaraan hij zat, zich duidelijk afvragend hoeveel anderen er nog bij zouden komen zitten. Ze had rode wangen en een stralende glimlach, en kon niet ouder zijn dan achttien.

Danny had al een splinternieuwe, zwartlederen portefeuille uit zijn rugzakje gehaald. Er zat een complete set met creditcards in en een identiteitspas met zijn pasfoto en daaronder de naam Louis Barthes, een Parijse zakenman, wiens verkreukte bonnetjes duidelijk aantoonden dat hij regelmatig voor zaken in Londen was.

Danny opende de portefeuille zodat de serveerster erin kon kijken, griste er soepel een biljet van twintig pond uit en schoof het onder een omgekeerd wijnglas.

233

'Dat is voor jou,' zei hij, 'als je ervoor kunt zorgen dat de kok mijn bestelling binnen vijf minuten klaar heeft. Ik moet naar een vergadering en mag geen seconde te laat komen.'

'Komt voor elkaar, meneer.' De serveerster voerde Danny's bestelling in op een elektronisch tablet. Danny zag haar wegdribbelen. Daarna keek hij onderzoekend om zich heen.

Hij had dit Italiaanse restaurantje midden in een druk, overdekt winkelcentrum in Chelsea uitgekozen omdat het zo open was. Je kon goed zien wie eraan kwam, het lag vlak bij de roltrappen, de nooduitgangen en de deuren naar de parkeerplaats op het dak, voor het geval hij zich uit de voeten moest maken.

Hij bevond zich hooguit enkele kilometers van de ingesloten menigte in de binnenstad, maar terwijl hij om zich heen keek, had hij het gevoel alsof hij op een andere planeet was. Er waren meer lichtelijk bezorgd om zich heen kijkende mensen, natuurlijk. Maar ook mensen die lachten, koffie dronken, winkelden, gewoon doorgingen met hun leven. Londen was een netwerk van losse dorpen, zei zijn vrouw Sally altijd. Maar het leken meer losse continenten. Danny had de gestolen brommer een kilometer verderop achtergelaten in een parkeerkelder. Hij had zich gewassen in een openbaar toilet, en zijn gezicht en handen geschrobd met bijtende vloeibare zeep. Hij had de verbanddoos in zijn rugzak gebruikt om de snijwonden die hij in het riool had opgelopen te verzorgen, de kapotte blaren onder zijn voeten opgelapt met verband en bacteriedodende crème. Daarna had hij voorzichtig de beveiligingslabels verwijderd uit het pak dat hij in Harrods had gestolen, om te voorkomen dat in andere winkels het alarm zou afgaan.

In een betere herenkledingzaak had hij daarna nieuwe kleren voor zichzelf gekocht. Een blauwe spijkerbroek, grijze sokken, een wit T-shirt, een kaki vest met capuchon. Nieuwe hardloopschoenen. Zwarte Nikes. Precies hetzelfde wat de etalagepop in Harrods aanhad.

Ook had hij een zwarte pet en een nieuwe zonnebril gekocht. Al die tijd was zijn gezicht één keer onbedekt geweest, toen hij zich omkleedde in het pashokje, nadat hij zorgvuldig had gecheckt of er geen beveiligingscamera hing.

Toen hij de kledingzaak uitkwam, had hij het gestolen pak, het stinkende trainingspak, de handschoenen, sportschoenen, pet en de bril van de bewaker – die hij in een grote winkeltas van de herenzaak had gepropt – in de eerste de beste vuilnisbak op straat gedumpt.

Van tweehonderd meter afstand had hij dit winkelcentrum gezien. Via de foyer van de bioscoop was hij op straatniveau naar binnen gewandeld, waarna hij doorliep naar de winkelpassage erachter.

Hij vond dat hij genoeg gedaan had om zijn achtervolgers van zich af te schudden.

Hij tuurde het restaurant in. De serveerster was druk bezig met de koffiemachine, ijle stoompluimen stegen sissend op langs haar gezicht. Toen ze zag dat Danny naar haar keek, glimlachte ze plichtmatig. Wat inhield, hoopte hij, dat ze de kok aan het werk had gezet.

Danny's gezicht vertrok, zijn maag kromp ineen. Hij was uitgehongerd. Zo hongerig dat hij ervan zweette en begon te trillen. De twee mannen aan de tafel naast hem aten een biefstuk. Bij de geur van mosterd uit Dijon en vlees knorde Danny's maag. Met moeite bedwong hij zich om hun borden niet onder hun neus vandaan te trekken.

De jongemannen waren midden twintig. Goed verzorgd. Jasje-dasje. Bankiers, vermoedde Danny, 'hedgies' of 'city-boys' zoals ze tegenwoordig in de media werden genoemd.

Dit soort mannen had geen invloed meer op Danny's leven. Hij investeerde in niets wat hij niet zelf kon beheren. Het overgrote deel van zijn geld zat in enkele vastgoedobjecten, de rest was zorgvuldig verdeeld over een netwerk van bankrekeningen en kluizen, waartoe hij via een even ingewikkeld web van valse identiteitsbewijzen toegang had. Als het financiële systeem morgen opnieuw zou instorten, zou hij daar niets van merken.

Niet dat hij dit werk voor het geld deed. Hij was voor het vaderland gaan werken om de kick en voor zijn vader. Toen hij van het leger overstapte naar de Company, deed hij dat uit verslaving. En uit arrogantie en ambitie, erkende hij nu – want hij geloofde echt dat hij ooit de beste zou zijn.

Na de dood van Sally en Jonathan was alles veranderd. Hij ging als freelancer werken, maar alleen om mensen zoals zij te beschermen, om te voorkomen dat hen iets overkwam. Hij deed het om de fouten uit zijn verleden te herstellen.

Maar geld was onontbeerlijk. Dat had Danny van Crane geleerd. Als je niet conform de marktprijs werkte, peinsden privécliënten er niet over je in te huren. Dan namen ze nog liever iemand die minder goed was. Iemand die hen zou teleurstellen. Wat Danny nooit zou doen.

Crane...

Danny greep opnieuw naar zijn telefoon. Nu hij eindelijk aan de politie was ontsnapt, zag hij dat Crane hem in de loop van de ochtend al vier gecodeerde berichten had gestuurd.

Het eerste bericht op zijn telefoon was een halfuur

na de schietpartij aangekomen – toen het nieuws van het gebeurde, vermoedde Danny, in de States, of waar Crane verdomme ook uithing, bekend werd. De drie andere berichten waren met tussenpozen van ongeveer een halfuur binnengekomen.

Danny had de berichten ontcijferd zodra hij in het restaurant zat, met behulp van de codeersleutel op zijn telefoon. Elk bericht was hetzelfde, simpelweg: NEEM CONTACT MET ME OP.

Hetgeen Danny meteen deed toen hij dat las. DRANK-JE. NU.

Zodra hij op 'Verzenden' drukte, versleutelde de software op zijn telefoon automatisch het bericht, waarna het naar Crane werd doorgestuurd. Crane zou de bijbehorende codeersleutel op zijn eigen computer gebruiken om het bericht te decoderen.

Aangezien Crane en Danny de enige twee waren die beschikten over deze twee, bij elkaar horende sleutels, wist Crane zeker dat het antwoord op zijn eigen berichten van Danny kwam. Wat hun de vrijheid gaf een afspraak te maken zonder dat ze werden afgeluisterd.

Inmiddels was er genoeg tijd verstreken. Waarom had Crane niet opnieuw contact opgenomen? Hij had duidelijk geconcludeerd dat Danny in het hotel zat op het moment van de aanslag, wat de reden was waarom hij hem herhaaldelijk had proberen te bereiken. Wat deed hij dan op dit moment dat belangrijker was dan contact opnemen met Danny? Vermoedde hij al dat de mensen met wie Danny had afgesproken in de Ritz bij deze aanslag betrokken waren? Was hij nu in gesprek met zijn contact binnen de Amerikaanse regering om uit te zoeken wat er in godsnaam aan de hand was?

Vertrouw niemand, alleen jezelf. Weer zo'n uitspraak van zijn ouweheer. Want kon Danny nog wel iemand vertrouwen? Hij had Crane nooit ontmoet, en Cranes contact bij de overheid ook niet. Hoe kon hij zeker weten dat ze niet in het complot zaten?

De serveerster kwam terug met een dienblad dat gevuld was met Danny's kopjes koffie en flessen water. Danny's neusgaten sperden zich open toen ze de dampende kopjes neerzette. Ze schroefde de dop van een van de waterflessen en schonk het water in een glas met tintelend ijs. Te langzaam.

'Laat mij maar,' zei Danny, terwijl hij de fles pakte.

'Oké.' De serveerster liet de fles los. 'Uw eten komt er zo aan,' zei ze.

Terwijl Danny de fles naar zijn lippen bracht en begon te drinken, kreeg hij weer kramp in zijn maag. Het ijskoude water brandde als whisky terwijl hij het in zijn keel goot.

Hij zag de serveerster staren. Waarschijnlijk naar de blauwe plek die op zijn wang onder zijn linkeroog verscheen, dacht hij. Een herinnering aan zijn ontmoeting met Alan Offiniah, waar hij nog een week last van zou hebben en die door zijn nieuwe pilotenbril niet volledig werd verborgen.

Hij keek de serveerster boos aan. Ze ging er vlug vandoor.

Terwijl hij zijn fles leegdronk, keek hij opnieuw onderzoekend om zich heen. In de etalage van de elektronicazaak aan de andere kant van het centrum stonden verschillende tv's, die nog steeds beelden toonden van de 'Mayfair Massacre', zoals de aanslag nu genoemd werd. Telkens vanuit hetzelfde perspectief. Vanaf de overkant van de straat waar de televisieploeg had gestaan. Er waren computerbeelden van de redactie aan toegevoegd, waarop te zien was waar de schoten vandaan kwamen. Het leek wel een videospel. Alsof er niemand bij gewond was geraakt.

De man met de kromme neus. Hij had een trainingspak aan toen Danny hem ontmoette, en Danny wist nu zeker dat hij een van de twee schutters op dat balkon was geweest.

Een paar minuten geleden had Danny voor die winkel de hele opeenvolging van beelden gezien. Nadat ze de limo aan flarden hadden geschoten, begon een van de gemaskerde mannen lukraak met zijn automatische pistool op de menigte te schieten, sommige groepen helemaal missend en andere uit elkaar schietend.

Maar de andere man – die kleiner en gedrongener was – bleef volledig gefocust tijdens de schietpartij, en schoot beheerst de ene na de andere kogel af, eerst op de inzittenden van het voertuig toen die wilden ontsnappen, daarna op de menigte geschrokken voorbijgangers, die hij alleen of in groepjes van twee neerschoot, bijna zonder een kogel te verspillen.

Hij leek op zijn gemak, alsof hij op een boot stond en gewoon een vishengel in zijn handen had.

Aan zijn pols – tussen het uiteinde van zijn mouw en het begin van de zwarte handschoen om zijn linkerhand – had Danny iets zien oplichten in de felle ochtendzon. Een gouden ketting. Dezelfde die de man met de haviksneus omhad.

Ja, die psychopaat had de tijd van zijn leven.

Danny keek naar zijn telefoon, tastte naar de dichtstbijzijnde koffiemok en brandde zijn lippen bij de eerste slok. Nog steeds geen reactie van Crane.

Het werd donker voor zijn ogen, alsof iemand zojuist een dimmer op de wereld had gezet. Zijn slapen klopten. Uitdroging, hoopte hij. Niet het begin van een migraineaanval, want die had hij soms ook.

Hij pakte een suikerzakje uit de doffe metalen schaal op tafel, scheurde het randje ervan af en tikte de inhoud in zijn koffie. Hij goot er water bij uit de andere fles en nam een flinke slok, ineenkrimpend van de hitte, geschokt door de plotselinge explosie van smaak in zijn mond. Even dacht hij dat hij alles uit zou spugen.

Hij staarde naar zijn handen. Ze trilden. Door ze tot vuisten te ballen probeerde hij ze rustig te krijgen. Maar dat lukte niet. Hij keek weer naar zijn telefoon. Nog steeds geen antwoord. Hij voelde zich kwetsbaar, alleen.

Dit is de ergste dag van mijn leven...

Maar op het moment dat deze gedachte in hem opkwam, werd hij woedend. Hij haatte zichzelf omdat hij dit had gedacht. Hij voelde haat en schaamte.

Dit was niet de ergste dag van zijn leven. En morgen zou dat ook niet zijn. Geen enkele nog niet geleefde dag kon dat zijn. De ergste dag van zijn leven had hij al achter de rug. Een nachtmerrie die een herinnering was. Een herinnering die was begonnen met een wandeling in het bos en geëindigd met bloed in de sneeuw.

Eenendertig

Zeven jaar daarvoor, North Dakota

Danny zweette, beefde. Vanaf de plek waar hij met Lexie achter de doornstruik hurkte, zag hij door de neerdwarrelende vlokken dat er sneeuw lag op de deurmat onder de dakrand van het huisje, afkomstig van de laarzen van de ongenode gast.

Hij zocht vergeefs naar een voetspoor dat wegliep van het huisje. Dat had geen achteruitgang. Degene die dit pad had afgelegd moest dus nog binnen zijn. De gordijnen waren gesloten. Het was er zo donker als in een grot in deze tijd van het jaar. Danny wist zeker dat Sally pas iemand zou binnenlaten nadat ze de gordijnen had opengedaan.

'Papa, je doet me pijn.'

Naast hem leunde Lexie op haar andere been. Het gekraak van haar laarzen in de sneeuw klonk Danny als een bekkenslag in de oren.

Hij keek naar haar hand, die hij stevig vasthield. Hij zag de bloedrode plooien in zijn huid en dwong zichzelf zijn vingers te ontspannen. Lexie maakte een grimas en trok haar hand terug alsof ze was gestoken. Ze sloot en opende haar kleine vuist.

'Wat is er toch, papa?' vroeg ze fluisterend. Ze had de voetafdrukken nog niet gezien, maar aan de ma-

243

nier waarop ze naar het huisje keek, zag hij dat zij ook voelde dat er iets niet in de haak was.

'We gaan een spelletje spelen, prinses,' fluisterde hij.

'Maar ik dacht dat je terug wilde naar...'

'Ja, dat klopt. Het duurt niet lang.'

Danny begon langzaam achteruit te lopen met Lexie aan zijn hand, die hij ditmaal voorzichtig vasthield, waardoor ze hem moest volgen. Hij hield zijn blik op het huisje gericht. Hij keek naar de gordijnen. Zonder met zijn ogen te knipperen.

'Wat voor spelletje, papa?'

'Een soort verstoppertje.'

'Voor wie verstoppen we ons dan?' Ze klonk opgewonden, maar ook een beetje bang.

'Gewoon, voor je moeder en je broertje.' Hij bleef achteruitlopen en hield haar nu stevig bij haar elleboog vast om te voorkomen dat ze zich omdraaide. 'Probeer precies in je eigen voetspoor terug te lopen.'

'Zodat mama en Jonathan denken dat we in lucht zijn opgegaan?'

'Precies.'

Danny deed hetzelfde en zorgde ervoor dat ze door bleven lopen. Beiden keken ze achterom om te controleren of ze het wel goed deden. Tien passen, twintig.

Het is beter om dwaas te lijken dan het te zijn, zou zijn vader zeggen.

Het begon harder te sneeuwen. Danny voelde de be-klemming op zijn borst toenemen toen ze eindelijk bij het groepje haagdoorns waren aangekomen en het huisje niet meer in zicht was.

'Goed,' zei hij, tien passen verder, 'dit is ver genoeg.' Zijn vader had Danny ooit geholpen bij het bouwen van de boomhut. Oorspronkelijk was hij bedoeld als schuilhut om op houtduiven te jagen. Maar Dan-ny had er iets moois van gemaakt, een hut waarin hij zich kon terugtrekken en op warme zomeravon-den zelfs kon slapen.

Hij tilde Lexie erin, zodat ze niet de afgezaagde tak-ken op hoefde te klimmen en de sneeuw daar on-geschonden op bleef liggen.

Een kleine, donkere opening leidde naar binnen. Danny had veel werk gemaakt van de camouflage toen hij de hut bouwde. Inmiddels waren de ramen, vloer en wanden overwoekerd door klimop. Zoda-nig dat je van het bestaan van de hut moest weten, anders viel hij je niet op. Zelfs als je er pal onder stond, zag de boom eruit als een gewone, knoestige eik.

Lexie kroop naar binnen en draaide zich naar hem om. Hij lachte naar haar. Maar ze lachte niet terug. 'Ik ben zo terug,' zei hij. 'En binnenblijven, hè! Laat je niet buiten zien. Niet voordat ik het zeg.'

'Wat is er toch, papa? Je lijkt wel... bang.' Het was

duidelijk aan haar gezicht te zien dat ze dat woord nog nooit met haar vader in verband had gebracht. Maar ze had gelijk. Danny was bang. Voor iets, iemand dic hij niet eens in zijn hoofd een naam durfde te geven, zo angstaanjagend – en, alstublieft God, zo absurd en onwaarschijnlijk – was het idee dat deze persoon hierheen zou zijn gekomen. Dat deze persoon bij Sally en Jonathan in het huisje zat. Bij zijn vrouw en zijn zoontje.

De twee paden – één heen, één terug – van zijn en Lexies voetsporen begonnen bij het veld, alsof ze samen vanaf dat punt van en naar de boomhut waren gelopen en daar niet mee waren opgehouden.

Met deze truc kon je iemand niet lang voor de gek houden, besefte Danny. Maar hij had op dat moment geen beter plan. Hij kon zijn dochter absoluut niet in haar eentje wegsturen nu er een sneeuwstorm op til was. De dichtstbijzijnde boerderij lag vier kilometer verderop. Bovendien kon hij alleen nog maar hopen dat zijn vrees ongegrond was.

Hij nam geen risico. Hij vertrok zo snel hij kon, opnieuw zijn eigen voetspoor volgend. Deze keer vooruit. Naar het groepje haagdoorns.

Daar aangekomen hield hij zijn pas in. Op zijn hurken duwde hij de ijzige takjes opzij.

Door de dikker wordende sneeuwsluier zag hij dat de deur van het huisje nog steeds gesloten was, net als de gordijnen. Zwarte rook kringelde uit de schoorsteen en ging op in de witte lucht.

Als Danny's mobiele telefoon niet in het huisje had gelegen, of als hij er nog een in zijn auto had liggen, had hij de politie gebeld. Wat zou hij opgelucht zijn als zou blijken dat hij alleen maar paranoïde was geweest.

Maar er was niemand wie hij om hulp kon vragen. Hij snoerde de koordtas vast en trok zijn Bowie-mes uit de schede. Er zaten nog twee kleinere messen in van hetzelfde ontwerp, de een met een lemmet van tien centimeter, de ander met een van vijf centimeter.

Hij schoof het tien centimeter lange mes in zijn laars, waar het gemakkelijk kon worden gevonden. Met het korte mes sneed hij de voering van zijn broek onder zijn riem open en duwde het wapen erin, waar het niet gezien of gevoeld kon worden.

Hij gooide de schede weg. De drie lege vakken zouden het ontbrekende mes verraden. Daarna rende hij naar rechts, zich schuilhoudend achter de haagdoorn. Hij liep parallel aan het spoor van de vreemdeling, dat ophield bij zijn voordeur, en volgde het terug naar het beginpunt.

Na dertig meter liep hij langs zijn auto. Een Chevrolet Sedan. Een onherkenbare, witte bobbel in de sneeuw.

Vijftig meter verderop zag hij tot zijn grote schrik een andere auto staan. Die stond geparkeerd op een kleine, open plek tussen de bomen achter het struikgewas, waar hij vanuit het huisje of vanaf het karrenspoor uit het dal niet kon worden gezien.

De boomtakken sidderden in de wind en het bleef onverminderd sneeuwen. Verder bleef alles roerloos.

Danny sloop in een boog naar het voertuig met zijn Bowie-mes in de aanslag. Zijn adem kwam in kleine witte wolkjes uit zijn mond. Een kille klamheid sloeg neer in zijn nek. Hij werd zich scherp bewust van het verstrijken van de tijd.

Aan de voorkant de auto zag hij geen bandensporen. Aan de achterkant evenmin. Dat feit kon niet worden verklaard door de sneeuwval, want zo veel was er die ochtend nog niet gevallen. En de avond daarvoor was het rond middernacht opgehouden met sneeuwen. Dat betekende dat deze auto er de hele nacht gestaan had.

Op de horizontale vlakken lag sneeuw, net als op de auto van Danny. Maar anders dan bij zijn eigen auto, zag hij, nu hij dichterbij kwam, was het felrood van het chauffeursportier duidelijk te zien. Want daar was de persoon die de nacht in deze auto had doorgebracht vanochtend door naar buiten gegaan, waardoor de sneeuw ervan afgegleden was.

Danny stond nu zo dichtbij dat hij door het raampje kon kijken. Er zat niemand in. Maar het voetspoor dat hij vanuit de hut was gevolgd, was hier begonnen.

Dat betekende dat degene die in deze auto had gezeten nu bij Sally en Jonathan in het huisje was.

Een onhoorbare wanhoopskreet steeg op uit Danny's keel nu zijn ergste vermoeden opnieuw in hem opkwam.

Hij schoot door de dwarrelende sneeuwvlokken en het witte bos naar het huisje, stil en schielijk als een roofvogel.

Hij bad – o, God – hij bad dat hij zich vergiste.

Tweeëndertig

'Meneer, neem me niet kwalijk.'
Danny keek op en zag de Argentijnse serveerster op hem neerkijken met een bord en een schaal in haar handen. Hij besefte dat hij zijn adem inhield. Hij keek naar zijn handen en zag hij dat hij met gebalde vuisten aan tafel zat. Hij dwong zichzelf rustig uit te ademen en voelde zijn borst trillen terwijl hij dat deed. Schiet op, Crane, dacht hij, terwijl hij woedend naar zijn telefoon staarde. *Zodra ik hem gesproken heb, kan ik met de Kid praten.* Hij had de Kid al een bericht gestuurd om te zeggen dat hij ongedeerd was. Hij maakte wat ruimte tussen zichzelf en de tafel, zodat de serveerster zijn eten kon opdienen. De damp steeg op van de spaghettischaal. De saus eroverheen was leverkleurig. Op het bord lag een berg dunne frietjes.
'Dank je wel,' mompelde Danny.
Hij greep een handvol frietjes en propte die in zijn mond. Daarna werkte hij met een vork de spaghetti naar binnen, op efficiënte wijze, als een kraanwagen die puin ruimt op een bouwplek.
Hij knoeide saus over zijn kin en op het al bevlekte witte tafelkleed. Een van de yuppies staarde hem vol

afschuw aan, maar Danny bleef hem strak aankijken en kauwde door tot de bankier het opgaf.

Hij begon aan zijn tweede kop koffie en klokte daarna nog wat water achterover. Door het warme gevoel van eten in zijn maag, de pratende mensen, de muzak en de zachte bekleding van de stoel waarop hij zat, kreeg Danny even het gevoel dat hij normaal was. Hij wilde zijn gedachten op orde zien te krijgen. Maar het beeld van de man met de haviksneus bleef in zijn hoofd spoken.

Hij hoorde een ping – het geluid van binnenkomende mail. Danny's screensaver – een gedownloade foto van een villa in de Provence, met een gefotoshopte foto van hemzelf en een naamloze vrouw met kind, allemaal passend bij zijn Franse identiteit – verdween op het moment dat hij zijn telefoon oppakte, die naast het leeggedronken koffiekopje lag.

Hij toetste de toegangscode in. Een verzameling onbegrijpelijke codes rolde over het scherm. Wat betekende dat het bericht van Crane afkomstig was. Danny's hart begon te bonzen toen hij nog een wachtwoord opgaf om de decodeersoftware in zijn telefoon te activeren, die de onbegrijpelijke boodschap in het Engels zou vertalen.

Het gedecodeerde bericht luidde: ZIT TE DRINKEN. NU.

Wat Crane ook aan het doen was, wat ook de reden

was waarom hij zo traag reageerde op Danny's be-
richtjes, hij zat nu in Harry's Bar op hem te wachten.
Danny sloot zijn mailprogramma, klikte op het
icoontje van InWorld en logde in. Tot zijn opluchting zag hij de naam CRANE in de groene lijst met
'vrienden' onder aan het scherm staan.
Omdat zijn headset kapot was, had Danny het geluid van zijn telefoon uitgezet. Zonder oortje zouden omstanders anders kunnen meeluisteren.
In InWorld betekende de geluidloze modus dat het
gesprek van Danny en Crane werd gevoerd in strip-
ballonnen die bij de monden van hun avatars verschenen.
De speciaal ontwikkelde, met InWorld compatibele
beveiligingssoftware die ze beiden gebruikten, zorgde ervoor dat elke bit van hun gesprek automatisch
werd gecodeerd en ontcijferd wanneer die via de
laatste versie van het chat-programma werd ver-
zonden. En aangezien codering van tekst sneller en
preciezer ging dan bij audio, communiceerden ze
uiteindelijk net zo snel en veilig als anders.
Danny keek nog eens onderzoekend om zich heen
door het winkelcentrum, en daarna door het restaurant, naar de bankiers, de damp die van het laatste
restje van zijn eten kwam... en plotseling leek alles
om hem heen te verdwijnen.
Al zijn aandacht ging nu uit naar Noirlight.

Drieëndertig

Danny doorliep Cranes beveiligingsprocedures – de portier in de steeg met de grommende rottweilers, de grijze, oude barman – zo snel als het programma van InWorld en de protocollen van Crane dat toelieten.

Daarna liet hij zijn avatar, F8, die zoals normaal gekleed was in zijn blauwe spijkerbroek en witte T-shirt, langs de antieke wandboekenkast naast de bar lopen richting Cranes privékantoor.

Het vuur flakkerde felrood op in de gietijzeren haard, maar Danny hoorde het niet knapperen. Zonder geluid had het iets vlaks, waardoor de situatie nog onechter was en daardoor nog minder geschikt leek om Danny's echte problemen op te lossen.

Maar Danny was hier niet voor de sfeer. Hij kwam voor Crane. En daar zat Cranes avatar – een man met een scheiding in zijn donkere haar, in een somber grijs pak, een wit overhemd en zwarte stropdas, die eruitzag alsof hij de receptionist van een begrafenisonderneming was. Als gewoonlijk zat hij achter zijn brede mahoniehouten bureau, van bovenaf belicht door de saffierblauwe gloed van art-deco-lampen.

Dat licht wierp een diepe schaduw over het gezicht van Cranes avatar. Een opzettelijk effect, had Danny altijd gedacht. Een grapje zelfs, ter verluchtiging van de geheimzinnige omstandigheden waaronder ze elkaar altijd ontmoetten.

Maar vandaag vond hij het niet grappig. Hij had genoeg van alle misleiding. Hij wilde de waarheid.

Danny liet F8 in de deuropening staan toen hij op het kleine toetsenbord onder in het scherm van zijn telefoon begon te typen. Er verscheen een stripballon bij het hoofd van F8, die steeds groter werd naarmate er meer woorden in werden getypt.

F8: Het journaal gezien?

Crane leek te aarzelen. Mogelijk omdat ze geen audio gebruikten. Eindelijk, terwijl het wolkje bij Danny's avatar al langzaam vervaagde en verdween, verscheen er een tekstballon bij het gezicht van Cranes avatar.

CRANE: Zat jij nog in het hotel toen de schietpartij begon?

F8: Ja, in de hotelkamer. Verdoofd. Erin geluisd door de mensen naar wie jij me toe had gestuurd.

Opnieuw een pauze. Zo lang deze keer, dat Danny nadat zijn tekstballon was verdwenen, zich afvroeg of het InWorld-systeem zichzelf had afgesloten of was vastgelopen.

CRANE: Waar zit je nu?

F8: Is niet belangrijk.

Vertrouw niemand, alleen jezelf... Danny kon niet één reden bedenken waarom Crane hem zou hebben verraden. Maar zo lang hij nog niet wist wat er die dag in godsnaam was gebeurd, en zolang Crane hem er nog niet van had overtuigd dat hij te vertrouwen was, gaf hij niets prijs als dat niet hoefde – en zeker niets over zijn verblijfplaats.

F8: Wie is je contact binnen de Amerikaanse regering?

CRANE: Niet zo flauw, Danny. Je weet hoe het gaat.

Ja, jij garandeert hun anonimiteit, ook al hebben ze me bijna vermoord, dacht Danny.

F8: Voor welke afdeling werken ze?

CRANE: Voor dezelfde club als waar jij ooit werkte. Voor de Company dus. Of anders voor de Special Activities Division of de Special Operations Group. Beide afdelingen mochten geheime operaties in het buitenland uitvoeren. Maar hier? In Londen? In de hoofdstad van een van Amerika's belangrijkste bondgenoten? Met een schietpartij op onschuldige burgers, zomaar op straat? Danny wilde dat hij het niet kon geloven. Maar daarvoor kende hij het wereldje te goed. Sommige agenten gingen inderdaad het verkeerde pad op. Soms helemaal verkeerd, zoals vandaag.

F8: Denk je dat jouw contact wist wat de cliënt waarmee ze mij hadden opgezadeld van plan was te doen?

CRANE: Vraag je of ik denk dat de Amerikaanse re-gering actief betrokken is bij deze internationale terreuraanslag en massamoord? Nee.

F8: Maar wat vindt jouw contact van het gebeurde? *Van hoe ze dit de soep in hebben laten lopen? Wat vinden ze ervan dat ik als lokaas ben gebruikt, al dan niet opzettelijk?*

CRANE: Ik probeer nog steeds met hen in contact te komen.

Proberen... Danny kon niet geloven wat hij las. Hij sprong bijna uit zijn vel. Crane had nog steeds niet gesproken met die klootzak van een tussenpersoon van hem? Danny kneep zo in zijn telefoon dat hij het scherm zowat verbrijzelde.

F8: Je zult toch echt met iets beters moeten komen.

CRANE: Ik heb ander nieuws. Britse speciale eenhe-den hebben in de hotelkamer het lichaam gevonden van een van de terroristen ...

Danny voelde zijn lichaam verstijven. Hij had het met Crane nog niet over die dode man gehad. In de journaals die hij gezien had, hadden ze er niets over gezegd. Noch over de inzet van speciale eenheden. Crane moest deze informatie dus via een andere bron hebben verkregen. Hij had een bron. Hoogstwaar-schijnlijk bij de Britse geheime dienst.

CRANE: Men vermoedt dat deze man aan een natuur-lijke doodsoorzaak is gestorven, een hartaanval na de schietpartij.

Dit bevestigde Danny's theorie dat het lichaam van de man door zijn handlangers was gemutileerd zodat zijn identiteit verborgen bleef. Omdat ze wegens tijdgebrek niet op een efficiëntere manier van hem af konden komen.

En dat betekende dat de sleutelpas en geheugenstick inderdaad over het hoofd waren gezien en interessante aanwijzingen konden bevatten. De grote haast van de handlangers van de dode terrorist verklaarde ook dat ze geknoeid hadden met het verdovende middel dat ze Danny hadden toegediend.

Maar toch...

Toch leek dit verhaal te mooi om waar te zijn. De twijfel bleef knagen in Danny's achterhoofd. Want was iemand die zo berekenend en kalm was als de man met de haviksneus in staat zulke domme fouten te maken?

Er was maar één manier om daarachter te komen. De stick en de pas door de Kid te laten onderzoeken.

F8: Laat het me weten wanneer je zijn ID hebt achterhaald.

CRANE: Daar komen we wel achter, en dan zullen we veel meer weten over de lui die jou erin hebben geluisd.

Danny dacht aan de sleutelpas en de stick in zijn rugzak. Ineens beschouwde hij die voorwerpen als blinde speelkaarten in een spelletje open poker. Zolang hij nog niet wist wat hij ermee ging doen, hoefde hij ze aan niemand te laten zien. Ook niet aan Crane.

Een laatste pauze. Cranes tekstballon was al verdwenen. Er kwam een andere voor in de plaats.

CRANE: Veel succes.

Danny zag Cranes avatar in het niets verdwijnen achter de virtuele mahoniehouten tafel, F8 alleen achterlatend. Hij bekeek de lijst met 'vrienden' onder in zijn scherm en zag Cranes naam langzaam vervagen.

De echte wereld, die van het bevlekte tafelkleed, het winkelende publiek, de felle verlichting in het winkelcentrum, kwam op een misselijkmakende manier weer scherp in beeld.

Hij haalde de witte sleutelpas en de geheugenstick uit een opbergzakje in zijn rugzak en legde ze in zijn handpalm. De zwarte inkt op de pas was droog.

Zijn gesprek met Crane had hem niet de antwoorden gegeven die hij zocht, maar wel bevestigd wat hij al die tijd dacht: dat deze twee voorwerpen zijn enige hoop waren.

Crane had gelijk. Het lijk in de hotelkamer was de sleutel. Danny moest iemand vinden die hem zou kunnen vertellen waarom.

Vierendertig

Danny betaalde de rekening. De Argentijnse serveerster wenste hem goedendag en keek hem met een onnozele glimlach aan toen hij zijn smerige rugzak oppakte.

Toen Danny wegliep en omkeek zag hij dat de vrouw het biljet van twintig pond tegen het licht hield om te kijken of het echt was. Hij zag er dus nog steeds wat onbetrouwbaar uit, concludeerde hij. Uitgeput. Gespannen. Toch leek ze tevreden toen ze het biljet in de achterzak van haar spijkerbroek schoof. Hij besteedde verder geen aandacht meer aan haar.

'De Kid,' zei hij in zijn telefoon, leunend tegen een pilaar voor de elektronicazaak, uit het zicht van de meeste voorbijgangers, omdat hij zijn mobiele telefoon nog steeds niet graag in het openbaar gebruikte.

Aan de lijst met binnengekomen telefoontjes zag hij dat de Kid talloze malen geprobeerd had hem te bereiken sinds hij hem een bericht had gestuurd.

'Jezus, Danny,' zei de Kid, hoorbaar opgelucht, 'jij bent moeilijker te bereiken dan mijn nichtje.'

De Kid had dus een jong nichtje. Dan had hij waarschijnlijk ook een broer of zus. Het idee dat de Kid buiten zijn werk familieverplichtingen had, leek Danny ongerijmd. Maar als hij dit zou overleven, zou hij ingaan op het aanbod van de Kid en een avondje met hem gaan stappen.

'Uit het feit dat je in een winkelcentrum staat, concludeer ik dat het bijna onmogelijke je gelukt is en dat je bent ontsnapt,' zei de Kid. 'Of de agenten die je hebben opgepakt, hebben je mee uit eten genomen.' Klaarblijkelijk zag de Kid op de GPS van zijn telefoon waar Danny zich op dat moment bevond. 'Ik zat in mijn eentje te eten.'

'Je hebt verdomd veel geluk gehad, man.' De Kid klonk chagrijnig. Danny wist dat hij nog steeds boos op hem was omdat hij zijn aanwijzing om via die steeg achter de school te ontsnappen genegeerd had. Hij geloofde kennelijk dat Danny nu al in veiligheid zou zijn als hij wel naar hem geluisterd had. 'Maar met wie was je al die tijd in gesprek? Als het je advocaat was, hoop ik maar dat je mij in je testament hebt opgenomen.'

Danny glimlachte om zijn morbide gevoel voor humor. Die ex-soldaten waren allemaal hetzelfde. Hoe dieper ze in de shit zaten, hoe meer grappen ze maakten. Soms was dat de enige manier om de moed erin te houden.

Hij praatte de Kid bij over zijn gesprek met Crane. De relevante gedeelten daaruit tenminste. Hij zweeg over Harry's Bar en over zijn gebrek aan vertrouwen in Cranes tussenpersoon. Wél vertelde hij dat de terrorist in de hotelkamer aan een natuurlijke doodsoorzaak zou zijn gestorven.

De Kid begreep meteen wat Danny wilde zeggen. 'Ik wil die pas en geheugenstick zo snel mogelijk hebben,' zei hij.

'Waar zit je?'

'Ten zuiden van je. Op industrieterrein Sleaford. Aan de andere kant van de Theems. Achter elektriciteitscentrale Battersea. Nog geen vier kilometer van waar je nu bent.'

Ervan uitgaande dat de politie zich nog steeds richtte op de gebieden ten noorden en noordwesten van hem, dat ze hun net nog niet verder hadden uitgespreid en de bruggen over de Theems nog niet hadden afgesloten, schatte Danny dat hij binnen twintig minuten bij de Kid kon zijn.

'Heb jij het materiaal om die pas te lezen?'

'Om hem te scannen wél,' antwoordde de Kid. 'Maar om hem te lezen... Dat hangt af van wat erop staat.'

Misschien stond er wel helemaal niets op, dacht Danny. En was het iets volstrekt onnozels, het tegoed van een kopieerapparaat in een bibliotheek. Een naamloos pasje, zonder administratief spoor. Helemaal niets.

Hij hoopte maar dat er iets meer op stond.

'Jezus, Danny,' zei de Kid, 'het is niet te geloven hoe groot dit nieuws is geworden. Je wordt de "Running Man" genoemd. Naar dat boek van Stephen King en die film met Schwarzenegger. Je bent op alle kanalen te zien. Op CNN, Fox, China Central, Russia Channel One, Al Jazeera, noem maar op. Wereldwijd te bewonderen, vriend. Nooit eerder in de geschiedenis is er verdomme op zo grote schaal jacht gemaakt op één man. Er wordt al gegokt op de afloop.'

'De afloop?' Danny dacht dat hij het niet goed had verstaan.

'Ja, de afloop: of de Running Man weet te ontsnappen of niet.'

Danny keek om de pilaar heen de elektronicazaak in. De Kid had niet overdreven. Meer dan de helft van de televisieschermen toonde beelden van hem. Vanuit de helikopter, of vage, schokkerige beelden van toen hij Hyde Park uit liep, gefilmd door een voorbijganger. Of beelden van de beveiligingscamera's in Harrods, waarop hij bewakers aanviel, door het warenhuis rende en vitrines kapot sloeg. Er waren zelfs beelden waarop hij een beveiligingscamera in de dienstuitgang uitschakelde, vlak voor dat pijnlijke bokswedstrijdje tegen Alan Offiniah.

Op andere nieuwszenders plaatsten journalisten het verhaal in een bredere context. Ze gingen in op het feit dat de terroristen volgens de politie nog steeds vrij door het centrum van Londen liepen, op de vraag of een zelfmoordaanslag de volgende stap zou zijn en op de massale moordpartij voor de Ritz, op de toenemende geruchten dat er in Harrods een schutter tekeer was gegaan. Verslaggevers stonden in kogelvrije vesten in Knightsbridge en Green Park.

Andere zenders namen de aanslag op de limo onder de loep en besteedden aandacht aan de internationale reacties. Ze toonden het gazon van het Witte Huis, Downing Street 10, Tbilisi in Georgië, Moskou in de regen.

Ook zag Danny, turend naar de schermen, een haastig in elkaar gedraaid animatiefilmpje van een man in een trainingspak met een rugzak om, die een warenhuis in rende. Op een gegeven moment explodeerde het hele warenhuis in een grote vuurbal.

BEVINDT DE TERRORIST ZICH NOG STEEDS BINNEN? STAAT HIJ OP HET PUNT TE ONTPLOFFEN? luidde de bijbehorende tekst.

Werd er werkelijk op de afloop gegokt?

'Het tuig dat al deze ellende heeft aangericht, loopt vrij rond,' zei Danny. Die gedachte maakte hem kotsmisselijk.

'Ik weet het, Danny. Voor de meeste mensen maakt het niet uit. Voor hen ben je gewoon reality-tv. Iets waar ze popcorn bij kunnen eten. Er zijn drieëndertigduizend agenten op de been, man. Die zijn nu allemaal in Londen naar jou op zoek. En wie weet nog hoeveel geheim agenten. Ik kan al minstens negen verschillende veiligheidsdiensten noemen, binnen- en buitenlandse.'

Rondwarende spionagediensten. Die waren Danny tot dan toe nog bespaard gebleven. Net als het leger. Daar had hij geluk bij gehad. Want het was niet zo dat de Britten het leger niet mochten inzetten in burgergebieden. Hij herinnerde zich dat ze enkele jaren geleden op Heathrow Airport tanks hadden ingezet, na geruchten dat een terroristische organisatie van plan was een straalvliegtuig neer te halen met een raketwerper.

Ze zouden ongetwijfeld dezelfde middelen tegen hem inzetten als ze wisten waar hij was.

'Danny?' zei de Kid.

'Wat?'

'Wil je alsjeblieft je telefoon niet meer uitzetten. Je maakt het voor mij een stuk gemakkelijker als ik je kan bereiken en weet waar je bent.'

'Oké.'

Danny zag dat zijn batterij-icoontje nog steeds knipperde. Aan de overkant van het winkelcentrum zat een telecomzaak. Daar zou hij na zijn gesprek met de Kid meteen heen gaan om een nieuwe batterij te kopen.

'O, en nog iets, Danny?' zei de Kid. 'Over dat gokken op de afloop...'

'Ja, of ik wegkom of niet?'

'Ja. De kans dat het je lukt om te ontsnappen is hemelhoog... Dus weet je wat?' Danny hoorde het veelzeggende geluid van de Kid die met moeite zijn lachen kon inhouden.

'Laat me raden: jij gaat ook een gokje wagen.'

'Precies. Maar weet je waarom?'

'Nee.'

'Omdat ik vertrouwelijke informatie heb.'

'Nou, wat dan?'

'Ik weet dat de Running Man nóg sneller is dan hij eruitziet.'

Danny glimlachte. Want hoewel hij wist dat het een grapje was, besefte hij dat er een kern van waarheid in zat. De Kid geloofde in hem. Hij geloofde dat hij dit tot een goed einde kon brengen. En zolang Danny zich kon blijven concentreren, kon hij ervoor zorgen dat de Kid daarin gelijk zou krijgen. Hij moest vooral niet denken aan die negen inlichtingendiensten en drieëndertigduizend agenten. Dat waren maar getallen, statistieken.

Onthoud goed, zei hij tegen zichzelf, dat dit de specialiteit is van de Kid en mij: onzichtbaar blijven, achtervolgers te slim af zijn, in leven blijven.

Maar op dat moment kreeg hij de schrik van zijn leven.

Nieuwe beelden onderbraken het al bekende beeldmateriaal dat op tv te zien was geweest. Ditmaal geen beelden die op afstand waren opgenomen, maar beelden van Danny in close-up, terwijl hij een foto van de grond raapte.

Een scherp portret van Danny Shanklin vulde het scherm.

Danny's hersenen gingen even snel tekeer als zijn hart. De man in het krijtstreeppak bij Harrods... De man tegen wie hij was opgebotst, die aan het bellen was... Op een of andere manier was het hem gelukt Danny te fotograferen op het moment dat zijn gezicht ontbloot was, meteen nadat zijn zonnebril op de grond was gevallen.

Het leek alsof zijn keel werd dichtgeknepen. Hij kreeg kramp in zijn borst. Nu was het nog maar een kwestie van tijd voordat ze wisten wie hij was.

Maar zelfs dat uitstel van executie was hem niet gegund. De foto bleek slechts een voorproefje van wat de media nog meer wisten. Terwijl Danny's gezicht op het ene na het andere televisiescherm in de winkel te zien was, flitsten er ook woorden onder deze beelden.

De Running Man had een naam gekregen.

Vijfendertig

14.04 uur, Chelsea, Londen SW3

'Danny? Danny... ben je er nog?'

De woorden DANIEL SHANKLIN stonden op elke televisie in de etalage van de elektronicazaak in koeienletters onder zijn portret.

'Danny?'

Eindelijk drong de stem van de Kid tot Danny door. Hij rukte zijn blik van de beeldschermen.

'Wacht even,' zei hij.

Blijven staan, niet vallen. In godsnaam niet vallen. De zuil waar hij tegenaan leunde leek van spons. Het hele overdekte winkelcentrum leek niet echt te bestaan, alsof alles wat hij zag even onwerkelijk was als de digitale omgeving in Noirlight.

Hij vocht tegen de angst die in hem opkwam. Hij moest zich concentreren op het hier en nu.

Lexie.

Zijn dierbare prinses. Nu zijn identiteit openbaar was, zou de link van hem naar haar snel gelegd zijn, dat stond als een paal boven water.

Hij had precies gedaan wat hij gezworen had nooit te zullen doen: opnieuw haar leven in gevaar brengen.

De politie, het leger en elke geheime dienst die achter

Danny aan zat, zouden zijn identiteit meteen gebruiken om in elke beschikbare officiële database alles over hem uit te zoeken.

Ze zouden zijn hele levensgeschiedenis bij elkaar puzzelen – vanaf zijn geboorte, zijn huwelijk tot aan de geboorte van zijn kinderen en de dood van zijn vrouw en zoon.

Dan zouden ze ook alles over Lexie te weten komen. Hoe oud ze was, waar in Londen ze woonde, naar welke school ze ging. Ze zouden haar komen opzoeken. Haar gebruiken om hem te lokken. Daar twijfelde Danny geen moment aan.

Hij moest onmiddellijk naar haar toe. Haar ergens veilig onderbrengen. Nu meteen.

Hij draaide zich om naar de nooduitgang die naar de parkeerplaats op het dak leidde, en dacht na over de vraag welk type voertuig hij het beste kon stelen. Maar ineens stond hij stil. Dat zou te riskant zijn. Overal op de parkeerplaats hingen beveiligingscamera's. Bovendien: als hij een auto met een transponder zou stelen, zou hij nog sneller door de politie worden opgespoord.

Daarom koos hij voor de lift. Terwijl die naar beneden ging, keek hij naar zijn versplinterde spiegelbeeld in het spiegelmozaïek aan de wand. Hij trok zijn pet verder omlaag, vouwde zijn kraag omhoog en zette zijn zonnebril weer op zijn neus.

Een wereldwijd bekende neus nu.

Terwijl de glazen lift naar beneden zoefde, keek hij de begane grond af. Hij telde de beveiligingscamera's en zocht naar een blinde vlek. Die vond hij. In de rechterhoek van het centrum, vlak bij de zuidelijke uitgang, lag een bloembed met plastic gebladerte en tropische kunstbloemen, buiten het oog van de camera's.

Danny rende eropaf zodra hij op de begane grond stond, met de pas en geheugenstick in zijn hand. Hij ging op het muurtje van het bloembed zitten en draaide zich half om naar de kunstbloemen achter hem. De bak was gevuld met zand. Hij leunde achterover op de hand met de geheugenstick en de pas en stak beide diep in het zand. Hij keek nog eens achterom om te zien of hij ze goed verstopt had.

'Ben ik nog steeds te zien op je GPS?' vroeg hij aan de Kid.

'Natuurlijk, maar...'

'Bij de uitgang in het zuiden van het centrum. Links van je ligt een bloembed als je binnenkomt.' Hij stond op, draaide zich om en maakte met zijn telefoon een foto van de bloembak waarin hij de stick en de pas had verstopt. Hij koos het nummer van de Kid en drukte op 'verzenden'. 'Ik heb de USB-stick en de pas hierin verstopt. Je moet ze zo snel mogelijk gaan halen.'

269

'Hoezo? Ben je dan niet van plan zo snel mogelijk naar me toe te komen?' De Kid klonk geschrokken.

'Heb je het laatste nieuws al gezien?' vroeg Danny. Hij duwde de glazen tochtdeur van het winkelcentrum open en stond buiten op de warme, drukke stoep.

Claxonnerende auto's. De stank van benzinedampen. Het verkeer kwam stapvoets vooruit. De zon brandde fel, het licht weerkaatste in voorruiten en etalages. Danny ging naar rechts, liep snel. Opnieuw moest hij zich beheersen om niet te gaan rennen.

De stem van de Kid klonk weer. 'O, shit. Jezus, man, dit is niet te geloven.' Zo van streek had Danny hem nog nooit meegemaakt.

'Hoe hebben ze verdomme zo snel mijn naam bij die beelden kunnen vinden?' vroeg Danny.

Want voor uitslagen van forensisch onderzoek in de Ritz was het nog te vroeg. Dat betekende dat zijn naam alleen maar via de beelden van die telefoon aan het licht kon zijn gekomen. En dat betekende dat iemand ze door openbare, Amerikaanse databases moest hebben gehaald. Maar hoe hadden ze zo snel een match kunnen vinden?

'Ik... Ik weet het niet.' De Kid hakkelde. Hij was kennelijk net zo geschrokken als Danny. 'Misschien... misschien werden die beelden eerst ergens uitgezonden... Misschien op een nieuwszender in de States...

Of misschien heeft iemand je herkend en de politie gebeld, weet ik veel. Dat is het enige wat ik nu kan bedenken, Danny... Ja, dat is het waarschijnlijk.'

Dat was natuurlijk mogelijk. Maar er was nog een mogelijkheid, een waar hij liever niet in geloofde, maar hij zou gek zijn als hij er geen rekening mee hield. Namelijk, dat Crane zijn ware identiteit had prijsgegeven. Ofwel uit naïveteit, ofwel uit een misplaatst vertrouwen in zijn tussenpersoon bij de Amerikaanse regering, die eveneens uit naïveteit – of opzettelijk – Danny's naam had doorgegeven aan de man met de haviksneus.

Waardoor de mogelijkheid bestond dat de man met de haviksneus had besloten de politie te helpen bij het vangen van hun voortvluchtige.

Danny hoopte maar dat hij Crane verkeerd beoordeelde. Maar hij wist het niet. Wel wist hij dat uiteindelijk iedereen kon worden omgekocht. Cranes tussenpersoon. Crane zelf. Met de juiste middelen – financieel of emotioneel – was iedereen te koop.

Hoe dan ook, Crane was een risico dat Danny zich niet meer kon permitteren. Hij zou geen contact meer met hem opnemen.

'Je moet onderduiken,' zei de Kid. 'Van de straat af. En dan snel die schurken vinden. Ik ga die stick en die pas daar echt niet ophalen, Danny. Jij moet ze naar mij toe brengen, dat is het snelst.'

Maar Danny was al honderd meter van het winkelcentrum en ging niet terug. Het zweet droop van zijn voorhoofd. Zijn kleren voelden aan als natte verf die op zijn huid was gespoten. De druk, de hitte, wat het ook was... Hij voelde zich duizelig, misselijk, alsof hij elk moment kon overgeven of flauwvallen. De hele dag had hij het gevoel gehad dat er een strop om zijn hals zat. Hoe harder hij eraan rukte in een poging te ontsnappen, hoe strakker die werd aangetrokken. Pas nu vroeg hij zich af of hij dit wel zou overleven.

Het verkeer aan zijn kant van de straat kroop nog steeds in beide richtingen met een slakkengang vooruit. Hij overwoog terug te gaan naar de ondergrondse parkeerplaats en de brommer te pakken, maar de kans was groot dat de politie met behulp van beveiligingscamera's zijn ontsnappingsroute tot hier toe had getraceerd.

Langzaam reed een zwarte Londense taxi over een bus- en taxibaan zijn kant op. Het oranje licht op het dak betekende dat hij vrij was.

'En Danny, verdomme,' zei de Kid, 'zorg alsjeblieft dat je gezicht bedekt blijft. Er gelden nu andere regels. Als je denkt aan al die beveiligingsnetwerken die ik volg, de netwerken die de politie gebruikte toen jij nog in dat trainingspak rondliep, dan mag je ervan uitgaan dat je nog dieper in de problemen zit.

Want niet alleen zoeken nu agenten naar beelden van jou... Ze zullen jouw gezichtskenmerken in hun programma's invoeren zodat computers ook naar jou op zoek gaan...'

Danny wist waar hij op doelde: intelligente beveiligingscamera's. De Britten behoorden tot de wereldtop als het ging om het bespioneren van hun eigen bevolking. De helft van Londen gebruikte een beveiligingssysteem met gezichtsherkenning. Deze systemen waren verre van volmaakt, maar zouden voor Danny het einde kunnen betekenen.

'Nog een reden om van de straat te blijven,' zei de Kid. 'Ik wil dat je nú met je reet hier naast mij komt zitten.'

Danny luisterde nog maar amper. Hij hield de taxi aan.

'Danny?' Alweer klonk de Kid verward. 'Wat ben je aan het doen? Ga terug en haal die pas en stick op!'

De Kid moest zojuist op zijn GPS hebben gezien dat Danny nog steeds niet terugging naar het winkelcentrum.

'Haal ze zelf op en zoek uit wat erop staat,' zei Danny. 'Ik bel je zodra ik kan.'

'Maar Danny... Danny...' De Kid schreeuwde nu. 'Ik meen het, verdomme. Ik sleep je erdoorheen. Maar dan moet je wel hierheen komen, Danny, nu meteen. Je moet...'

Danny hing op. Terwijl hij de taxi in stapte, checkte hij of hij nog een bericht van Crane had gekregen. Niets. Vervolgens werd het scherm van zijn telefoon langzaam zwart en was de batterij helemaal op.

'Hé man, waar moet je zijn?' vroeg de chauffeur, terwijl hij in de achteruitkijkspiegel naar Danny keek.

'Naar de hoek van Whelan en Peters Street,' antwoordde Danny. 'Als je me daar in minder dan tien minuten heen kunt brengen, betaal ik je het driedubbele tarief, oké?'

Danny staarde naar buiten. De taxi scheurde over de stoeprand en reed een steeg in. Terwijl de wagen op snelheid kwam en de gebouwen voorbijzoefden, zat Danny voorovergebogen op de achterbank, zijn handen tot vuisten gebald.

Lexie. Hij moest naar haar toe. Hij moest op tijd bij haar zijn. Hij kon zijn dochter niet nog eens in de steek laten.

Zesendertig

Zeven jaar daarvoor, North Dakota

De ijzige wind knetterde als statische elektriciteit door de broze takken van de dennen. De lucht smaakte naar ozon, leek bijna knapperig. Het sneeuwde nu hard, de vlokken dansten als een storing op tv.

Danny probeerde wanhopig zijn ademhaling te beheersen, helder na te denken en zijn bonzende hart tot bedaren te brengen. Maar hij leek nu niets aan zijn training te hebben. Dit was geen werk. Dit was privé.

Hij ging plat tegen de buitenmuur van de blokhut staan, schuifelde zijdelings door de glinsterende spinnenwebben aan de dakrand, stapje voor stapje zodat hij niet op een takje of bevroren bladeren zou trappen.

In de hut lag een Beretta kaliber twaalf met kogels, achter slot en grendel zodat de kinderen er niet aan konden komen. Maar als hij gelijk had en er was hier iemand met kwade bedoelingen, had hij daar nu niets aan. Dan zou hij sneller te werk moeten gaan.

Hij hield het Bowie-mes in zijn rechterhand. Was gevechtsklaar. Hij bleef staan bij de hoek van de hut om te luisteren. Hij hoorde alleen de wind. Hij wachtte even. Toen wierp hij een blik om de hoek. De veranda was leeg. Hij keek nog eens. De gordijnen en de deur waren nog steeds dicht.

Een laatste blik bevestigde dat er geen derde voetspoor was bijgekomen dat naar buiten leidde. De vreemdeling zat dus nog binnen. Danny drukte zijn oor stevig tegen de wand en luisterde weer. Als degene die daar binnen zat met Sally of Jonathan praatte, zou hij de gedempte geluidstrillingen van het gesprek kunnen horen.

Maar het bleef stil.

Danny hurkte. Als kind deed hij hier soms een spelletje. Dan probeerde hij zijn vader aan het schrikken te maken wanneer die buiten in de schommelstoel lag te snurken, nadat hij met Danny's moeder op een warme zomerdag te veel biertjes had gedronken.

Maar het was Danny nooit gelukt. De reden daarvoor was simpel. De planken die zijn ouwe voor een zacht prijsje bij de plaatselijke zaagmolen had opgekocht, waren krom. Hoeveel spijkers hij er ook in had gejaagd, ze bleven licht doorbuigen als je erop ging staan. En kraakten dan.

Daarom koos Danny voor de snelle aanval en niet voor een besluiping.

Hij sloeg de hoek om en schoot naar de voordeur. Misschien zat de deur op slot of was hij gebarricadeerd. Hij kreeg geen tweede kans om zijn bezoeker te verrassen.

Uit alle macht ramde hij met zijn schouder de deur. Zonder weerstand vloog die open.

De blokhut bestond uit één grote ruimte, met een paar afscheidingen van hardboard voor twee slaap-ruimten. Danny had een koprol willen maken, om zich te beschermen tegen het lemmet van zijn Bo-wie-mes. In het midden van de hut, zo'n twee meter van de deur, zou hij dan overeindkomen, zodat hij om zich heen een vrije gevechtscirkel met een radius van maximaal tweeënhalve meter had.

Vanuit die positie zou hij het gevaar kunnen beoor-delen en onschadelijk maken.

Maar het leek alsof zijn benen onder zijn lijf weg werden getrokken en de wereld op zijn kant lag. Met zijn armen en benen uit elkaar lag hij plat met zijn gezicht op de houten vloer. Hij had pijn en draaide hij zich om, een brandend gevoel in zijn zij. Onmid-dellijk besefte hij dat het Bowie-mes in zijn vlees stak. Hij pakte het handvat en rukte het lemmet uit zijn lijf. Kreunend stond hij op.

Sally keek hem met grote ogen aan. Haar witte nacht-hemd was gescheurd en bevlekt met bloed. Ze zat vastgebonden aan een van de vier huiskamerstoe-len, naast de tafel in de kleine keuken in de rechter-hoek van de kamer.

Haar linkerwang was opgezwollen; ze was duidelijk geslagen. Haar mond was met tape afgeplakt. Met dezelfde tape waren haar benen, middel, onderarmen en de rug van haar handen aan de stoel gebonden zodat ze zich niet kon verroeren.

'Laat vallen.'

Danny draaide zich om, het mes klaar om een aanval te pareren of aan te vallen. Maar hij werd niet belaagd.

Het eerste wat hij zag was Jonathan. Zijn mond was net als die van Sally met tape dichtgesnoerd. Zijn ogen leken groot als schotels, waren vochtig van tranen, de randen rood en rauw. Hij leek te zweven. Daar, in zijn rode pyjama in het duister van de onverlichte kamer.

Toen drong tot Danny door dat zijn zoontje werd gedragen. En dat de man die had gesproken, degene was die Jonathan nu vasthield en uit de donkere alkoof was gestapt naast de haard waar het brandhout werd bewaard.

'Laat hem los,' zei Danny. 'Nu meteen!' En daarna maak ik je af, dacht hij. Dan ruk ik je hart verdomme uit je lijf.

Toen zag hij het pistool. Een halfautomatische Browning M1911. De man drukte de loop stevig tegen Jonathans hoofdje aan.

Danny berekende de afstand tussen hen. Twee snelle

stappen naar voren, meer was niet nodig.

Maar de man wist dat Danny hem niet zou aanvallen. Dat zag Danny aan zijn ogen. Grijze, doffe ogen, zag hij, platte ogen, de ogen van een dode vis. Ogen die geen vrees kenden. Ik haal de trekker over voordat je bij me bent, las Danny in die blik. De man wist dat Danny niet op hem af zou duiken, dat hij het leven van zijn zoontje nooit zou riskeren.

'Laat dat mes vallen,' zei de man opnieuw.

Deze keer deed Danny wat hij zei. Hij kreeg het gevoel alsof alle kracht uit zijn lijf werd gezogen, alsof hij in een vacuüm stond, beroofd van alle lucht. Hij legde het mes op de vloer. Hij had geen andere keus.

'Trap het weg,' zei de vreemdeling. Zijn stem klonk schril en zwak. Een zuidelijk accent. Beschaafd.

Opnieuw gehoorzaamde Danny. De wond in zijn zij veroorzaakte een felle steek die door zijn ribben trok toen hij het mes wegschopte. Tollend gleed het over de sleetse houten planken tot het buiten zijn bereik was.

De man deed nog een stap uit de schaduw. Danny nam alles op wat hij zag. De brede schouders. De sterke lichaamsbouw. De uitstekende jukbeenderen. Hij zag er goed uit, zou je bijna zeggen, als hij niet zulke levenloze, asgrijze ogen had. Er klopte iets niet met de grootte van die ogen. Ze waren te klein voor zijn gezicht. De man had de kraalogen van een zeemeeuw. Hij leek deels roofdier, deels aaseter. Als hij de kans kreeg, zou hij het vlees van je botten eten en ze daarna in de zon laten liggen bleken.

Hij droeg een zwarte jumper met een ronde kraag en een donkerblauwe spijkerbroek. Geen merkkleding. Neopreen handschoenen. Zijn kop was pas geschoren. Hij had een schone huid. Gescrubd. Kaal en wit als sneeuw. Hij had zich voor deze gelegenheid kaalgeschoren, concludeerde Danny onmiddellijk. Voor het geval iemand hem deze kant had zien uitgaan. Dit was zijn moordgezicht, dat hij voor deze gelegenheid bewaarde. Zijn naakte vermomming.

Danny's onderbewustzijn nam al deze details in enkele seconden op. Maar het enige waar hij aan kon denken was dat de vreemdeling zijn zoontje vasthield. Het enige waaraan hij kon denken was Jonathans kloppende hart. En aan dat pistool dat tegen zijn slaap werd gedrukt.

Een door merg en been gaand gejank. Van Sally. Gedempt door de tape.

'En nu plat op je buik,' zei de vreemdeling.

Danny hurkte langzaam neer. Zijn zintuigen waren in opperste staat van paraatheid. Hij zocht iets, wat dan ook, wat hij eventueel kon gebruiken. Maar het enige wat hij voelde was de koude windvlaag die fluitend door de open deur blies. De stank van smeltend plastic in de open haard. Sally's ademhaling in korte, astmatische pufjes. Zijn zoon kreunde zachtjes.

Een voetstap. En nog een. De vreemdeling kwam dichterbij.

'Leg je handen op je rug – en nee' – een plotselinge stemverheffing, het eerste teken van zenuwen – 'probeer me niet aan te kijken.'

Maar het was al te laat. Danny had al gezien wat de volgende stap was van de vreemdeling. Hij had genoeg gezien om zijn ergste vermoedens te bevestigen.

De man hield het pistool strak tegen Jonathans slaap aan, zijn elleboog om de keel van het jongetje gehaakt. Maar hij had nu ook een lange metalen staaf opgeraapt, waaraan een katrol hing met een strop aan het eind.

De knoop waarmee de strop was gelegd boezemde Danny de meeste angst in. Die knoop had hij ooit eerder gezien.

'Druk je handpalmen tegen elkaar alsof je gaat bidden,' zei de man.

Het woord 'bidden'. Hij sprak het op een bepaalde manier uit. Met respect. Alsof dat precies het woord was dat hij bedoelde. Alsof Danny tot hém zou moeten bidden.

Een nieuwe koude windvlaag kwam door de open deur naar binnen. Danny keek op in Sally's bange ogen. Hij zag ze angstig oplichten om hem te waarschuwen. Ze had gelijk. Bij de minste of geringste beweging, bij elke poging de strop te ontwijken of de man aan te vallen, zou de vreemdeling hun zoontje doodschieten.

Danny wist dit zelfs nog beter dan Sally, omdat hij inmiddels wist wie deze vreemdeling was. Hij was de Directeur. Dat was de belachelijke bijnaam die hij in de pers had gekregen. Hij had de afgelopen zestien maanden in zes verschillende staten elf gezinnen vermoord.

Hij had de hoogste prioriteit gekregen van de Eenheid Seriemoordenaars van de FBI. Danny was zelfs door de Company afgevaardigd om hem te helpen vangen. Om hem op te sporen. In een val te lokken. En het was hem bijna gelukt.

Maar de moordenaar was hem ontsnapt. En nu zat de Directeur achter hem aan. Om de enige man die hem bijna had aangekund op te zoeken. Om hem te ontmoeten en te vermoorden, natuurlijk. Daar twijfelde Danny geen moment aan.

Maar kennis was macht. En Danny dankte God dat hij op zijn intuïtie was afgegaan. Hij dankte God dat hij het mes op die speciale plek had meegenomen. En nu nadenken, zei hij bij zichzelf. Verdomme goed nadenken en een plan verzinnen.

De mannelijke volwassen slachtoffers van de Directeur waren allemaal tegenover hun vrouw en kinderen gezet, de enkels aan elkaar gebonden, de handen vastgebonden op de rug. Geknield, alsof ze baden. Tot deze duistere god die nu voor Danny stond. Hij dwong hen te dienen als zijn publiek – zijn parochie – voor de fantasie die hij voor hun ogen uitleefde met de mensen van wie ze hielden.

Daarom had Danny het vijf centimeter lange mes verstopt. Voor het geval zijn grootste angst bevestigd werd. Want hij was gewaarschuwd dat deze man hem misschien zou komen opzoeken. Hij was gewaarschuwd, maar had het niet geloofd. Niet totdat hij die voetstappen en die auto had gezien.

En omdat hij dat mes van vijf centimeter lang bij zich had, was hij nog niet bereid om in een wanhoopspoging het leven van Jonathan te redden. Niet zolang deze man een geweer op zijn hoofd gericht hield. Niet zolang Danny de controle terug zou kunnen krijgen. Niet zolang hij nog uit deze strop zou kunnen ontsnappen.

Hij bad dat het kleine lemmet niet zichtbaar was nu, terwijl hij voelde hoe de strop over zijn handen gleed en om zijn polsen werd strakgetrokken. Hij bedwong de neiging te gaan kronkelen en weerstand te bieden. Hij kneep zijn ogen dicht en dacht aan zijn zoontje. Hij zwoer zichzelf dat ze het zouden overleven.

De strop werd aangetrokken. Er klonk een zwiepend geluid. Het mechanisme aan de staaf had de knoop van de strop dichtgetrokken. Het lukte Danny niet zijn polsen uit elkaar te trekken toen hij dat probeerde. Maar zijn vingers kon hij strekken. Die konden bij...

Een geschuifel. Een klik. Alweer dat zwiepende geluid. Een tweede strop werd om Danny's enkels getrokken. Jonathan huilde zacht. Danny kon zijn zoontje niet zien, maar hij zag aan Sally's ogen dat hij nog ongedeerd was.

'Ik heb de politie gebeld,' zei Danny. 'Je kunt nog gaan. Je hebt tijd. Als je nu gaat, kun je nog ontsnappen.'

'Leugenaar.'

'Vuile klootzak! Ik heb verdomme de politie gebeld!' Danny schreeuwde het uit. Niet omdat hij dacht dat de vreemdeling hem dan zou gaan geloven. Maar omdat hij bij de vreemdeling de indruk wilde wekken dat hij wanhopig was, dat hij verslagen was.

'Leugenaar.'

Deze keer fluisterde hij het. Van heel dichtbij. Danny voelde de hete adem van de man in zijn oor. Hij stonk naar carbolzeep, mondwater en ontsmettingscrème.

Een klik van het pistool om Danny te laten weten dat het wapen er nog was. De vreemdeling fouilleerde

Danny. Efficiënt. Als een agent, dacht Danny. *Ben je dat soms? Kregen we je daarom niet te pakken? Omdat je bij de politie werkt?*

'Kijk eens wat we hier hebben?'

In Danny's laars had de man het lange mes gevonden, dat Danny daar opzettelijk in had gestoken.

'Ik maak je af, klootzak! Ik maak je verdomme...'

Opnieuw schreeuwde Danny het uit. Opnieuw deed hij alsof hij woedend en wanhopig was. Hij worstelde, schreeuwde, stribbelde tegen op de vloer, kronkelde, probeerde zich om te draaien, te vechten tegen het plotselinge gewicht van de man die zijn knie in zijn ruggengraat zette. Niet omdat hij dacht dat hij zichzelf op die manier kon bevrijden. Maar omdat de vreemdeling zou denken dat het mes zijn laatste hoop was.

De man trok Danny bij zijn nekvel omhoog en sloeg hem met geweld weer tegen de vloer. Plotseling stak hij het lange mes hard en snel in de bloedende wond in Danny's zij.

Weer schreeuwde Danny het uit. Ditmaal hoefde hij geen toneel te spelen. Hij knarste met zijn tanden en drong de tranen terug die in zijn ogen sprongen, terwijl de man het lemmet nog eens ronddraaide.

De man stond op, gaf Danny een trap tegen zijn ribben en deed een stap naar achter om hem te zien kronkelen. Hij wachtte totdat hij klaar was.

'Hij is niet diep,' zei hij toen kalm, alsof er helemaal niets was voorgevallen. 'Die wond, bedoel ik. En dat is maar goed ook, want je mag nu nog niet dood-gaan.'

Hij trok Danny aan zijn haren omhoog. Het scheu-rende geluid van plakband. Hij rolde de tape strak af om Danny's onderkaak, bedekte de mond, plakte zijn tong tegen zijn bovenlip, maar liet zijn ogen en neusgaten vrij.

Hij plantte zijn voet onder Danny's lichaam en schopte, waardoor Danny op zijn rug kwam te lig-gen. In de wandspiegel zag Danny de draad die de vreemdeling voor de ingang had gespannen en waar Danny over was gestruikeld.

Deze keer gebruikte de vreemdeling de metalen staaf als hefboom. Hij draaide Danny weer op zijn buik, tegen de muur van het huisje aan. Hij klemde zijn benen vast met de oude, versleten bruinleren leun-stoel van zijn vader.

'Blijf!' riep hij tegen hem, alsof hij het tegen een hond had.

Danny probeerde rustig in en uit te ademen. *Wees geduldig. Wacht je kans af.* Hij kon het risico niet nemen het kleine mes los te peuteren, nu hij nog met zijn rug naar de kamer lag.

Voetstappen. Het geluid van papier dat wordt verscheurd en opgefrommeld. Een glas water dat wordt ingeschonken, opgedronken en kapotgesmeten in de sissende sintels van de haard.

Jonathan begon te huilen. Danny bad dat hij daarmee ophield, zodat hij niet de aandacht op zichzelf zou vestigen. Geschuif van meubels. Nog meer tape die van de rol werd getrokken. Plotseling het oorverdovende geluid van hamerslagen, heel even maar. Daarna begon het weer.

Op dat moment dacht Danny het ergste. Hij voelde zichzelf verdwijnen, opgaan in het niets. Hij dacht dat hij al had verloren.

Maar toen hoorde hij Jonathan weer snikken en slaakte hij een zucht van verlichting. Hij leefde nog. Hij concludeerde dat dit dan ook voor Sally gold. Opnieuw hoorde hij voetstappen naar de open deur toe komen.

Lexie! Nee! Danny hoopte maar dat het nog sneeuwde. Hij hoopte dat het nooit zou ophouden met sneeuwen. Alsjeblieft, Lexie, smeekte hij in zichzelf. Alsjeblieft, blijf zitten in die boomhut.

Het geluid van een dichtslaande deur. Daarna geknars. Iets dat versleept werd. Danny's hart maakte een sprong van opluchting. De vreemdeling was niet naar buiten gegaan.

Hij weet niets over Lexie, dacht hij. Of hij heeft het opgegeven naar haar te zoeken in de storm.

De pijn trok door Danny's armen toen de vreemdeling hem omhoogtrok bij de knoop om zijn polsen – alsof hij niet meer woog dan een kind – en hem door het huisje sleepte.

Met een hand pakte hij Danny bij zijn haar en haakte zijn elleboog via zijn rug onder zijn kin. Hij trok hem met een ruk omhoog, waardoor Danny's arm bijna uit de kom schoot, en zette hem op een stoel tegenover Sally en zijn zoontje.

Danny staarde strak in de ogen van zijn zoontje. Alle liefde die hij ooit voor iemand had gevoeld, voelde hij nu voor Jonathan.

Toen sloeg de schrik hem om het hart. Naast Sally stond een lege stoel. Voor Lexie. De vreemdeling was haar helemaal niet vergeten.

Krakend handschoenenleer. De vreemdeling pakte Danny bij zijn nek en duwde hem plotseling met veel kracht naar beneden. Hij wond de tape om Danny's bovenlichaam en bond hem zo vast aan de stoel. Ook zijn benen werden strak met tape aan de stoel gebonden.

Toen hij klaar was, keek hij grijnzend op Danny neer. Hij lachte al zijn tanden bloot.

'Je dochtertje... Alexandra...'

Door de manier waarop hij dat zei – alsof hij haar naam op zijn tong wilde proeven – had Danny de neiging de man bij zijn strot te grijpen. De blauwe plekken in Sally's gezicht... Die waren daar niet alleen gekomen omdat de man had willen weten of Danny een telefoon bij zich had... Hij had ook de naam van hun dochter uit haar geslagen.

'Heb je haar ergens buiten verstopt? Of heb je haar eropuit gestuurd om hulp te zoeken?'

De vreemdeling wachtte Danny's antwoord uiteraard niet af, nu hij hem de mond had gesnoerd. In plaats daarvan keek hij Danny in de ogen. Hij keek ernaar zoals een visser op zee turend zoekt naar aalscholvers die naar vis duiken, zodat hij weet waar hij zijn net moet uitwerpen.

Hij keek naar Danny en begon te glimlachen.

'Nee, je hebt haar er niet opuit gestuurd,' zei hij. 'Niet in deze storm. Je hebt haar ergens verstopt. Op een droog plekje uit de wind. Dat deed je ook met de konijnen die je zo ijverig hebt gevild en geslacht.'

Toen wist Danny het zeker: de vreemdeling had hen ofwel de afgelopen dagen bespioneerd, of hij had kort na aankomst de omgeving grondig verkend. Hoe dan ook, hij wist waarschijnlijk dat de dichtstbijzijnde buren ver weg woonden.

Plotseling ging de man voor Sally staan. Hij hurkte voor haar neer en kuste haar op haar gesnoerde mond. Een gesuis vulde Danny's oren. Hij wierp zich met zijn lichaam naar voren. Intuïtief. Zonder erbij na te denken.

Maar er kwam geen beweging in hem of in de stoel. Toen besefte hij het. Die hamerslagen. De vreemdeling had de stoel aan de vloer genageld. Alles wat nu zou volgen, alles wat hij Danny's gezin wilde aandoen, zou Danny noodgedwongen moeten aanzien.

Danny vocht tegen de blinde woede die in hem opkwam. Hij dwong zichzelf zich te concentreren op wat er nu gedaan moest worden. Hij dacht aan het kleine mes. Hoeveel tijd had hij nog? Dat kon hij niet weten. Sommige slachtoffers van deze man werden snel omgebracht, anderen hadden dagenlang geleden.

Geef nooit op. Zeg nooit dat je iets niet kunt.

Hij wilde de moed niet opgeven. Hij had nog altijd het voordeel van het verrassingseffect. De vreemdeling beschouwde hem niet meer als een bedreiging. Dat was duidelijk te merken aan de manier waarop hij Danny nu de rug had toegekeerd en nog wat hout op het smeulende haardvuur had gegooid, waarna hij nog meer kranten verscheurde en tot proppen verfrommelde.

Danny wist waarom hij dat deed.

Met zijn vingertoppen zocht hij naar het kleine mes. Hij begon het los te peuteren.

Zevenendertig

14.19 uur, Brook Green, Londen W6

Door een wirwar van eenrichtingsstraten en steegjes kwam de taxi negen minuten later aan in Whelan Street.

Danny betaalde en stapte gehaast uit. Voor het geval de chauffeur later zou worden verhoord, liep hij de tegenovergestelde richting uit van waar hij moest zijn. Toen de taxi uit het zicht was verdwenen draaide hij om.

Meisjesschool St. Peter's besloeg een groot terrein bij Brook Green. Tijdens de taxirit erheen had Danny geen politie gezien, niet gemotoriseerd maar ook niet te voet.

Ze zoeken me nog steeds op andere plekken in de stad, dacht hij.

Negen minuten. Dat betekende dat precies veertien minuten geleden zijn identiteit door de Britse tv was bekendgemaakt. Mogelijk had het nieuws de school nog niet bereikt. En als dat wel zo was, waren er nog geen maatregelen getroffen.

Hoewel hij het schoolgeld altijd netjes had betaald, had Danny weinig contact met de school sinds zijn dochter er vijf jaar geleden werd ingeschreven, kort na haar elfde verjaardag.

Hij beende door de open poort en liep over het honderd meter lange grindpad.

Door de siertorens in de voorgevel van het hoofdgebouw leek het wel een Engels landhuis. Een fontein met drie gebeeldhouwde dolfijnen, versteend in hun sprong, trok Danny's aandacht naar de ingang van het gebouw. Keurig verzorgde gazons en kleurrijke, volle bloembedden strekten zich links en rechts van hem uit.

De elite van Londen vocht om een plekje voor zijn kinderen op deze school. Lexie was er toegelaten dankzij een kunstbeurs. De eerste vier jaar was ze niet intern geweest, maar toen Jean, haar grootmoeder, ziek werd, ging ze naar het internaat. De enige vakantie die ze sinds de dood van Jean had gehad – de afgelopen paasvakantie – had ze willen doorbrengen bij een schoolvriendin in Engeland, niet bij Danny.

Hij werd door twee auto's gepasseerd terwijl hij verder liep. Beide reden te traag om bij hem paniek te veroorzaken. Toen ze bij de rotonde met de fontein waren gekomen, werden ze door een grijsharige tuinman naar een al bijna volle parkeerplaats geleid, waar zich een drukke mensenmenigte ophield tussen de rijen dure auto's, alsof ze een exclusieve autoshow bezochten.

De meeste mannen droegen een linnen pak en panamahoed met lint; de vrouwen waren gekleed in modieuze bloemetjesjurken. Danny zag er in zijn sweater met capuchon en spijkerbroek eerder uit als iemand die op het punt stond een auto te kraken. Achter de gazons links van het hoofdgebouw strekte zich een weids en vlak terrein uit met tennisbanen, hockeyvelden en een geasfalteerde atletiekbaan. Een stuk of honderd in witte sportkleding gehulde schoolmeisjes beoefenden verschillende sporten. Hun aanmoedigende en opgewonden kreten waaiden met de wind naar Danny toe.

Hij zette de pas erin. Als de politie als eerste bij Lexie was geweest, was ze tenminste veilig. Misschien zou ze op televisie moeten verschijnen om hem naar hen toe te lokken, maar ze zou geen lichamelijk letsel oplopen.

Maar als de Kid gelijk had en de Britse geheime dienst erbij was gehaald, en als zíj Lexie in handen zouden krijgen, dan golden er andere regels en dan zag het er veel slechter uit. Want Danny was de vijand. In hun ogen een terrorist die een massamoord op zijn geweten had.

Ze zouden van alles met Lexie uithalen om ervoor te zorgen dat hij naar hen toe kwam of om erachter te komen waar hij was.

De grijze plantsoenmedewerker had Danny weifelend iets toegeroepen, maar Danny negeerde hem en stapte via de afgesleten stenen treden de koele welkomsthal van het hoofdgebouw in.

Een marmeren trap liep spiraalsgewijs omhoog. Het felle zonlicht scheen door de glas-in-loodramen. Enkele meisjes renden kwetterend voorbij. Spiegelende prijzenkasten en schoolfoto's bedekten de muren.

In de drie maanden na de dood van Jean was Danny officieel weer de hoofdverantwoordelijke voor zijn zestienjarige dochter. Maar Lexie wilde niet meer contact met hem hebben dan daarvoor. Twee lunches, dat was alles. Ze hadden zich allebei ongemakkelijk gevoeld, er was vrijwel niets gezegd. Even ongezellig als de andere ontmoetingen die hem af en toe gegund waren toen Jean nog leefde.

Het lag Danny als een steen op de maag dat hij als vader had gefaald. Wat wist hij nou van Lexie? Niets. Hij werd misselijk van de zenuwen bij de gedachte dat hij haar ging zien. Hij wist niet waar hij moest beginnen om het haar uit te leggen. Hij hoopte maar dat ze het nieuws nog niet had gezien nu zijn naam bekend was gemaakt. Hij hoopte dat hij het haar zelf kon vertellen.

Zijn nieuwe sportschoenen piepten over de antieke, rood-wit geblokte vloertegels toen hij naar de receptie liep, een met mahoniehouten panelen afgezette balie waarachter een onberispelijk verzorgde vrouw van midden veertig in een stapel papieren zat te bladeren. Geen televisies in de buurt.

Terwijl Danny zich naar haar toe boog, keek ze op. Ze had indringende, bruine ogen en gitzwart haar dat strak naar achter was gekamd. Haar professionele glimlach aarzelde slechts even toen ze zag dat hij een sweater en een spijkerbroek droeg.

'Waarmee kan ik u helpen?' vroeg ze.

'Mijn dochter studeert hier.' Danny schakelde soepel over op bekakt Brits.

'Er is een picknick voor ouders en leraren op het parkeerterrein,' zei ze, 'daarna een borrel in het paviljoen.'

Danny staarde haar uitdrukkingsloos aan.

'Het paviljoen... Tussen de atletiekbaan en het zwembad,' zei ze. 'U bent hier toch voor de sportdag?'

'Eh, ja.' Danny herinnerde zich de brief waarin stond dat Lexie vanmiddag de vijftienhonderd meter liep. Hij herinnerde zich ook dat hij gepland had hier vandaag heen te komen na zijn vergadering in de Ritz, om ongezien naar haar te kijken. Hij kon nauwelijks bevatten wat er in die paar uur allemaal was gebeurd.

Hij keek door de deuropening naar de oprijlaan. Die was vrij. Toen hij weer naar de receptioniste keek, zag hij dat ze hem behoedzaam gadesloeg. Hij keek vriendelijk terug om haar in te palmen.

'Mevrouw, moet u kijken wat er met me is gebeurd,'
zei hij, terwijl hij zijn zonnebril omhoog deed om
de blauwe plekken in zijn gezicht te laten zien. 'Een
botsing tijdens een polowedstrijd. Ben potdorie van
mijn paard gevallen.'
Ze kromp meelevend ineen.
'Ik zou nu heel graag mijn dochter even willen zien.
Voordat de wedstrijden beginnen.'
'Dat begrijp ik.' De vrouw vertrok haar gezicht terwijl ze op haar horloge keek. 'Het probleem is dat de
meeste meisjes nu bezig zijn met omkleden.'
Danny maakte zich een voorstelling van de oprijlaan van de school. Hij voelde de problemen aankomen, en snel ook. Hij zag de achtervolgingsauto's
die hem bij Hyde Park bijna hadden ingesloten, al
om de dolfijnenfontein scheuren.
Hij keek de receptioniste diep in de ogen en deed
zijn uiterste best beleefd te blijven.
'Als u kunt helpen, zou ik dat buitengewoon waar-
deren.' Hij glimlachte weer. 'En trouwens, die blouse
past bijzonder goed bij de kleur van uw ogen.'
De receptioniste begon te blozen. Maar haar mondhoeken krulden al in een glimlach toen ze naar de
intercom zocht.
'Goed dan,' zei ze, 'ik zal kijken wat ik kan doen om
haar voor u te vinden. Kunt u zeggen hoe u... hoe ze
heet?' corrigeerde ze zichzelf.

'Alexandra. Alexandra Shanklin.'

'Lexie?' riep een meisjesstem achter hen, waardoor de hand van de receptioniste boven de knop van de intercom bleef hangen.

Danny draaide zich om men zag een lang, blond tienermeisje, mager als een spriet en met een iPad nonchalant onder haar arm.

'Dat klopt,' zei Danny.

Het meisje glimlachte vrolijk terug. 'Ik heb haar net gezien. Op de plaats. Als u opschiet, staat ze daar misschien nog.'

'Eh, dank je wel.' Danny draaide zich om naar de receptioniste, deze keer met een verlegen glimlach.

'De "plaats",' zei hij. 'Kunt u mij vertellen waar, en wat, dat is?'

Achtendertig

14.23 uur, Brook Green, Londen W6

Na een wandeling van bijna twee minuten door de met eikenhout gelambriseerde gangen van het hoofdgebouw, kwamen ze aan op de binnenplaats. Het meisje met de laptop had Danny erheen gebracht. Ze heette Sarah en vlak voordat ze afscheid nam, vertelde ze dat Lexie haar beste vriendin was. Aangekomen op de binnenplaats wenste ze hem veel succes. Aan de blik te zien die met deze woorden gepaard ging, vermoedde Danny dat hij dat wel kon gebruiken.

De vijftig meter lange, in de stralende, blauwe lucht, liggende binnenplaats, met zuilen en alkoven, werd aan twee kanten ingesloten door hoge, gotische gebouwen. Twee stenen bogen, breed genoeg om met een auto onderdoor te rijden, sierden de andere twee andere zijden. Je kon er de atletiekbaan in het noorden en het dolfijnenstandbeeld in het zuiden doorheen zien.

Eerst herkende Danny Lexie niet te midden van het groepje in sportkleding gestoken tienermeisjes, die met elkaar stonden te kletsen en te lachen naast een zwart geschilderde deur.

Er waren drie jongens bij, die genoten van de aandacht die ze kregen in deze voor het overige vrouwelijke omgeving. Alledrie van dezelfde leeftijd, zestien of zeventien jaar. Ze droegen geen schooluniform, maar een spijkerbroek, T-shirt en laarzen. Waarschijnlijk waren het vriendjes of familieleden van deze meisjes.

Pas toen hij zo dicht bij het groepje stond dat enkele oplettende meisjes stilvielen, wist Danny zeker dat het lachende meisje dat tegen de muur leunde naast de deur, zijn dochter was.

Ze was slank, net als haar moeder. Maar terwijl Sally elegant was geweest, had Lexie knokige knieën, was ze slungelig en nog niet volgroeid. En profil was ze een elfje, leek ze zo veel op Sally dat zijn hart ineenkromp.

Ze had hem nog steeds niet gezien. Ze zette zich af tegen de droge, stoffige muur en draaide zich om naar een jongen met donker haar die zojuist met een geoefende tik van zijn laars zijn skateboard rechtop had gezet.

Nu hij haar in volle lengte zag, meende Danny dat ze misschien wel drie centimeter was gegroeid sinds de laatste keer dat hij haar had gezien. Hij besefte dat zijn kleine meisje op een dag waarschijnlijk langer zou zijn dan hij.

Ze had haar haren geverfd en opgestoken. Er liepen zwarte strepen als dropveters door haar rosblonde coupe.

Toen de andere meisjes, in een wolk van weeë parfum, een stap achteruit deden om Danny erdoor te laten, zag Lexie hem eindelijk ook. Hij zag meteen dat ze zijn komst helemaal verkeerd interpreteerde. Dat ze dacht dat hij voor de sportdag kwam. Haar vader van wie ze was vervreemd, die een onhandige poging deed het goed te maken.

Als hij van plan was geweest zich met haar te verzoenen, had hij geen slechter moment kunnen kiezen.

Hij zette zijn zonnebril af en kreeg daar meteen spijt van. Toen ze de blauwe plek zag die hij aan Alan Offiniah had te danken, werd haar blik nog killer.

'Wat doe je hier?' vroeg ze.

Hij hoorde autobanden door het grind slippen.

Danny keek geschrokken naar de ingang van de school. Er gebeurde waar hij al bang voor was. Een, nee, twee ongemerkte zwarte Mercedessen waren zojuist in een mist van zomerstof naast de fontein tot stilstand gekomen.

Er stapten al een paar mannen uit. Sommige in pak, andere in spijkerbroek, T-shirt en met zonnebril. Een van hen droeg een leren jasje. Twee van hen renden naar de ingang.

De anderen verspreidden zich.

'Je moet met me meegaan,' zei Danny.

'Je kunt niet zomaar komen binnenwandelen en mij vertellen wat ik moet doen...'

Hij pakte haar bij de schouder en trok haar opzij zodat hij de achterdeur kon opendoen.

'Blijf met je fikken van me af.' Ze probeerde zich los te wurmen.

Hij liet haar niet gaan. Hij moest haar daar weg sleuren. Nu meteen.

'Waar ben in je godsnaam mee bezig, man?'

Danny voelde een flinke por in zijn rug. Toen hij zich omdraaide, zag hij dat een van de jongens, die met het skateboard – mager, maar atletisch gebouwd, donkere krullen – breeduit voor hem ging staan.

'Zou ik niet doen,' zei Danny.

De jongen had zijn benige handen tot vuisten gebald. Lexie ging tussen hen in staan.

'Het is goed,' zei ze. 'Dit is mijn vader.'

In de ogen van de jongen was verwarring te lezen, maar hij bleef staan waar hij stond, naast haar. Hij ontspande zijn vuisten geen moment.

Er kwamen nog meer voertuigen slippend tot stilstand bij de ingang van de school. Geen sirenes. Geen agenten. Portieren gingen open en dicht. Nu hoorde Lexie het ook. Ze keek ernaar en daarna naar haar vader. Haar ogen opengesperd van de schrik.

'Pap, wat is dit? Wat is er aan de hand?'

Pap. Al jaren had ze hem zo niet meer genoemd.

Niet sinds ze met zijn tweeën naar California waren verhuisd na de dood van Sally en Jonathan. Niet sinds hij daar met haar had gewoond, zwijgend voor de televisie, zij overlevend op pizza's en cola, hij op de pillen van de dokter en de drank.

Hij keek in haar ogen. Zijn kleine meisje. Ze had hem over zijn hoofd geaaid als hij laveloos in zijn bed lag. Ze had de flessen opgeruimd en rinkelend buiten bij het vuil gezet.

Er klonk een bevel. Een van de mannen in pak – kaal, breed, sterk – rende doelgericht naar de boog-ingang van de binnenplaats.

De andere kinderen stoven uiteen toen ze voelden dat er iets aan de hand was. Behalve de jongen met de krullen die het tegen Danny wilde opnemen. Hij had zijn blik niet van hem afgewend. Was geen centimeter geweken.

'Lex,' zei hij. 'Wat wil je dat ik doe?'

Danny zag de blik in de ogen zachter worden toen ze naar de jongen keek. Die twee waren duidelijk meer dan alleen vrienden.

'Wacht hier op me,' antwoordde ze.

Lexie trok de zwarte deur open. Danny volgde haar naar binnen.

'Ik ga niet met je mee als je me niet eerst vertelt waarom.'

Danny kon haar gezicht niet zien. Ze liep voor hem

uit in een donkere gang. Een pijl met BIBLIOTHEEK erop wees naar links, maar Lexie gidste Danny naar rechts, terwijl verderop in de gang een apparaat werd aangezet dat veel kabaal maakte.

'Wacht,' zei Danny.

Het toenemende lawaai van het apparaat overstemde zijn woorden. Lexie rende langs een leeg klaslokaal. Rijen met tafeltjes en stoelen eronder. Een schoolbord met een reeks wiskundige vergelijkingen die deels waren uitgeveegd.

Even later werd de herrie oorverdovend, toen ze voorbij een andere deuropening liepen, waar Danny een schoonmaker in een blauwe overall voorovergebogen de versleten vloer zag boenen.

De gang vertakte zich naar links, maar Lexie bleef rechtdoor gaan. Naar een muzieklokaal, zag Danny, terwijl hij achter haar aan rende. Er stond een piano rechts tegen de muur. Danny holde naar de manshoge ramen en keek naar het binnenplein.

Lexies vriendinnen waren al weg. Behalve de jongen, die zich aan zijn woord had gehouden en de deur waardoor Lexie en Danny waren vertrokken nog steeds strak in het oog hield.

De rennende man in pak was daar nog niet aangekomen. Hij stond stil onder de booingang van de binnenplaats met een mobieltje onder zijn oor geklemd en keek om zich heen.

Ze stellen zich op... spreiden hun net...
Lexie trok de deur dicht, zodat de herrie van de boen-
machine werd gedempt. Toen Danny naar haar keek,
zag hij alleen maar haat en woede in haar ogen.
'Wat denk je wel? Ineens sta je hier en...'
'Je bent in gevaar,' zei hij. 'Je moet me vertrouwen.
We moeten vluchten.'
Net als die keer in het bos, iets in haar ogen – een
waarschuwing – waardoor ze plotseling stil ging
staan. Haar schrandere ogen keken uit het raam.
'Die lui daar bij de ingang van de school, zijn die
naar jou op zoek?'
'Ja.'
'Waarom?'
'Ze denken dat ik iets heel ergs heb gedaan.'
'Wat?'
'Ze denken dat ik mensen heb neergeschoten. Heel
veel mensen. Ze denken dat ik ze allemaal heb neer-
geschoten.'
'Mijn god...'
Hij zag haar gezicht vertrekken. Haar opstandig-
heid verdween. Ze leek weer een kind, gewoon een
kind.
'Al die lui op het nieuws...' zei ze. 'De Running Man.
Ben jij dat? Jezus. O mijn god.' Het leek alsof ze elk
moment kon overgeven. 'Iedereen heeft het erover.'
Ze schudde haar hoofd, alsof ze het nog niet hele-

maal kon geloven. 'Er zouden... er zouden bijna dertig mensen zijn omgekomen.'

Door het raam zag Danny de brede, kale man langzaam de binnenplaats op lopen. Hij hield zijn rechterhand in zijn colbert, alsof hij daar iets in zocht. Danny wist al wat dat was.

'Waarom geef je jezelf niet aan?' vroeg Lexie. 'Vertel je ze niet gewoon dat je onschuldig bent?'

Hij werd overspoeld door een diepe genegenheid voor haar. Ze had niet eens gevraagd of hij het gedaan had. Ze had het niet gevraagd.

'Die lui daarbuiten, die zijn niet van de politie,' zei hij. 'En als ze dat wel zouden zijn en ik me over zou geven, zou ik misschien wel levenslang krijgen – als ze me niet meteen zouden neerknallen. Ik moet koste wat kost bewijzen dat ik het niet gedaan heb.'

Een andere man in een grijs pak – blond, zwaar, snel – ging naast de brede vent staan. Voorzichtig slopen ze over de binnenplaats naar de jongen bij de deur.

'Alsjeblieft, Lexie,' zei Danny. 'Ze zullen jou tegen mij gebruiken. Ze zullen je pijn doen om te krijgen wat ze willen.'

Dit was zijn laatste kans. En zij besefte het ook. Op dat moment veranderde er iets in haar. Hij zou nooit begrijpen waardoor. Misschien kwam het door de manier waarop hij zojuist geklonken had. Of misschien zag ze op een of andere manier weer dat ge-

305

voel van verslagenheid in zijn ogen.

'Deze kant op,' zei ze.

Ze trok de deur van het muzieklokaal open en rende de lawaaicrige gang in.

Vader en dochter sloegen samen op de vlucht.

Negenendertig

Lexie holde het muzieklokaal uit naar rechts en rende voor Danny uit door de gang met de rode tegels.
Door de herrie van de boenmachine waren haar voetstappen niet te horen. Danny rende vlak achter haar
aan toen ze door een reeks klapdeuren stormde en
een galmende aula met hoge balken in rende.
Recht voor zich zag hij twee gesloten nooduitgangen die waarschijnlijk naar buiten leidden, naar de
achterkant van het hoofdgebouw, hopelijk buiten
het zicht van de mannen bij de Mercedessen.
Links, aan het einde van het pad door de rijen met
onbezette plastic stoelen, was de hoofdingang van
de aula: twee enorme, gedetailleerd bewerkte houten deuren, met daarin twee kleinere deuren. Eén
daarvan stond op een kier en liet een dunne verticale streep zonlicht door.
Maar Lexie rende naar rechts.
'Waar ga je heen?' siste Danny. Hij wilde juist naar
buiten. Hij wilde zo snel mogelijk het gebouw uit.
'Naar de zolder.'
'Wat?'
'Waar we roken. Daar kunnen we ons verstoppen.'
Ze rookt?

'Verstoppen heeft geen zin,' zei Danny. 'Ze zullen ons vinden. Als ze weten dat ik hier ben, kammen ze het hele gebouw uit.'

Meteen nadat hij dat gezegd had, dacht Danny: misschien zijn ze helemaal niet hiernaartoe gekomen voor Lexie. Misschien was ik niet zo slim als ik dacht. Misschien wilden ze alleen míj hebben... Maar dat maakte nu geen verschil meer.

'Weet ik,' riep Lexie terug, geen moment haar pas inhoudend. Ze vloog de houten trap op naar het podium. 'Maar als we boven zijn, kan ik je de school uit loodsen. Via het dak. Door de twee gebouwen hiernaast. Bij de kapel kunnen we naar buiten, via de parkeerplaats voor de leraren aan de achterkant.'

Het vooruitzicht een voertuig te kunnen bemachtigen was genoeg om Danny over te halen. Bovendien, bedacht hij, zouden ze meteen weer in de problemen zitten als ze nu het gebouw verlieten. Die twee kerels op de binnenplaats gebruikten portofoons. Misschien hadden ze het hele gebouw al laten omsingelen.

Hij rende achter Lexie aan over het lege podium. Hun voetstappen dreunden na als kanonschoten. Achter het toneel doken ze naar rechts de coulissen in, achter de rail voor het zware roodfluwelen gordijn.

Een aluminium ladder stond tegen het plafond. Snel klommen ze naar boven. Hun voetstappen klonken als alarmbellen. Danny klom achter Lexie aan, langs de kabels van de verlichting.

Hij hoorde de stilte vallen toen ze de ladder driekwart hadden beklommen.

De schoonmaker had net de machine uitgezet.

Danny greep Lexie bij haar enkel. Hij voelde haar been buigen en even dacht hij dat ze hem intuïtief van zich af zou trappen. Maar toen keek ze vanaf de ladder op hem neer. Van de blik die hij haar in het donker toewierp, schrok ook zij zich te pletter.

Het kraken van een houten plank. Ze hoorden het allebei.

Danny keek langzaam om de aula in. Door een spleet tussen het zware toneelgordijn en de muur kon hij de mannen nu zien, zo'n zes tot tien meter verderop.

Het waren er drie. Ze waren snel en stil gearriveerd. Alle drie uitgerust met handwapens. Sig Sauer P230's, dacht hij van die afstand te kunnen zien.

Er liep een rilling over Danny's rug. Ze wisten dat hij bij zijn zestienjarige dochter was, maar toch kwamen ze met getrokken pistolen achter hen aan.

De eerste kerel die binnenkwam – stevig gespierd, eind dertig, kortgeschoren zwart haar en loodgrijze ogen – zat roerloos gehurkt naast de deur waar Danny en Lexie doorheen waren gekomen.

Zijn twee collega's slopen achter hem aan, de oren

gespitst, oplettend om zich heen kijkend, de handwapens in de aanslag. Vaste handen, zag Danny.
Geen last van zenuwen.

Danny telde de seconden af... drie, vier, vijf... waarna de zwaar gespierde kerel zijn collega's wenkte
met een paar snelle handgebaren.

Ze reageerden snel en stil, als haaien. Ze verspreidden zich over de aula, controleerden de kunststof
stoelen, één voor één.

Ze zouden hun zoektocht algauw naar het podium
verleggen, besefte Danny. En zodra ze achter de
coulissen stapten en omhoogkeken, hadden ze hem
en Lexie vol in hun vizier.

Hij kneep weer in haar enkel. Terwijl ze naar beneden keek, zag hij aan haar doodsbleke gezicht dat ze
de drie gewapende mannen ook had gezien.

Het zweet droop in zijn ogen toen hij naar haar
knikte. Hij knipperde het brandende gevoel weg.

Het geluid van een laag overvliegende straaljager
galmde door de ruimte. Toen hij opkeek zag hij dat
Lexie alweer verder klom. Ze had beseft dat dit hun
enige kans was.

Ze klommen tree voor tree omhoog. Zwijgend. Danny keek nog één keer om naar de aula, en wist voldoende. De drie agenten slopen nu naar het podium,
precies wat hij gevreesd had.

Lexie stond stil.

De moed zonk Danny in de schoenen toen hij om-hoogkeek. Vlak boven haar was een luik dat dichtzat. Een gekwelde uitdrukking spreidde zich uit over haar gezicht, alsof ze ging huilen. Ze beet hard op haar lip.

'Maak open.' Danny vormde de woorden met zijn lippen.

Ze knikte één keer, vastbesloten, en draaide zich om. Danny keek toe hoe ze pijnlijk langzaam haar hand-palmen plat tegen het luik drukte en voorzichtig be-gon te duwen.

Een kort gesis. In Danny's oren klonk het als een la-wine. Een wolk van stof. Het grootste deel viel op zijn hoofd. Maar de rest dwarrelde naar beneden. Hij vreesde dat er onder hem nu een gezicht achter het podium zou verschijnen. Maar dat gebeurde niet. Hij kon de mannen niet meer zien in de spleet tussen het gordijn en de muur.

Op dat moment begon de boenmachine weer te dreunen. Toen Danny opkeek, zag hij het luik in een hoopgevende boog opengaan. Lexie klom naar boven, hees zich door het gat en deed het luik verder open.

Danny ging haastig achter haar aan. Zijn hart bons-de. Hij durfde niet meer naar beneden te kijken uit angst dat een van die agenten hem recht in de ogen zouden kijken.

Hij zag Lexies benen het donker in schuiven. Zij heeft het tenminste gered, dacht hij. Daarna trok hij zichzelf op door het gat.

Een moment van angst. Zijn benen bungelden onder zijn lijf. Alsof hij aan een rots hing, of aan de rand van een wolkenkrabber. Eén verkeerde beweging en hij was er geweest.

Zwijgend en wanhopig hees hij zich verder op naar het duister van de zolderruimte.

Veertig

Danny liet het luik achter zich zakken, waardoor het lawaai van de boenmachine afnam tot een zacht gezoem. Vervolgens werd het stil. Iemand had het apparaat uitgezet.

In het licht van vuile dakramen fladderde een groep nachtvlinders omhoog. De zolderruimte was groter dan Danny had verwacht. Je kon er rechtop staan. Lexie had een stap opzij gedaan om hem door te laten. Hij drukte zijn vinger tegen zijn lippen om te voorkomen dat ze per ongeluk zou denken dat nu de mannen haar niet meer konden zien, ze haar ook niet meer konden horen.

Maar hij had zich daar geen zorgen om hoeven te maken. Ze had het zelf al bedacht. Ze wurmde zich zwijgend langs hem heen en liep door een lange, houten verbindingsgang. Danny zag hoe goed haar motoriek was. Ze kroop als een kat. Een natuurtalent. Niets veranderd sinds hij haar had leren judoën toen ze nog een klein meisje was.

Na tien meter stond ze stil en draaide zich naar hem om. 'We zijn nu boven de bibliotheek.' Een nauwelijks hoorbaar gefluister. Ze had tranen in haar ogen. 'Die kerels... Ze zagen eruit alsof ze je wilden neer-

313

schieten. Alsof ze je dood wilden hebben.'

Ze had gelijk. Wie die kerels ook waren, Danny was hun prooi. Hem moesten ze hebben.

'Het dak van de bibliotheek,' zei ze, 'loopt door naar de kapel. Daar kunnen we naar beneden en dan naar buiten. Er ligt een achterstraatje dat het schoolterrein af loopt. Die lui die op je jagen, weten waarschijnlijk niet eens dat het bestaat.'

Het was een goed idee – waarschijnlijk zijn enige optie. Ook had ze met 'jagen' het juiste woord gebruikt. Ze begreep hoe het scenario in elkaar zat. Die kerels waren de jagers, Danny en Lexie waren hun prooien.

'Laten we het doen,' zei hij, eveneens fluisterend.

Lexie kwam weer in beweging en liep de gang uit. Zwijgend. Achter haar aan lopend keek hij om zich heen. Tussen de balken en blokken van vergaan isolatiemateriaal lagen rottende dakbedekking, ontbonden karkassen van ingesloten duiven en allerlei andere rotzooi. Er liep gruis in zijn broek tot in zijn knieholten. De stank van verrotting. Het geborrel van een waterreservoir. Op de houten balken zag Danny de zwarte vegen van uitgedrukte sigarettenpeuken.

'Het is hier hartstikke brandgevaarlijk,' riep hij spontaan. 'Ik wil niet dat je hier rookt.'

Eigenlijk wil ik dat je helemaal niet rookt, dacht hij.

Ze keek hem aan met een woedende en ongelovige blik.

'Als jij belooft geen psychopaten mee naar school te nemen als je me komt opzoeken, kunnen we het daar misschien eens over hebben.'

Daar zat wat in.

Tien meter verderop eindigde de zolderruimte in een driehoek van broze, bakstenen muren. De gang boog naar links verder dwars over het gebouw. Ze liepen er nog een meter of vijf door.

'Hier,' zei Lexie, terwijl ze neerhurkte naast een houten deur.

Ze schoof de grendel open en kroop zonder aarzeling de donkere ruimte erachter in.

Waarschijnlijk had ze dit, net als het roken, al honderden keren gedaan. Ineens besefte hij wat voor dochter hij had. Ze hield van avontuur. Een rebel. Had een aardje naar haar vaartje. Vreemd dat hij dat pas zag terwijl ze voor hun leven moesten rennen.

Hij vroeg zich af wat hij nog meer over haar zou kunnen ontdekken, als ze daar ooit de tijd voor kregen.

De ruimte die ze nu naar binnen gingen was niet half zo donker als hij aanvankelijk leek. Hoe verder je door de stoffige gang liep, hoe schemeriger het licht dat door de spleten in het pannendak viel.

Stilte. Overal om hen heen. Weids en uitgestrekt als de zee.

'We zitten nu zeker boven de kapel,' zei hij.

'Ja. Kijk maar.'

Ze ging een meter of twee voor hem stil staan om te wijzen naar een dunne lichtstraal die door een gat in de dakisolatie naar boven piepte.

Toen Danny erdoorheen keek, tuurde hij langs iets wat volgens hem een fitting van een lamp was de diepte van de kapel in. Er viel fel zonlicht door de glas-in-loodramen, wat regenbogen van kleurige vlekjes op de houten banken en de zwartwit geblokte vloer veroorzaakte.

Er was niemand, stelde Danny opgelucht vast. Ze hadden dus nog steeds een voorsprong.

Lexie had het einde van de zolderruimte bereikt en stond bij een ladder. Ze wachtte niet op Danny of op een teken van zijn goedkeuring om naar beneden te gaan. Ze wist dat ze weinig tijd hadden. Zij was tot dezelfde conclusie gekomen als hij toen ze langs die fitting naar beneden keek: de kapel was nog veilig. De ladder telde maar tien treden. Hij reikte niet tot de begane vloer, maar tot een galerij, een koorgestoelte naast het orgel met zijn koperen pijpen. Terwijl Danny snel het voorbeeld van zijn dochter volgde, gluurde hij over het balkon en zag dat ze nog steeds de enige aanwezigen waren.

Opnieuw wachtte Lexie niet af. Ze rende een stenen wenteltrap af naar de vestibule van de kapel beneden.

'Schiet op,' siste ze ditmaal luid. Ze zat duidelijk in een adrenalineroes. 'Deze kant op. Door de crypte. Daar zitten we soms ook te...'

Ze slikte het woord 'roken' nog net op tijd in. Ze keek naar hem om, waarschuwend, ze verwachtte duidelijk dat hij een strenge opmerking zou maken. Maar Danny had zijn lesje geleerd. Hij zou proberen haar niet meer te bevoogden.

Tien treden verder bevonden ze zich op het niveau van de crypte. Ze renden door een donkere, vochtige gang onder de kapel. Aan het einde daarvan tilde Lexie de klink op van een houten deur.

Ze stapten het donker in. Danny zag geen hand voor de ogen.

Zijn dochter trok de deur achter hen dicht en deed het licht aan.

Hij verwachtte sarcofagen te zien. Inscripties in de muur. Kisten met miswijn. Altaarzilver misschien. Maar om hen heen stonden synthesizers, elektrische gitaren, bassen en een drumstel.

'Hier repeteren we,' zei ze, buiten adem. 'De ruimte is geluiddicht, snap je, dus...'

'Je speelt in een bandje?'

'Ik ben de drummer.'

'Cool.'

Hij kon niet geloven dat hij dat zojuist had gezegd. Op die manier. Alsof hij zijn goedkeuring gaf. En zij geloofde het evenmin. Daar was hij weer, die boze blik. Dat hij zijn mening over haar leven durfde te geven. Dat recht had hij duidelijk nog niet verdiend. Hij zocht iets om te zeggen, iets waar ze niet meteen een zuur gezicht bij zou trekken. Hij zag het drumstel in de hoek en zocht naar een aanwijzing op het vel van de basdrum, maar er stond niets op.

'En hebben jullie ook een naam?' vroeg hij.

'De Mole Rodels.'

Hij knikte. *Cool.* Deze keer lukte het hem zijn oordeel voor zich te houden.

Lexie baande zich een weg tussen de instrumenten door. Ze zei: 'Het parkeerterrein is deze kant op.'

En toen kwam het. Boem. Het moment van intimiteit tussen vader en dochter, van normaliteit, dat ze nog maar net gedeeld hadden, verdween plotseling als een sneeuw voor de zon.

De mannen in de aula, de man met de haviksneus in de Ritz, de hel waar Danny doorheen was gegaan, waar hij nog steeds niet uit was, alles kwam in een golf terug.

'Vanaf nu zorg je dat je achter mij blijft,' zei hij, toen hij naast haar voor de deur ging staan. 'En hoe irritant je het ook vindt, als ik zeg dat je iets moet doen, dan doe je dat zonder tegensputteren, oké?'

Ze moest even slikken. De ernst in zijn stem had korte metten gemaakt met het idee dat dit een avontuur was. De angst was terug. Maar dat was oké, dat was goed, dacht Danny. Want als je er gebruik van maakte, hield angst je scherp. Angst kon je redding betekenen.

Hij haalde de wapenstok tevoorschijn en trok zijn rugzak strak over zijn rug. Hij tilde de klink op van de zware deur van de crypte, zette die op een kier en stapte knipperend met zijn ogen in het felle zonlicht.

Eenenveertig

Voor de blonde jonge kerel in het grijze pak die de hoek van de schoolkapel om rende, leek het misschien alsof Danny op miraculeuze wijze uit een graf was opgestaan.

Danny stond al driekwart boven aan de stenen trap van de crypte toen hij hem zag aankomen. Gelukkig had hij het voordeel dat hij de eerste was die hem zag.

Een voordeel van een fractie van een seconde. Precies wat hij nodig had. Hij hield de wapenstok al in zijn rechtervuist. Zijn hersenen deden de berekeningen en oordeelden op basis van de huidige baan van de blonde man, dat hij op minder dan een meter afstand Danny's pad zou kruisen.

Hij liet de wapenstok hard in de lucht zwiepen om het telescopische mechanisme te activeren. De blonde man kon zijn pas niet meer inhouden of wegduiken. Of een wapen trekken, hoewel hij nog wel naar zijn binnenzak tastte.

Maar hij was veel te laat om de klap van de wapenstok te kunnen ontlopen. Danny kon zich nu volledig uitleven: hij draaide met zijn heupen en gaf de klap zoveel mogelijk vaart mee.

Het verzwaarde uiteinde van de stok raakte de man met een misselijkmakende klap tegen zijn rechterknieschijf. Hij duikelde voorover – bijna met een radslag, zo hard had hij gerend toen hij de klap kreeg. Danny wachtte niet af om de man te zien vallen. Nog geen twee tellen later stond hij boven aan de trap naast hem.

Eerst dacht hij dat de man simuleerde, toen hij plat op zijn buik bleef liggen. Danny hurkte naast hem neer, hield de man in de houdgreep en trok zijn hoofd naar achter.

Toen pas zag hij het bloed in zijn ogen druppelen. De man had een grote snee in zijn voorhoofd. Danny keek om en zag een bloedvlek op de stenen steunbeer van de kapel naast hem, waar de schedel van de man als een moker op was neergekomen.

Hij rolde de man op zijn zij en knielde naast hem neer. Hij herkende zijn gezicht. Hij was een van de drie haaien in het auditorium. Zijn colbert hing open. Daaronder zat zijn Sig Sauer, nog steeds in de holster. Danny kon hem niet horen ademen. Was hij dood of alleen maar bewusteloos?

Hij kreeg de kans niet om het uit te zoeken. Een voetstap.

'Verroer je niet, anders schiet ik.'

'Idioot,' mompelde Danny boos in zichzelf. Waarom had hij niet beter uit zijn doppen gekeken?

Een mannenstem met een Engels accent. Van dichtbij en zelfverzekerd. Geen combinatie die uitnodigde tot verzet. Welk wapen deze vent ook in zijn klauwen had, als hij de trekker overhaalde, schoot hij raak.

'Je doet precies wat ik je zeg. Kruip nu weg van het lijk.'

Het lijk? Dacht deze vent dat zijn collega dood was, dat Danny hem had vermoord?

Danny deed wat hem gezegd werd, plotseling overspoeld door een golf van zware vermoeidheid. Hij dacht terug aan wat de Kid hem had verteld toen hij nog in dat winkelcentrum stond. Drieëndertigduizend agenten. Eén onschuldige man. Hij besefte dat hij door het oog van de naald was gekropen. Maar zou het dan zo eindigen? Dat hij in de rug werd aangevallen? En niet terug kon vechten? Het begon hem te duizelen. Was het dan echt op deze manier ineens afgelopen?

'Met je gezicht plat op de grond, armen en benen uit elkaar.'

Danny deed wat hem gezegd werd. Hij ging op zijn buik liggen. Deed zijn benen uit elkaar. Zijn armen. Hij lag met zijn linkerwang op het beton en probeerde een glimp van zijn overweldiger op te vangen, maar de man bleef buiten zijn blikveld. Danny hoorde het gerasp van een schoen over het zand.

Van dichterbij dan de stem van de man.

Waarom haalde de man er geen hulp bij? Dat intrigeerde Danny. Wat voor vlees had hij in de kuip? Was de man een ijdeltuit die met alle eer wilde gaan strijken? Iets klopte er niet.

Vervolgens gebeurde er nog iets wat Danny niet verwachtte. Opnieuw geschuifel. Nog dichterbij dan daarvoor. De man schuifelde inderdaad naar hem toe. Hij lokte onnodig een tegenaanval van Danny uit.

Danny wilde maar al te graag vechten.

Maar dan zou hij heel snel moeten zijn. Als het niet bij de eerste manoeuvre al precies goed ging, was hij dood.

Hij aarzelde. Lexie... Als hij die kans zou verspelen, zou hij haar nooit meer zien.

De tijd tikte door. En nog steeds verroerde hij geen vin.

Plotseling leek zelfs zijn adem te bevriezen. Hij voelde een koude, harde loop van een pistool pijnlijk in zijn nek prikken en werd met zijn gezicht dichter tegen de grond aan gedrukt.

Danny kon de man aan de rand van zijn blikveld nog steeds niet zien. Waarschijnlijk had hij al die tijd zijn pistool op Danny gericht gehouden. Wachtte hij af, daagde hij hem uit om een beweging te maken?

Als Danny niet aan Lexie had gedacht, was hij zeker

in beweging gekomen. En zou hij nu dood zijn.
De man sjorde Danny's linkerarm op zijn rug en
hield hem in de houdgreep.

Voor het eerst ving Danny een vage glimp op van
het gezicht van zijn overweldiger, toen de man zich
diep over hem heen boog. Hij had kort zwart haar.
Was stevig gespierd. De leider in de aula. Deze man
had nu alles weer onder controle.

Danny keek in zijn felle, donkere ogen. Hij zag geen
angst. Alleen maar moordlust. Alle twijfels die Danny had gehad, waren op slag verdwenen. Deze man
had maar al te graag gewild dat Danny het gevecht
was aangegaan. Deze man had hem graag willen
doden.

'Hoe sterk ben je nu?' siste hij Danny in zijn oor. 'Of
hoe slim?' De man glimlachte. Dat betekende niet
veel goeds. 'O, wat heb ik zin om jou eens flink aan
te pakken.'

Danny had diezelfde blik ooit in de ogen van een
andere man gezien. Een blik die absolute macht uit-
straalde. De blik van iemand die zich onkwetsbaar
waande. Van een man die dacht dat hij een god was.
Danny wilde nu alleen maar, wat hij toen ook had
gewild: zijn gezin redden. Hij wilde Lexie beschermen.

'En dan mag je me nu vertellen waar die kleine rothoer van je is.'

Rothoer...

Op dat moment hoopte hij maar dat Lexie zo ver-
standig was geweest om weg te rennen. Want deze
man moest haar ook hebben. Om ervoor te zorgen
dat Danny zou gaan praten. Dat hij iets ging bekennen wat hij niet gedaan had. Door haar pijn te doen,
kon hij Danny een bekentenis afdwingen.

Lexie had andere plannen.

Het zonlicht weerkaatste in de elektrische gitaar die
ze met een schitterende boog op het achterhoofd van
Danny's overweldiger liet vallen.

Tweeënveertig

De man had de gitaar zien aankomen. Hij dook weg.
Maar niet ver of snel genoeg. De gitaar miste weliswaar zijn schedel, maar raakte alsnog zijn nek.
Kreunend viel hij voorover. Hij rolde op zijn zij weg
tot op veilige afstand en wist op die manier te voorkomen dat Danny hem in zijn nek greep.
'Ga terug!' bulderde Danny.
Opkrabbelend keek hij Lexie dreigend aan. Ze hield
de gitaar nog boven haar hoofd en kon hem elk moment opnieuw laten neersuizen. Uit haar donkerbruine ogen sprak verzet. Maar Danny wilde dat ze
erbuiten bleef.
'Wegwezen,' schreeuwde hij naar haar, terwijl hij
zich omdraaide naar de man, die op zijn benen
stond te wankelen en naar zijn hoofd greep.
Van dichtbij zag hij er nog vervaarlijker uit. Stevig.
Gespierd. Zijn blik verhardde toen hij naar Danny
staarde. Hij stond stijf van de adrenaline, klaar om
te vechten. Als een moordmachine die zijn doelwit
had gevonden.
Hij was niet de enige.
De twee mannen stonden zo'n anderhalve meter van
elkaar. Beiden ongewapend. De wapenstok was zo

hard aangekomen tegen de knieschijf van de blonde man, dat hij uit Danny's handen was geschoten en in een bloembed was gerold. Danny's tegenstander had eveneens de greep op zijn P230 verloren toen hij de klap met de gitaar kreeg. Het handwapen lag nu in een goot, ongeveer twee meter verderop, op gelijke afstand van hen beiden.

Degene die er als eerste opaf dook zou het wapen krijgen. Maar dan moest die wel zijn rug naar zijn tegenstander keren. En dat risico durfden ze allebei niet te nemen.

Danny voelde nog steeds de aanwezigheid van Lexie ergens achter hem. Maar waar? Hij kon haar niet zien. Hij wilde niet dat ze gewond raakte.

Danny's tegenstander had de bezorgdheid om Lexie kennelijk in zijn ogen gezien. Hij probeerde Danny via een verbale aanval aan het wankelen te brengen. 'We hoeven dit niet te doen,' zei hij, terwijl hij zachtjes op zijn hielen stond te wiegen, schommelend tussen een verdedigende en een aanvallende positie om Danny te laten raden naar zijn werkelijke bedoelingen.

De man deed zijn handen omhoog als gebaar van verzoening. Maar zijn ogen verraadden hem. Ze schoten een fractie naar links richting het pistool om te kijken waar het wapen lag. Hij schuifelde al die kant op.

Op dat moment realiseerde Danny zich dat hij geen keuze had. Zijn tegenstander wilde op het wapen af duiken.

Hij liet zijn rugzak van zich af glijden, op de grond. Die zou hem maar tot last zijn, waardoor hij zijn evenwicht en snelheid verloor.

Dat was het moment waarop de man wist dat Danny hem zou aanvallen. Hij hield één oog op Lexie gericht. Hij besefte dat hij terug moest vechten. Zonder waarschuwing schoot hij naar voren en greep Danny woest achter in zijn nek. Met zijn rechterhand trok hij Danny aan zijn linkermouw, in een poging hem uit zijn evenwicht te brengen.

Maar Danny had deze manoeuvre voorzien en greep zijn tegenstander bij zijn hoofd toen die op hem af stormde. Hij trok hem naar zich toe om hem een kopstoot in zijn gezicht te geven.

Net op tijd wendde de man zijn hoofd af, waardoor hij de ergste klap met de bovenkant van zijn schedel opving. In Danny's hoofd klonk het alsof er met een hamer een piano werd stukgeslagen. De mannen strompelden uit elkaar.

Danny was de eerste die weer bij zijn positieven kwam. Hij greep zijn tegenstander bij zijn vuist en veegde hem met zijn voet onderuit. Hij liet zich meesleuren in diens val, voegde zijn eigen gewicht toe aan dat van de stevig gespierde man en plantte zijn elleboog diep in zijn middenrif toen ze de grond raakten.

Liggend op zijn zij kromp de man ineen, happend naar adem. Met moeite voorkwam hij dat Danny een armklem zou aanleggen.

Snel hervond de man zijn evenwicht. Hij was duidelijk goed getraind. Terwijl ze over de grond worstelden probeerde hij Danny's voet klem te zetten door zijn arm om Danny's enkel te slaan.

Danny zette zijn vrije linkervoet stevig in de onbeschermde nek van de man en trapte zo zijn tegenstander van zich af.

Ze vochten door. De zwartharige man probeerde zijn been om Danny's lichaam te slaan, maar hij greep mis, verloor zijn evenwicht en keerde Danny een fractie van een seconde zijn rug toe.

Meer was niet nodig.

Danny rukte de linkerarm van de man op zijn rug en hield hem in de houdgreep; met zijn andere arm omklemde hij diens hoofd. Terwijl hij hem in de houdgreep hield, drukte hij zijn handen tegen het schouderblad van de man aan.

Hij leunde achterover en trok het voorhoofd van de man met een ruk naar achter; de nek van de overrompelde tegenstander stond nu zo ver achterover gespannen dat hij elk moment zou kunnen breken. De ademhaling van de man haperde en vertraagde.

Hij wist dat Danny zijn nek had klemgezet en om hem elk moment zou kunnen afmaken.

Danny's hart klopte zo snel als dat van vogel. Hij proefde bloed in zijn mond. Zijn hoofd bonkte van de pijn.

'Zeg op, voor wie werk je,' zei hij.

Hij gaf de nek een heel klein beetje speling zodat de zwaar gespierde man kon antwoorden.

Die maakte een gorgelend geluid. Twee letters, een cijfer.

'M... I... 5...'

'Wat weet jullie inmiddels over de daders?'

'Jij... jij bent de dader,' zei de man.

'Mooi niet.' Danny boog de nek een fractie verder naar achter. 'Ze hebben me erin geluisd. Ben ik de enige die jullie zoeken?'

'Ja, de enige...'

Gezien de enorme pijn die deze man moest hebben en gezien het feit dat hij moest beseffen dat Danny zijn nek als een lucifer kon breken door zijn hoofd nog iets verder achterover te drukken, concludeerde Danny dat de man vermoedelijk de waarheid vertelde.

Zo stond de zaak er dus voor: Danny en de vermoorde man in de hotelkamer – wiens identiteit door verminking misschien wel nooit te achterhalen was – waren aangewezen als de enige schuldigen.

Dat betekende dat Danny de man met de haviksneus te pakken moest zien te krijgen, levend of dood.
Hij zou moeten proberen te bewijzen wie hij was en
wat hij had gedaan.

'Vertel je superieuren maar dat er minstens vijf man
in die hotelkamer waren die deze aanslag op hun geweten hebben,' zei Danny. 'Vertel ze maar dat die
zich nu waarschijnlijk ergens verborgen houden in
de massa. En vertel ze ook dat ik jou gezegd heb dat
ik onschuldig ben en dat ik dat jullie ga bewijzen.'
De stevig gespierde man kreunde iets. Misschien
was het 'ja' of 'nee' of 'krijg de tering'. Het deed er
niet toe. Het gesprek was afgelopen.

Danny veranderde zijn greep in een wurggreep. Hij
kneep de keel van de MI5-spion stevig dicht, waardoor een hoge druk ontstond in zijn halsslagader.
Een paar seconden later was hij bewusteloos.

Als hij hem langer zo vast had gehouden was de man
dood geweest. Danny duwde het slappe lichaam van
zijn tegenstander van zich af.

Drieënveertig

Een jengelende ploing van gesprongen, gekrulde snaren. Toen Danny opstond en zich omdraaide, zag hij dat Lexie stond te beven. Ze had zojuist de gitaar uit haar handen laten vallen.
'Is... is hij...'
Ze kreeg het woord niet over haar lippen. Als aan de grond genageld staarde ze naar het roerloze lichaam van de zwaar gespierde man.
'Maak je over hem maar geen zorgen.'
Danny pakte haar bij haar handen en keek haar diep in de ogen. Ze ademde met korte, felle stootjes. Ze stond nog steeds onbedwingbaar te bibberen.
'Het komt goed,' zei hij. 'Het komt allemaal goed.'
De tranen trokken strepen over haar gezicht. Eerst besefte ze niet eens dat ze huilde. Ze leek dromerig voor zich uit te staren. Plotseling maakte ze haar handen vrij en veegde ze haar tranen af.
'We moeten gaan,' zei hij. 'Straks komen de anderen.'
Hij raapte de wapenstok uit het bloembed, schoof hem in en stopte hem in zijn rugzak. Het pistool besloot hij te laten liggen. Wie weet tegen wie hij het wapen anders in een opwelling zou gebruiken. Mis-

332

schien wel tegen een onschuldige agent. Dat risico kon hij niet nemen.

'En hij?'

Lexie stond te kijken naar de verslagen blonde kerel. De man gaf zelf het antwoord op haar vraag. Kreunend rolde hij op zijn zij, met zijn rug naar hen toe. Die leefde dus ook nog. En was aan het bijkomen. Zodra hij bij bewustzijn kwam, zou hij naar zijn portofoon en wapen grijpen.

Danny pakte Lexie bij de hand. 'Snel. Naar de parkeerplaats van de leraren,' zei hij.

Ze rende hard voor haar vader uit langs de bloembedden en door een met planken gelambriseerde gang tussen twee lage schuren. Het stonk er naar verse creosoot. Een vogel vloog verschrikt en schel fluitend op.

Toen ze aan het einde van de steeg rechtsaf sloegen en door een rij hoge populieren rende, zag Danny een stuk of veertig auto's op een parkeerplaats met kiezels staan. Een nauwelijks zichtbare privéweg liep van de schoolgebouwen noordwaarts naar de hoofdwegen van de buitensteden. Geen politiewagen te bekennen, voor zover hij zag. Niets leek het plan van zijn dochter in de weg te staan.

'Die daar,' zei hij.

Hij had zijn keuze gemaakt. Een kobaltblauwe Saab. Snel, maar wel van vóór de tijd dat er transpondersleutels waren met chips tegen autodiefstal.

'Nee, die niet. Die is van mevrouw Heap,' zei Lexie.

'Van wie?'

'Van de directrice.'

'Jammer dan.'

Met de wapenstok sloeg hij het raampje van het chauffeursportier in. Hij trok de glasscherven uit de sponning en stak zijn arm naar binnen om de deur handmatig van het slot te doen. De auto was weliswaar niet modern genoeg om uitgerust te zijn met een transponder, maar Danny ontdekte tot zijn schrik dat de Saab wel een alarmsysteem had. Ergens van onder de motorkap klonk een indringend geloei toen hij achter het stuur ging zitten. Er kwam een vleugje dennengeur uit het kunstboompje dat aan de achteruitkijkspiegel bungelde. Naast de koppeling lag een pak biscuitjes. Danny boog naar voren om voor Lexie het portier te openen.

'Gordel om,' zei hij tegen haar toen ze instapte.

Hij duwde zijn rugzak in haar armen terwijl ze de deur achter zich dichttrok.

'Jij moet hier een grijs apparaatje uit halen,' zei hij.

'Een wat?'

'Je vindt het wel.'

Ze keek vinnig op door zijn autoritaire toon. Hij zag de opstandige tiener weer die hij op het schoolplein had ontmoet. Maar toen keek ze de andere kant op, denkend aan hun afspraak. Ze begon zijn rugzak te doorzoeken.

Zelf had Danny ook genoeg te doen. Hij trok een kapje los onder het stuur en bekeek de bedrading. Nog geen tien seconden later kwam de auto pruttelend tot leven.

Met rechte rug keek hij in de achteruitkijkspiegel en de zijspiegels om te zien of ze werden achtervolgd. Geen politie. Toen hij naar Lexie omkeek, zag hij dat ze haar taak had volbracht. In de palm van haar uitgestoken hand hield ze een grijs apparaatje.

'Zet het aan en bevestig het op het dashboard,' zei hij.

Ondertussen reed hij achteruit de parkeerplek af. Opnieuw keek hij in de spiegels. Geen mens te bekennen op deze parkeerplaats voor het personeel.

Op het scherm aan de bovenkant van het apparaat begon een cirkel van rode led-lampjes te gloeien. Daarna veranderde de kleur in oranje en vervolgens in groen. Het alarm was uitgeschakeld.

Lexie staarde naar het voorwerp alsof ze water zag branden.

'Heeft dat ding dat gedaan?'

'Ja. Stop het maar weer in de rugzak.'

'Wat zit daar allemaal in?'

'Dingen waar jij nog te jong voor bent.'

Danny begon harder te rijden toen ze het parkeerterrein verlieten. Toen hij vijftig kilometer per uur reed, gaf hij geen gas meer; hij hield die snelheid aan. Het was zinloos om de aandacht te trekken door in een wolk van stof weg te scheuren. Hij tuurde naar buiten over de sportvelden en begreep waarom niemand het autoalarm had gehoord.

Er marcheerde een fanfarekorps over de atletiekbaan. De sportdag van meisjesschool St. Peters was eindelijk begonnen.

'En nu?' vroeg Lexie.

'We moeten maken dat jij hier wegkomt. Jij moet onderduiken.'

Danny wist al bij wie. Hij startte het navigatiesysteem en toetste een adres in; tegelijkertijd schakelde hij het geluid uit, zodat de route alleen op de kaart te zien was.

Het systeem zocht de weg en toonde de afstand tot de eindbestemming in het zuidwesten. Als ze snel wegkwamen van de school en niet werden achtervolgd, konden ze er met een beetje geluk net op tijd zijn.

'Bij wie dan?' vroeg Lexie.

'Bij een kennis. Totdat ik dit heb opgelost.' Hij probeerde geruststellend te klinken. Normaal. Maar in zijn hoofd gonsde het van de gedachten. Wat moest hij in godsnaam zeggen zodat zijn dochter de taferelen waarvan ze zojuist getuige was geweest een beetje kon verwerken? Hij had voor haar ogen twee kerels bijna vermoord. Ze was verdomme pas zestien.

Ze kwamen aan bij het einde van de privéweg. Opnieuw een blik in de spiegels. Geen achtervolgers. Danny sloeg rechtsaf een lommerrijke woonstraat in. Hij keek voortdurend in de spiegels, en naar boven, naar mogelijke helikopters.

Hij keek op de kaart van het navigatiesysteem en prentte zich de tien afslagen die hij moest nemen in. Hun vlucht kon beginnen.

'De man die ik met de gitaar op zijn kop heb geslagen...' vroeg Lexie zacht, alsof ze heel ver van hem af zat.

'Ja, wat is daarmee?'

'Die zei toch dat hij voor MI5 werkte, voor de overheid?'

'Ja.' *En hij was een eikel.*

'Kom ik nu in de problemen omdat ik hem een klap heb gegeven?'

'Hij had niet gezegd wie hij was. Jij deed gewoon wat je moest doen.' Hoe dit ook afliep, Danny zou er alles aan doen om te voorkomen dat ze zich schuldig of rot zou voelen om wat ze had gedaan. 'Is baseball niets voor jou?' vroeg hij, weer zo normaal mogelijk, alsof er niets aan de hand was. 'Je swing is fantastisch.'

Hij wierp haar een zijdelingse blik toe, en hoewel hij er niet zeker van kon zijn, meende hij – hoopte hij – het begin van een verraste glimlach op dat ernstige gezicht van haar te zien doorbreken. Galgenhumor. Daar had je het weer. In moeilijke tijden soms je beste vriend.

'Hier noemen ze het honkbal.'

Nu was Danny degene die moest glimlachen. 'Nou, je hebt hem in elk geval een flinke oplawaai gegeven.'

Lexie viel stil. Met afgewend hoofd keek ze naar buiten. Danny wilde dat hij hen allebei kon wegtoveren. Naar een veilige plek. Een strand in Thailand. Ergens waar niemand wist wie ze waren. Maar het probleem was, dat er waarschijnlijk nergens op de wereld nog zo'n plek was.

Recht voor hen kwam een auto de straat in gereden. Hij kwam met een rotvaart op hen af. Danny hield zijn handen stevig aan het stuur. De auto, waar harde muziek uit klonk, raasde voorbij. Voorin zaten twee jongens te lachen, ze maakten zomaar een ritje.

Danny keek weer naar de plattegrond van het navigatiesysteem. Hij had al zeven afslagen genomen. Ze hadden al een derde van de weg afgelegd. Hij probeerde de volgende afslagen te onthouden.

'Ik kan haast niet geloven wat je zojuist gedaan hebt,' zei Lexie, 'met die...'

Met die twee mannen, bedoelde ze. Die ze daar op de grond hadden laten liggen, als was die van de lijn was gewaaid.

'Die komen er wel bovenop.'

'Ik bedoel, ik wist dat je werk gevaarlijk was, en dat mama daarom wilde dat je ermee ophield, maar...' Danny kon zich niet meer herinneren wanneer hij voor het laatst iemand over Sally had horen praten. Jean had het niet goed gevonden om in het bijzijn van Lexie Sally en Jonathan ter sprake te brengen. Daar zou ze maar van overstuur raken. En tegenover hem had ze botweg geweigerd erover te praten. Niet omdat ze een hekel had aan Danny. En ook niet omdat ze vond dat hij schuld had aan hun dood, dacht hij. Maar omdat ze, door er niet over te praten, het gruwelijke feit met rust kon laten.

'Wat je vandaag hebt gezien,' zei Danny, 'is niet mijn dagelijkse werk. Ik sla geen mensen in elkaar voor mijn brood, Lexie. Ik doe eerder het tegenovergestelde. Ik probeer juist mensen te beschermen.'

Toch vond hij het een misselijkmakend idee dat zij hem had zien vechten. Ook al had hij geen andere keus gehad. Maar het had nu geen zin om haar wat wijs te maken.

'Als mensen het op je gemunt hebben, moet je jezelf wel verdedigen,' zei hij. 'En soms moet je dan terugvechten.'

Ze gaf geen antwoord. Toen hij naar haar keek, zag hij dat ze naar buiten staarde. Hij zag haar spiegelbeeld in de ruit, terwijl de huizen als een vage vlek voorbijschoten. Ze huilde niet. Maar de blik in haar jonge gezicht had iets leegs, iets hols, en hij zou er alles voor over hebben om die weg te kunnen wissen.

Hij hoefde haar nu niet te vragen waar ze aan dacht. Ze dacht terug aan toen, aan hun huisje in het bos. Ze dacht aan de bloedsporen in de sneeuw.

Op het moment dat hij weer door de voorruit keek, zag hij een zilverkleurige BMW honderd meter voor hen de straat in zwenken. Als een speer die zojuist was afgeschoten zoefde hij hun kant op.

Hij wist dat de wagen op hen af kwam.

Vierenveertig

'Hou je vast,' zei Danny met zijn kaken op elkaar geklemd.

De BMW raasde op hen af in de lange, rechte woonstraat. Steeds sneller. Nog zestig meter. Hij ging aan Danny's kant van de weg rijden. En het zag er niet naar uit dat hij van plan was te stoppen.

Een botsing bij deze snelheid zou geen van de inzittenden in beide auto's overleven. Maar Danny geloofde niet dat de mensen in die wagen echt bezig waren met een kamikazemissie. Waarschijnlijker was dat de bestuurder van de BMW ervan uitging dat Danny als eerste aan de kant zou gaan.

Hij vermoedde dat ze al wisten wat zijn zwakke punt was, dat hij het leven van zijn eigen dochter die naast hem zat, nooit zou riskeren. Ze wisten zeker dat hij op de rem zou trappen. Of in paniek zou raken, de macht over het stuur verliezen en op de rij geparkeerde auto's die hij nu voorbij sjeesde zou inrijden.

Als ze op hun navigatiescherm hadden gekeken, was Danny's volgende manoeuvre niet zo'n volkomen verrassing voor ze geweest.

Hij duwde de koppeling in de derde versnelling en trapte op het gaspedaal. De auto schokte even en

341

spurtte vooruit. Recht op de BMW af. Nog dertig meter. Twintig. Danny wachtte tot hij hun gezichten
kon zien.

'Pap!' schreeuwde Lexie. 'Pap! Stop!'

Hij gaf het stuur een ferme ruk naar rechts. De auto
zwenkte piepend over de straat en stond dwars op
de rijbaan voor de aanstormende BMW.

Een fractie van een seconde vreesde Danny dat hij
een inschattingsfout had gemaakt. Maar toen zag hij
het zijstraatje dat op de navigatiekaart stond aangegeven voor zich liggen. In zijn achteruitkijkspiegel
zag hij de zilverkleurige BMW voorbijflitsen.

De Saab van mevrouw Heap schoot naar voren en
schampte de stoeprand, Danny stuurde bij en reed
het straatje in.

'Gaat het een beetje?'

Geen reactie.

'Lexie. Zeg eens iets!' Hij wilde een reactie van haar.
Ze moest niet in een shock raken.

'Gaat wel,' antwoordde ze eindelijk.

Hij zag dat ze zich met beide handen vasthield aan
haar gordel op het punt waar die in het autodak verdween.

Het met keien bestrate achterstraatje was op een
paar geparkeerde auto's na verlaten. Danny trapte
het gaspedaal in en ze raceten langs kunstwinkeltjes
en galerieën. Door het kapotgeslagen ruitje kwam

de warme zomerlucht hem tegemoet.

Geen gevaar in de achteruitkijkspiegel. Hij hoopte dat de BMW ergens tegenop was gebotst, maar vreesde van niet. Het was waarschijnlijker dat ze met piepende banden waren gekeerd in de straat waar ze hen hadden achtergelaten. Of dat ze een blokje om hadden gereden en hen zo meteen de weg zouden afsnijden.

Aan het einde van het straatje reden ze de straat daarachter in. Danny rukte het stuur naar links.

Hij zag een rode vlek in de achteruitkijkspiegel. Een bus. Een dubbeldekker. Het had geen meter gescheeld of hij had zijn Saab in deze bus geboord. De chauffeur knipperde boos met zijn lampen en toeterde.

Hij zag iets anders nu. De zilverkleurige BMW was terug.

De wagen week uit naar rechts vlak achter de bus, schoot naar voren en voorkwam ternauwernood een frontale botsing met een truck op de andere weghelft.

Danny gaf een dot gas achter een kleine groene Nissan die voor hem reed. Hij zocht in het tegemoetkomende verkeer een opening waar hij doorheen zou kunnen glippen. Hij zag er een aankomen. Na drie auto's. Een gat van misschien wel veertig meter.

Zodra de opening zich aandiende, scheurde hij er met piepende banden doorheen naar de andere kant van de straat.

Hij schakelde naar de derde versnelling. De motor gierde. Het gat van veertig meter was in nog geen twee seconden tot niets geslonken. Een landrover raasde op hen af. De chauffeur staarde verschrikt naar Danny terwijl ze op de rem trapte.

Maar de botsing die ze verwachtte bleef uit. Precies op het moment dat de achterkant van de auto van mevrouw Heap gelijk stond met de kleine groene Nissan, draaide Danny het stuur met een ruk naar links, waardoor hij met een boog weer terug was op zijn eigen weghelft.

Achteromkijkend zag hij dat de BMW, met zijn superieure acceleratievermogen, met succes dezelfde manoeuvre had uitgevoerd en de bus al had ingehaald.

Alleen de Nissan reed nog tussen hen en Danny in. 'Bukken,' zei hij.

Lexie reageerde niet. Ze was doodsbang. Hij greep haar bij haar nek en duwde haar hoofd tussen haar knieën.

'En daar blijven.'

De BMW kon elke seconde vlak achter hen zitten. En dan? Een explosie van glas achter zijn hoofd? Een kogel in het dashboard? Of iets veel vreselijkers?

Hij probeerde niet te denken aan de vele gevaren. Hij concentreerde zich op de vraag hoe hij de BMW in godsnaam van zich af zou kunnen schudden.

Hij zat vast achter een andere auto. Een Citroën, die amper vijftig reed.

Nog erger was wat daarvóór gebeurde: vijftig meter voor hen begon het verkeer langzamer te rijden. Remlichten gloeiden op onderweg naar een rij stilstaande auto's voor een stoplicht.

De laatste auto van het tegemoetkomende verkeer op de andere weghelft kon Danny elk moment passeren. Dan zou de BMW meteen in het gat duiken. Hij reed nog geen tien meter achter hen. Binnen een paar seconden hadden ze hen ingehaald. En afgesneden. Dan waren ze erbij.

Danny ging als eerste op de andere weghelft rijden zodra hij kon. Hij trapte het gaspedaal in en reed ongeveer zestig. Daarna vijfenzeventig, en bijna honderd toen hij over de verkeerde weghelft de grote kruising op reed.

Koplampen flitsten, claxons loeiden, voertuigen weken uit of sloegen af om hem erdoor te laten. Door het kapotte raam blies de wind in zijn gezicht. Hij rukte aan het stuur en scheerde rakelings langs een motorfiets, slipte en schoof naar een scharende vrachtwagen.

Ook die miste hij. Of de vrachtwagen wist hem te

ontwijken. Het was niet te zeggen hoe snel hij nu reed.

Vóór hem ontstond een opening en plotseling reed hij de wirwar van botsend verkeer uit en scheurde hij over een vrij stuk van de weg.

Maar hij was niet de enige. De hand die Danny op wonderbaarlijke wijze door deze verkeerschaos had geleid, had ook zijn achtervolgers geholpen.

De BMW raasde achter hen aan. Twintig meter. Tien. Hij trok naast hem op. En schoot naar voren. Ze reden naast elkaar. Hij hoorde hun motor ronken. Lexie keek doodsbang door Danny's kapotte raam naar buiten. Ze slaakte een angstkreet.

Danny keek om. De wagens reden nog geen meter van elkaar. De vent naast de chauffeur, een roodharige man met een felrood shirt, richtte de 9 mm-loop van een Browning op Danny's hoofd.

'Bukken zei ik,' schreeuwde Danny naar Lexie.

De enige manier om een auto die sneller is dan de jouwe af te schudden, had Danny ooit geleerd, was niet proberen sneller te willen zijn, maar ervoor te zorgen dat die in de berm terechtkwam.

Hij waarschuwde ze niet. Hij keek recht voor zich uit en richtte alle aandacht op het slippen. Toen trapte hij op de rem en draaide tegelijk het stuur naar rechts.

Hij had zijn actie niet beter kunnen timen. Hij botste

hard tegen de achterkant van de BMW aan. Het ge-piep van rokende autobanden. Het kabaal van gie-rend metaal. De BMW was zonder meer het zwaarste van de twee voertuigen. Maar dat hielp nu niets. Door de botsing draaide de BMW tegen de klok in te-gen de voorkant van de auto van mevrouw Heap aan, waardoor de Saab met zijn linkerflank opnieuw een klap uitdeelde, nu tegen het portier van de bijrijder aan.

Opnieuw het doordringende gejank van staal dat een deuk oploopt. De bumper van de Saab deukte in en brak af. De BMW schoot tollend naar links. Danny en Lexie draaiden ook tegen de klok in. De wereld slingerde misselijkmakend om hen heen. Maar Danny had één groot voordeel ten opzichte van de chauffeur van de BMW. Hij wist wat eraan kwam. Hij stuurde in tegengestelde richting en had de slippartij onder controle.

Hij hield het stuur tegen terwijl ze op de vangrail af-stevenden. Op het laatste moment lukte het hem de Saab weer in het gareel en gewoon op de weg te krij-gen.

'Jezus christus, pap.'

Danny keek verrast naar haar om. Lexie leek haar stem te hebben teruggevonden.

'Gaat het?'

'Jezus, pap. Wil je dat nooit meer doen.'

Een pneumatisch gesis. Er was iets met de motor. Danny trapte voorzichtig op de rem terwijl ze op het verkeer dat stilstond voor een ander stoplicht af raasden.

Zijn hart ging wild tekeer. Zijn vingers deden pijn van het vastgrijpen van het stuur. Er droop een straaltje zweet van zijn voorhoofd.

In de achteruitkijkspiegel zag hij de schittering van zilverkleurig metaal in de zon, honderd meter achter hen. De BMW lag op zijn kant met draaiende wielen en een rokende motor.

Er ging een portier open en er kroop een man uit.

Vijfenveertig

14.56 uur, Bedford Park, W12

De lichten sprongen op groen. Danny werkte zich zonder moeite door het verkeer en stak de volgende kruising over naar het noordwesten.

'Zijn we nu veilig?' vroeg Lexie.

'Nee.'

Ze waren anderhalve kilometer van haar school af geweest toen ze door de BMW werden onderschept. En die was van de andere kant gekomen. Ze waren dus niet achtervolgd. Die lui waren op hen af gestuurd.

En door welk elektronisch oog de BMW ook was geleid, waarschijnlijk werden Danny en Lexie daar nog steeds door bespioneerd.

Nu veiligheidsdiensten de jacht op hem hadden geopend, was het mogelijk dat er een spionagesatelliet was ingezet. Danny wist dat dit soort satellieten in geosynchrone banen boven West-Europa zweefde. Met behulp van zoekpatronen konden ze gebieden per vierkante meter helemaal uitkammen, en niet alleen vanuit de ruimte een foto maken van een ansichtkaart, maar diezelfde kaart ook opsporen als die in de achtertuin van de buren was gewaaid.

Ze zouden ongetwijfeld een auto door de straten

van Londen kunnen volgen, als ze daarop geprogrammeerd waren.

Maar ook als de mensen die hen achternazaten alleen maar gebruikmaakten van gewone beveiligingscamera's, wisten ze nu in welke auto hij reed. Het was dus een kwestie van tijd voordat ze opnieuw werden gevonden.

Dat betekende dat hij een goocheltruc moest uitvoeren. Hij moest verdwijnen. Snel.

'Het is niet te geloven,' zei Lexie. 'Mevrouw Heap rookt.'

Tijdens de achtervolging zag Danny op een gegeven moment dat het dashboardkastje was opengevallen en alle persoonlijke voorwerpen van de directrice over Lexies schoot had uitgespuwd. Ze hield een zilverkleurig sigarettenpakje vast.

'Hé, kijk eens,' zei Danny, 'wat is dat?'

Hij pakte een metalen blikje van haar af. Aanstekervloeistof. Nog vol.

'Heeft ze ook lucifers?' vroeg hij.

Ze hield een klein, koperen voorwerp omhoog. 'Alleen maar een Zippo.'

Die pakte hij ook. Hij keek weer op de plattegrond. Ze zouden vanaf hier te voet naar hun onderduikadres kunnen gaan.

Vóór hem werd op een verkeersbord een industrieterrein aangegeven. Hij nam de afslag. Precies wat hij nodig had. Een onduidelijk stratenplan, grote pakhuizen, weinig verkeer. Veel gebouwen en steegjes. Een perfecte plek om de auto te dumpen.

Toen hij onder een viaduct onder een spoorlijn reed, zag hij hekken die naar een tunnel leidden. Hij keek weer in de achteruitkijkspiegel. Er kwam niemand aan.

'Uitstappen,' beval hij, terwijl hij de wagen met piepende remmen tot stilstand bracht.

'Maar pap...'

'Nu!' Ze stond te trillen. Hij stak zijn arm uit en pakte haar hand. 'We moeten deze auto ergens dumpen,' zei hij. 'Om onszelf wat extra tijd te geven. Loop naar de tunnel en wacht op mij.'

Ze knikte, vermande zich, stapte uit en holde weg. Hij keek haar na tot ze bij de hekken naar de tunnel was en trok het portier dicht. De auto scheurde van de trottoirband.

In de tweede versnelling kachelde hij onder de brug door en schakelde op. Links van de weg zag hij een rij van vijf verschoten advertentieborden. Daarachter lag een woestenij van puin en half gesloopte magazijnen.

Zich vastklemmend aan het stuur vloog Danny over de trottoirband en liet het gaspedaal los. Hij schuurde met de linkerzijkant van de Saab hard tegen de tijdelijke schutting en reet de halfvergane borden open, waardoor de voorkant van de auto nog meer deuken opliep.

Terwijl de Saab hortend en stotend en sissend tot stilstand kwam, pakte hij het blik met aanstekervloeistof en de Zippo van mevrouw Heap. Hij greep naar zijn rugzak, stapte uit en spoot de vloeistof over het dashboard, de bekleding en de stoelen heen.

Hij stak de aansteker aan, gooide die op de passagiersstoel, waarna – *wrroemmf* – de vloeistof in brand schoot. Hongerig likten de vlammen over de bekleding.

Danny dook door het gat dat hij met de auto in de advertentieborden had gereden, waardoor hij vanaf de weg niet meer kon worden gezien. Toen hoorde hij zijn achtervolgers aankomen, razend vanuit het oosten over de weg. Hij drukte zich plat tegen de borden terwijl het voertuig – een zwarte Mercedes – hem voorbijreed.

Hij bleef zich schuilhouden achter de advertentieborden en schuifelde terug. Nog geen halve minuut later stond hij bij de ingang naar de tunnel.

Omkijkend naar de brandende auto zag hij twee mannen in pak met de rug naar hem toe staan. Voorzichtig naderden ze de auto. Ze probeerden – elkaar aansporend, leek wel – zó dicht bij de auto te komen dat ze door de golvende zwarte rook konden zien of er nog iemand in zat.

Hij dook de zwarte tunnel in. Het werd tijd om Lexie op te halen en haar eindelijk naar een veilige plek te brengen.

Zesenveertig

Ze waren zuidwaarts gegaan vanaf de weg waar Danny de auto in brand had gestoken.

'Je kunt behoorlijk hard lopen,' zei hij hijgend.

'Jij rent ook niet slecht.'

Ze rustten uit in de geurige schaduw van een magnolia die in volle bloei stond, in de grote, ommuurde voortuin van een miljoenenpand aan de Theems. Het zonlicht viel door het dichtbegroeide bladerdak en wierp dansende schaduwpatronen op Lexies gloeiende gezicht. Zowel zij als Danny zat uitgeput te hijgen en te zweten. Danny vermoedde dat ze zojuist meer dan vijf kilometer hadden hardgelopen.

Hij had zijn best gedaan om het zijn achtervolgers moeilijk te maken, door zich op te houden op plekken waar het druk was. Twee keer was hij met Lexie een overdekt winkelcentrum in gelopen. Onder de metersdikke betonlaag waren ze veilig.

In beide winkelcentra hadden ze nieuwe kleren gekocht. Danny legde de verbijsterde verkoopmedewerker uit dat hij er zo smerig uitzag doordat hij was uitgegleden tijdens een bezoek aan een nabijgelegen bouwterrein. Ze waren zo vaak van route veranderd en weer op hun schreden teruggekeerd dat Danny het zich niet meer kon herinneren.

Nu waren ze er dan eindelijk, en hij hoopte maar dat niemand wist waar ze waren.

Danny droeg hardloopkleding, een zwarte honkbalpet en een zonnebril. Lexie had zichzelf in een outfit gestoken van een zaak die Topshop heette. Een modestijl die Danny niet kende.

Nu ze niet meer de officiële sportkleren van haar school droeg, leek ze wel twintig. Daardoor voelde hij zich nog ouder, alsof hij een nog groter deel van haar leven had gemist.

Zijn telefoon werkte nog steeds niet. Hij vervloekte zichzelf omdat hij er niet meer aan gedacht had een batterij te kopen. De Kid was nu waarschijnlijk in alle staten. Maar met een beetje geluk had hij de geheugenstick en witte pas gevonden wanneer Danny hem eindelijk te pakken zou krijgen. Daarna konden ze, afhankelijk van de informatie die de Kid erop had aangetroffen, hun volgende zet plannen.

'Ik zou vandaag de vijftienhonderd meter lopen,' zei Lexie.

'Die had je vast gewonnen.'

De eerste anderhalve kilometer hadden ze bijna zo hard als ze konden gerend. Hij had gedacht dat hij haar zou moeten helpen of vaart zou moeten minderen, om te voorkomen dat ze niet te ver achterop kwam. Vooral omdat ze rookte. Maar ze had niet één keer geklaagd. Niet op het uitgestrekte industrieterrein, noch op het trekpad langs het kanaal. Naar het eerste overdekte winkelcentrum.

Ook was ze niet in paniek geraakt. Niet bij het doffe klapwieken van de helikopter die in de lucht boven de brandende auto van mevrouw Heap zweefde, terwijl ze op nog geen kilometer afstand onder de bomen in een park renden. En ook niet toen hij met haar de tuin van een vreemde was binnengedrongen en haar de opdracht had gegeven zich schuil te houden achter de tuinmuur.

'Je hebt het uitstekend gedaan, wist je dat?' vroeg hij.

'Dank je wel.'

Ze glimlachte. Van opluchting, nam hij aan. Heel even leek ze sprekend op haar moeder, op Sally toen ze bij hun eerste ontmoeting in de metro haar kruiswoordraadsel oploste.

Maar de glimlach was even snel weer verdwenen. Vervlogen. Weg. Van hem afgenomen.

Hij wilde haar zeggen dat alle ellende, hoe verschrikkelijk die dag ook was geweest, op een vreemde manier de moeite waard was geweest, omdat ze nu samen op deze prachtige plek zaten. Hij wilde haar vertellen dat hij haar heel erg had gemist. Dat hij haar nooit meer zou laten gaan. Maar hij was bang voor haar reactie als hij dat zou doen.

'We hebben waarschijnlijk nog nooit zoveel tijd met elkaar doorgebracht,' zei hij.

'En zeker niet zo'n onvergetelijke tijd.'

Hij wist niet wat hij hoorde. Ze maakte een grapje. Maar terwijl ze haar blonde pony met zwarte strepen uit haar gezicht blies, voelde hij haar glimlach weer vervagen, zoals de zon achter een wolk verdwijnt.

'Die lunch na de begrafenis van oma duurde langer,' zei ze, met een diepe frons tussen haar wenkbrauwen.

Toen je nauwelijks een woord tegen me zei, toen je me nauwelijks zag staan, dacht hij.

Hij had zich bij die gelegenheid afgevraagd of dat het einde van hun relatie betekende, of ze hem daarna nog ooit zou willen zien.

'Je zult haar wel missen. Je oma,' zei hij. Hij haalde een fles water uit zijn rugzak en gaf haar die.

'Ja.'

Hij keek naar haar terwijl ze dronk. 'Ze was een goed mens,' zei hij.

Lexie gaf hem de fles terug en trok haar knieën op tot aan haar borst. Terwijl ze haar armen stevig om zich heen sloeg, staarde ze naar haar nieuwe sportschoenen.

'Oma vertelde me ooit dat ze dacht dat jij zelfdestructief was,' zei ze. 'Ze vertelde me, dat je een gevaar voor jezelf was toen ze me bij je weghaalde om bij haar te gaan wonen.'

Ze draaide zich zijn kant op. Danny kon haar blik niet verdragen. Hij keek opzij. De schaamte die hij had gevoeld nadat ze bij hem was weggehaald, nadat hij zichzelf had verlost van zijn pillenverslaving en gestopt was met drinken, toen hij eindelijk besefte dat hij haar had verloren, drukte opnieuw met zijn volle ondraaglijke gewicht op hem neer.

'Ze had gelijk,' zei hij. 'Maar ik ben veranderd.'

'O ja?' vroeg Lexie boos. 'Ben je echt veranderd? Want wat er toen was gebeurd, in het bos, toen die man...'

Zelfs na al die tijd konden ze hem geen naam geven, zoals ze ook nooit in staat zouden zijn de verschrikkelijke dingen die hij had gedaan tegenover elkaar te benoemen.

'Die man die toen naar jou op zoek was...' zei Lexie met een kraakstem. 'Die zocht jou vanwege jouw werk, omdat hij jou dood wilde hebben. En die lui vandaag in die pakken, die willen toch precies hetzelfde?'

'Dit is niet mijn schuld.'

'Wat er met mama en Jonathan is gebeurd, kwam ook niet door jou, pap, dat weet ik. Maar toch is het gebeurd, of niet? Toch is het gebeurd.'

Toen zag Danny het in haar ogen. De glanzende tranen die ze niet wilde laten lopen, die ze hem niet wilde laten zien, en die ze onhandig wegveegde. In die tranen zag hij dat ze nog steeds beschadigd was. Dat ze altijd beschadigd zou blijven.

En misschien had ze gelijk en klopte het dat de dood van Sally en Jonathan aan zijn werk te wijten was. Want die klus had hij voor de FBI geklaard, en die klus had de vreemdeling tot aan de voordeur van hun blokhut gebracht. En misschien had ze ook gelijk als het om nú ging. Misschien was er niets veranderd. Want hij deed nog steeds hetzelfde werk, en opnieuw was heel haar wereld in duigen gevallen.

Ineens begreep hij het. Toen ze verbitterd van hem wegkeek. Alles wat hij had geprobeerd, alles wat hij deed om haar te beschermen, was mislukt. Zijn werk had hem er dan misschien bovenop geholpen, hem weer een doel in zijn leven geven, maar het had hem ook gescheiden van Lexie.

Even dacht hij, nu ze zo op haar hurken zat te staren over het kleine, keurige gazon, dat ze elk moment kon opstaan en weglopen. Maar ze beet peinzend op haar onderlip en schudde haar hoofd. Alsof ze zichzelf eraan herinnerde dat ze geen keuze meer had.

'Van wie is dit huis?' vroeg ze, omhoogkijkend naar het hoge, wit geschilderde achttiende-eeuwse huis.

'Van iemand die je kunt vertrouwen,' zei Danny. Hij stond op en reikte haar de hand. 'Kom op. Laten we kijken of ze thuis is.'

Er was een moment van aarzeling toen Lexie hem in zijn ogen keek. Daarna stond ze vanuit de hurkstand op, zijn hulp afwijzend, met haar duimen in haar broekzakken.

Samen liepen ze over het korte pad naar de voordeur. Lexie had zijn hand niet gepakt, maar liep wel naast hem.

Zevenenveertig

15.30 uur, Hammersmith, Londen, W6

Als Alice de Luca niet thuis was geweest, had Danny bij haar moeten inbreken en vervolgens contact met haar moeten opnemen. Maar gelukkig opende ze de voordeur, kort nadat hij op de emaillen deurbel had gedrukt.

Zelfs op blote voeten was ze nog een lange vrouw. Langer dan Danny. En nog aantrekkelijk ook. Rood haar, groene ogen. Haar hoge jukbeenderen gaven haar gezicht iets krijgszuchtigs, waardoor ze hem altijd deed denken aan een gravure van Boadicea die hij ooit had gezien, de antieke Keltische koningin.

Haar handen zaten onder de modder – van het tuinieren, nam Danny aan. Ze droeg een blauwe tuinbroek en een vuile schort waarop met roze lippenstiftletters HUISGODIN stond geschreven. Daaronder had ze een wit katoenen T-shirt aan met opgerolde mouwen, waar haar gespierde armen uit staken.

Ze staarde naar Danny en Lexie alsof ze uit de lucht kwamen gevallen.

'O, Jezus, Danny,' bracht ze een tel later uit. 'Je gaat me toch niet vertellen dat je haar hier mee naartoe hebt genomen!'

'Ik neem aan dat je het nieuws op tv gehoord hebt.'
'Op tv. De radio. Internet. Kom maar, schat,' zei Alice tegen Lexie, 'ga maar snel naar binnen.'
Danny en Lexie liepen langs Alice heen de hoge, rood betegelde hal in. Hij was nog precies zoals Danny hem zich herinnerde. Het enorme olieverfschilderij van Alice en haar veel oudere, Italiaanse man Francisco was het eerste wat je zag zodra je binnenkwam. 'Is Frank thuis?' vroeg Danny.
'Nee. Die zit voor zaken in Milaan.' Frank was kunsthandelaar. Hij had galerieën in Engeland, Italië en Frankrijk. Alice had een Texaans accent. Gefortuneerd Texaans. Ze had er nog geen spatje van verloren, al woonde ze al jaren hier.
Nog meer schilderijen – voornamelijk olieverf, maar ook een paar aquarellen, allemaal originelen, sommige zo kostbaar als een gemiddelde gezinswoning – lokten de bezoeker het weelderig gemeubileerde huis in.
Alice nam Danny en Lexie echter via de eerste deur in de gang mee naar een ruime zitkamer, waar een klavecimbel en een paar sofa's stonden. De wanden gingen schuil achter boekenkasten die vol stonden met in leer gebonden boekdelen.
Rust, een normaal bestaan, de geur van schone vloerkleden. Zodra Alice de deur achter hen dichtdeed, was het alsof ze alle waanzin van die dag buitensloot.

'Jij bent zeker Lexie,' zei ze, toen ze haar arm uitstak om Danny's dochter een hand te geven.

Lexic keek Danny perplex aan. Ze vroeg zich duidelijk af wie deze vrouw in godsnaam was. Toch schudde ze Alice stevig de hand, zij het zwijgend, waarna ze boos naar Danny omkeek.

'Ik heb ooit met Alice samengewerkt,' zei hij.

Dat klopte. Alice werkte voor een in Londen gevestigde firma die VIP's beveiligde. Vier jaar geleden had ze Danny binnengehaald als consultant nadat men een van haar beroemdste cliënten had proberen te ontvoeren.

Vanaf die tijd had ze haar haren laten groeien, die ze nu in een paardenstaart droeg. Ook had ze haar trouwring om, die ze vroeger altijd afdeed wanneer ze alleen was met Danny.

Ze glimlachte naar Lexie. 'Heb je honger?'

Lexie knikte.

'En dorst?'

Opnieuw knikte ze.

Alice zag Lexie loeren naar het pakje Marlboro Light op de speeltafel in de hoek van de kamer.

'Rook je?'

Lexie trok geïrriteerd haar wenkbrauw op terwijl haar blik op en neer ging tussen Alice en Danny. Een aanwijzing die Alice niet ontging.

'Lieve schat, dat lijkt me een ja. Ga je gang.'

'Dank je wel,' zei Lexie. 'Zal ik doen.'

'Kom mee.' Alice pakte Danny bij zijn elleboog en loodste hem naar de deur. 'Help jij me maar in de keuken om iets lekkers voor ons klaar te maken.'

Danny besloot dat hij de kwestie van het roken beter een andere keer met zijn dochter kon bespreken. Hij liep achter Alice aan naar de keuken. Ondanks de enorme berg eten die hij in het winkelcentrum had verstouwd, had hij weer honger.

Op de tafel stonden onuitgepakte boodschappentassen. Op het glimmende graniet van het aanrecht flikkerde een scherm. Beelden van het journaal. Opnieuw van de schutters op het balkon. En van Danny's gezicht.

Er hing een zware bloesemgeur in de kamer. Een open deur leidde naar een serre. Daarachter glooide zacht een keurig gemaaid grasveld met een lage, bakstenen muur erachter, waarboven een enorme treurwilg de wacht hield. Door de zacht deinende takken ving Danny een glimp op van de blauwe lucht en de brede, grijze bocht van de Theems.

'Een mooie meid, Lexie,' zei Alice.

'Dat weet ik.'

'Dat heeft ze vast van haar moeder.'

'Dank je wel.' Het was een grapje, wist Danny. Maar toch, het was waar.

'Ook een pittige tante,' zei Alice. 'Dat heeft ze dan

waarschijnlijk weer van jou.'

Ze schonk een glas water in voor Danny. Hij sloeg het achterover en accepteerde er nog een. Buiten op de rivier klonk een droevige scheepshoorn. Alice keek die kant op.

'Je bent voortvluchtig, Danny. Ik zou je moeten aangeven.'

'Je zou...'

'Maar natuurlijk doe ik dat niet.'

Hoe nauw Alice tegenwoordig ook samenwerkte met de Londense politie, diep in zijn hart wist Danny dat ze altijd zijn vriendin zou blijven.

'Dat afschuwelijke bloedbad, die mensen die zijn neergeschoten. Daar heb ik niets mee te maken.'

'Dat vermoedde ik al.'

De indringende manier waarop ze hem in de ogen keek, zei alles. Alice kende hem goed genoeg om te weten dat hij de misdaden waarvan hij in het journaal werd beschuldigd niet op zijn geweten kon hebben. Bedachtzaam keek hij naar de voordeur.

'Denk je dat jullie zijn achtervolgd?' vroeg Alice.

'Nee.'

Dat betekende echter niet dat ze hier lang konden blijven, besefte hij. Elke seconde was verloren tijd. De man met de haakneus en zijn team zouden verder vluchten en steeds moeilijker op te sporen zijn.

'Wat is je volgende stap?' vroeg Alice.

Danny dacht aan de geheugenstick en pas in zijn rugzak. 'Ik heb een aanwijzing,' zei hij.

'En als die nergens toe leidt?'

'Dan bedenk ik wel wat anders,' antwoordde hij fel. 'De lui die dit gedaan hebben... Ik laat ze niet ontsnappen.'

Alice bleef hem aanstaren. 'Wat wil je dat ik doe?'

'Lexie onder je hoede nemen. Voor even maar. Totdat ik dit heb uitgezocht. Ik kan haar niet meenemen, Alice. Ik kan haar niet nog verder hierin meeslepen dan ik al gedaan heb.'

'Waarom ik?' vroeg Alice. 'Waarom hier?'

Hij vertelde haar de waarheid. 'Omdat ik niets anders kon bedenken. Omdat je in de buurt woont. En omdat ik haar ergens veilig moet onderbrengen.'

Hij had overwogen Lexie naar Anna-Maria te brengen, maar was van dat idee afgestapt. Hij wist immers niet hoelang hij al bespioneerd werd door de criminelen die hem in deze ellende hadden gestort. Misschien wisten ze via Cranes tussenpersoon precies wanneer hij in Groot-Brittannië was gearriveerd, en werd hij al vanaf de landing op het vliegveld door hen in de gaten gehouden. Misschien wisten ze waar hij uit eten was gegaan. En met wie.

Danny dacht terug aan de grijze Range Rover die hen was voorbijgereden, de avond daarvoor, toen hij met Anna-Maria langs Regent's Canal liep.

Alice was een veiliger optie. De opdracht die hij ooit voor haar had gedaan, had hij niet via Crane gekregen en was volledig buiten de boeken gebleven – die klus was niet meer dan een gunst voor een wederzijdse vriend geweest. Er stond niets over op papier. Hun korte affaire was geheim gebleven, en nadat die was beëindigd, hadden ze elkaar nog maar zelden telefonisch gesproken.

Zijn hart leek even stil te staan. Zijn ogen schoten terug naar het computerscherm. Hij had zojuist zijn naam opgevangen. En nu zag hij hem ook gedrukt staan, onder een oude foto waar hij in het uniform van de Army Rangers op stond. Daarna verscheen er een overzicht van zijn militaire carrière in beeld.

Alice pakte de afstandsbediening en richtte die op het scherm. De stem van de nieuwslezer werd luider. Een grijsharige man met een Welsh accent keek de camera in.

'Meer nieuws nu over de ontvoering door de hoofdverdachte van zijn zestienjarige dochter uit een prestigieuze meisjesschool in Londen-West.'

Het scherm toonde beelden van de omgeving, van politieauto's voor de hoofdingang van de school.

Hij keek om naar Alice.

'Ik moet opschieten,' zei hij. 'Heeft Frank hier nog steeds een bootje liggen?'

De man van Alice had vroeger een speedboot in een

stelling aan de muur van de achtertuin hangen. De veiligste manier om zich te verplaatsen was waarschijnlijk te water. Een mogelijkheid waar de politie misschien niet aan had gedacht. Bovendien lag de elektriciteitscentrale Battersea, waarachter de Kid op hem zat te wachten, maar een paar kilometer van de rivier af hiervandaan. Hij zou er binnen een uur kunnen zijn.

'Natuurlijk,' zei Alice, 'en hij is volgetankt. Maar je gaat nog niet weg.' Ze vouwde haar sterke armen vastberaden voor haar borst. 'Eerst geef ik je te eten en te drinken. Je ziet er vreselijk uit, Danny,' zei ze tegen hem, terwijl ze zijn handen pakte en de snijwonden en blauwe plekken bekeek. 'Daarmee trek je de aandacht. En je ruikt ook niet zo fris, vrees ik.'

Ze had gelijk. De stank van het riool zat nog in zijn lijf, ondanks zijn pogingen die er in het openbare toilet af te schrobben. Ook de jacht door het schoolgebouw en de achtervolging in de auto hadden hun tol geëist. Hij stonk naar rook en zijn gezicht en haren waren smerig van de zolder waar hij doorheen gekropen was. Als hij zich nu waste, bespaarde hem dat later menige kritische blik.

'Oké,' zei hij. 'Maar ik heb weinig tijd.'

Hij wist waar de douche was. In de ongeveer zes maanden die hun affaire had geduurd, was hij vaak bij Alice thuis geweest als Francisco er niet was.

Alice had hun affaire nooit aan haar man opgebiecht. Wel had ze Danny verteld over Francisco's buiten- echtelijke uitstapjes, zo veel dat hij zich niet schuldig hoefde te voelen over wat ze aan het doen waren. Hij wist dat hun relatie niet lang zou standhouden. Niet dat hij dat niet wilde, zíj wilde het niet. Voor haar was hij een avontuur, een raadsel, en hoe beter ze hem leerde kennen, hoe minder spannend ze hem vond en hoe meer ze hem als vriend beschouwde. Toen hij zich uitkleedde in de ernaast gelegen slaap- kamer en de douchecabine in stapte, liet hij zijn rug- zak binnen handbereik openhangen aan een stoel terwijl de wapenstok eruit stak. Dat deed hij meer uit voorzichtigheid dan uit angst. Hij geloofde niet dat iemand hem tot aan dit adres zou kunnen heb- ben gevolgd.

Hij zou zich dus kunnen ontspannen toen hij de douchekraan opendraaide en er een plens koel, schoon water over hem heen stroomde. Maar in plaats daarvan bleef hij malen, eerst over Lexie nu, daarna over Lexie als kind en vervolgens over de verloren tijd ertussen.

Terwijl het koele water op zijn gepijnigde, bezwete huid kletterde, dacht hij aan een ander koud oord van lang geleden. Hij dacht aan een bos, aan bloed- sporen in de sneeuw.

Achtenveertig

Zeven jaar daarvoor, North Dakota

'Je vraagt je zeker af hoe ik je heb gevonden.'
De vreemdeling wachtte het antwoord niet af. Danny's tong bloedde en zat nog onder de tape. Sally en Jonathan waren ook gekneveld, vastgebonden aan de twee stoelen vóór hem. Nog geen meter van hem vandaan.
De zure lucht van urine en zweet. De klok tikte loom op de plank boven het fornuis, tussen de halfvolle fles rode wijn van gisteravond en de foto van Lexie met Jonathan als pasgeboren baby in haar armen. Jonathan verkeerde in een shock. Hij knipperde in zijn remslaap met zijn halfgesloten ogen. Zijn borst ging onregelmatig op en neer. Zijn neus zat vol slijm. Zijn adem schuurde. Hij had zijn inhaler nodig. Danny zag het ding op tafel staan.
Op zijn rode pyjamajasje zat een sticker van Super Mario, die hij die ochtend kennelijk van een yoghurtpak had gescheurd nadat Danny was weggegaan. Er zaten bloedspetters van zijn moeder op.
Sally's ogen stonden zo wijd open dat ze geen oogleden meer leek te hebben. Het zweet droop van haar voorhoofd en betraande wangen. Ze bleef proberen Danny's blik vast te houden, maar toch schoten

haar ogen telkens opzij naar de man die haar geslagen had. Haar gezicht was verwrongen door de tape
die er strak omheen was getrokken, waardoor het
leek alsof ze een beroerte had gehad.

*Niet naar hem kijken. Laat je niet bang maken. Ik
red ons hieruit, dat beloof ik je.*

Dat probeerde Danny de vrouw van wie hij hield te
zeggen. En hij probeerde die wens uit te laten komen,
terwijl hij zijn best deed zijn eigen angst te onderdrukken. Hij concentreerde zich op zijn probleem,
op het mesje dat hij uit zijn broeksband moest zien
te peuteren.

Hij kon het handvat van het mes nu bijna met zijn
vingertoppen aanraken. Door de schoppen van de
vreemdeling was het mesje dieper weggezakt in het
gat waar Danny het in had verstopt. Hij moest zijn
rug en armen nu zo ver doorbuigen dat ze bijna bra-
ken toen hij het mes bij het handvat naar de opening
wroette.

Hij moest voorzichtig zijn. Heel voorzichtig. Want
met elke beweging die hij maakte, dreigde hij de
vreemdeling te alarmeren. De tape trok aan de haar-
tjes op zijn armen. Telkens als de wond in zijn zij
openging en lekte, trok de pijn door zijn hele lichaam.

De vreemdeling was een donkere, kromme gestalte
in Danny's ooghoek. Ergens links van hem. Hij zat

nog steeds gehurkt bij de haard, waar hij papieren
stroken opfrommelde. Daar was hij al bijna vijf minuten mee bezig.

De propjes waren ongeveer zo groot als erwten.
Danny wist dat, zonder ze te zien. Hij had ooit andere papierproppen van deze man gezien. Hij wist
wat er in zijn hoofd omging. Hij wist precies waarvoor hij ze ging gebruiken.

'Jij begrijpt vast niet hoe ik je hier gevonden heb,'
zei de man.

Dat begreep hij wel. Dat had Danny al bedacht. Hij
dacht terug aan FBI-agent Karl Bain, de man die
Danny tijdelijk van de CIA had gehaald om samen te
werken met de Eenheid Seriemoordenaars van de
FBI om deze man te vangen. Twee maanden geleden, nadat het Danny en Bain niet was gelukt deze
moordenaar in de val te lokken, was Bain dood aangetroffen. In een motelkamer, na wat op een zelf-
moord leek, naast het verminkte lichaam van een
mannelijke prostituee.

Maar de dood van Bain was in scène gezet. Dat besefte Danny nu. Door deze vreemdeling. En voordat
hij het pistool tegen het gehemelte van Karl Bains
mond had gezet en de trekker had overgehaald, had
hij Bain gedwongen te vertellen waar hij Danny zou
kunnen vinden.

Sally's blik was weer gericht op Danny. Hij had haar

niets verteld over het FBI-onderzoek waaraan hij had meegewerkt. Maar nu begreep ze dat dit een persoonlijke wraakactie was. Dat deze man hiernaartoe was gekomen in verband met Danny's werk.

Ik had eerder moeten stoppen, dacht Danny. Hij vertelde het met zijn ogen aan zijn vrouw: *Ik had niet moeten wachten tot je erom smeekte...*

Als hij had gedaan waar zij om had gevraagd, zou deze gestoorde kerel nu niet hier bij hen zijn. Dan zaten Danny en zijn gezin op dat moment aan het ontbijt. Hij zou genoeglijk naast Sally aan de keukentafel genieten van de geur van koffie en spek, en zich samen met de kinderen buigen over de vraag wat ze als eerste zouden doen: sneeuwballen gooien of gaan sleeën.

Opnieuw sijpelde er bloed uit Danny's wond toen hij zijn lichaam verdraaide. Hij kreeg het handvat van het kleine mes te pakken in het gat van zijn broeksband. Hij klemde het tussen zijn vingertoppen. En begon het naar zich toe te trekken.

'Het antwoord is, dat ik slimmer ben dan jij,' zei de vreemdeling.

Dat was een feit. Danny weigerde te luisteren. Hij wilde zijn eigenwaarde niet laten ondermijnen door de vreselijke eigendunk van deze man.

In plaats daarvan probeerde hij zijn ademhaling te

beheersen. En bleef hij proberen het mes los te peuteren.

Jonathan zat te rillen en te kreunen in zijn stoel. Soms zakte zijn hoofd naar voren om weer met een schok opgeheven te worden. Het had iets gruwelijk onschuldigs en greep Danny naar de keel, alsof Jonathan niet ernstiger in gevaar was dan een vermoeide reiziger die in de trein in slaap was gevallen. De kleine jongen rolde weer met zijn ogen, alsof hij een delirium had. Hij ademde zwaar.

Geknars van voeten. De vreemdeling was opgestaan. Toen zijn voetstappen naderden keek Sally verschrikt op. Haar vingers spreidden zich als spinnenpoten om de houten leuning van de stoel waaraan ze was vastgebonden. Ze brak een vingernagel.

Een schurend geluid. Hout op hout. De vreemdeling sleepte de keukentafel naar Danny, zijn vrouw en zijn zoon.

De man droeg nu een blauw chirurgisch mondmasker. Hij trok nieuwe operatiehandschoenen aan. Hij wist alles van DNA-sporen. Alles van forensisch onderzoek en wat daaruit kon komen. Hij had geen spoor van zijn aanwezigheid achtergelaten in het motel waar hij Karl Bain had vermoord, en zou dat ook niet doen in dit huisje.

Opnieuw dacht Danny dat hij een agent was. Hij werkte bij de politie, de CIA of FBI. Een van de drie.

De vreemdeling veegde het pak Cheerio's, Jonathans Spiderman-kom, zijn inhaler en pakje melk van de tafel op de vloer, waar de witte vloeistof luidruchtig uit de verpakking gutste.

Op tafel rangschikte de man keurig een schaar, een met papieren propjes gevuld Tupperware-bakje, een tijdschrift en een ruwe steen ter grootte van een vuist – nog vochtig van de sneeuw waaruit hij zo-juist was gehaald.

Papier, steen, schaar...

Toen pas begreep Danny wat zijn collega's bij de FBI en CIA maar niet snapten. Waarom de slachtoffers van deze vreemdeling op verschillende manieren waren omgebracht. Sommigen waren wild met een mes doodgestoken. Bij anderen was de keel geheel of gedeeltelijk doorgesneden. Weer anderen waren met een bot voorwerp afgetuigd. Of door verstikking om het leven gebracht.

Dat was niet omdat de moordenaar zijn misdaden opzettelijk op verschillende manieren pleegde om de politie en FBI op een dwaalspoor te brengen. Het was onderdeel van een spel.

De vreemdeling liep om Jonathan en Sally heen en ging recht voor Danny staan. Zijn vissenogen glans-den in het zwakke licht van de hut, gevaarlijk en dof als scherpe stukjes metaal in een rivier.

Hij trok de handschoen van zijn linkerhand en

streelde Sally over haar linkeroor. Ze sidderde en wendde haar hoofd af. Met zijn rechterhand, nog gestoken in een handschoen, trok hij stevig aan haar blonde haar.

Ze verstijfde en liet hem zijn gang gaan. Langzaam streelde hij met het puntje van zijn linkerwijsvinger de ronding van haar oor, voordat hij zacht haar oorlel tussen duim en wijsvinger masseerde.

Danny keek door hem heen. Alsof hij niets was. Alsof hij slechts een geest was. Alsof de man al dood was. Hij hield het handvat van het mesje nog tussen zijn wijsvingers. Hij had het wapen bijna helemaal uit het gat in zijn broeksband getrokken.

Als hij de tape om zijn polsen had doorgesneden, hoefde hij zijn kans alleen nog maar af te wachten. Die kreeg hij maar één keer. Zodra de vreemdeling met zijn rug naar hem stond, zou Danny zijn armen naar voren laten schieten en de tape om zijn armen en borst lossnijden. Hij zou snel moeten zijn. Sneller dan hij ooit geweest was.

Maar dan zou hij vrij zijn. En gewapend. Want de vreemdeling had zijn pistool bij de haard laten liggen. En voordat hij daar was, had Danny hem allang vermoord.

De vreemdeling trok zijn handschoen weer aan en ging tussen Danny en Sally staan. Even stond hij met zijn rug naar Danny. Maar toen – hij kreeg een hartverzakking – raakte het mesje klem achter Danny's rug, terwijl hij het probeerde los te peuteren.

Danny verstijfde. De vreemdeling had zich weer omgedraaid.

Met zijn blik op Danny gericht legde hij zijn hand voorzichtig op Sally's rechterpols en scheurde de tape los.

Ze vertrok van de pijn. Strekte haar vingers. Een blik van verwarring trok over haar gezicht. Daarna van hoop. Ze dacht dat ze werd vrijgelaten.

Ze had het mis.

'Papier, steen, schaar,' zei de vreemdeling, toen hij zich eindelijk van Danny afwendde. Hij hield zijn gebalde vuist voor Sally. 'We gaan beginnen.'

Danny draaide het handvat van het mes om in zijn vingers, en probeerde het weer uit de band te schuiven.

Terwijl de vreemdeling drie keer met zijn vuist naar boven en beneden zwaaide, verschrompelde Sally's gezicht van verwarring. Ze kon niet geloven dat hij dit spelletje met haar wilde doen. Ze liet haar vuist roerloos hangen.

'Steen,' zei de vreemdeling, nog steeds met gebalde vuist.

Hij sloeg Sally hard tegen haar mond. Haar geschrokken schreeuw werd ingeslikt in haar met tape gesnoerde mond.

Danny kronkelde met zijn lijf. Verzette zich. Probeerde het mes om te draaien.

'Nog een keer,' zei de vreemdeling.

Sally staarde Danny wanhopig smekend aan. Hij hyperventileerde, raakte in paniek. Te snel. Het ging allemaal te snel. Hij voelde het zweet over zijn polsen naar zijn vingers druipen. Naar het handvat van het mes.

Hij moest zich bevrijden. Hij moest dat beest tegenhouden. Hij wendde zich van Sally af, kronkelde met zijn bovenlijf, probeerde wanhopig een minimum aan speling te krijgen.

'Steen,' zei de vreemdeling alweer.

Een aarzeling.

Toen hoorde hij het oordeel: 'Gelijk spel.'

Sally had dus begrepen wat er van haar verwacht werd. Ze speelde het spelletje mee.

Danny's adem stokte toen hij het mes eindelijk uit zijn broekband had getrokken. Een verschrikkelijk moment lang voelde hij het handvat langzaam als een klepel tussen vingertoppen heen en weer dansen, alsof het zou vallen.

Als het uit mijn vingers glipt, valt het op de grond. Als ik het nu laat vallen gaat Sally dood.

'Nog een keer,' zei de vreemdeling

Danny keek niet naar hen, hij kronkelde op zijn stoel. Wel hoorde hij de dwingende stem van de vreemdeling. Beheersing. Daar ging het hem om. Totale beheersing. Sally was niet zijn gelijke. Ze was zijn speelbal. Een pion op een speelbord.

Het mesje ging nu langzamer heen en weer. Danny probeerde wanhopig te voorkomen dat het op de grond viel.

'Schaar,' zei de vreemdeling.

Weer een stilte.

En toen de uitkomst. 'Jij wint.'

Sally huilde zacht.

Danny wist dat er maar één echte winnaar in dit spel kon zijn. En dat zou zijn vrouw niet zijn.

Eindelijk stond het mesje stil. Danny had het nog steeds vast. Hij schoof er nog twee vingertoppen tegenaan. Rustig blijven, laat het in godsnaam niet uit je vingers glippen, maande hij zichzelf. Hij begon het mes tussen zijn vingertoppen naar boven te halen. Toen hij het einde van het handvat voelde, waar het scherpe lemmet begon, draaide hij het om.

'Nog een keer,' zei de vreemdeling.

Sally's adem ontsnapte sissend en snel. Danny maakte zich niet meer druk om het geritsel van de tape achter zijn rug. Elke spier in zijn verwrongen lichaam werkte nu aan één doel. Hij zweette hevig, stikte bijna in zijn eigen slijm. Hij gebruikte al zijn vingers en beide duimen, liet het neerwaarts gerichte lemmet geheel naar achter van zich af steken, en begon het naar boven te friemelen. Naar de tape om zijn polsen.

'Papier,' zei de vreemdeling.

Opnieuw die aarzeling. Danny kon het nog steeds niet aanzien.

Hij hoorde Sally plotseling naar lucht happen.

Toen viel het oordeel: 'Je verliest. Ze heeft verloren,' zei de vreemdeling.

Danny besefte dat de vreemdeling nu tegen hem praatte.

'Draai je om en kijk toe,' zei hij, 'anders maak ik eerst de jongen af.'

Eerst...

Langzaam draaide Danny zijn hoofd om. De vreemdeling staarde hem aan. Danny's vingers omklemden opnieuw het handvat van het mes, hij was er bijna.

Danny keek langs hem heen. Hij staarde wanhopig in Sally's ogen.

Ik hou van je, was het enige wat hij dacht, toen hij bad dat de vreemdeling even zou omkijken zodat hij het mes weer kon pakken en de tape kon doorsnijden...

Toen zag hij dat de vreemdeling het tijdschrift had opgerold tot een dunne koker en in zijn linkerhand hield. Hij bleef Danny aankijken. Hij ging achter Sally staan en pakte haar hoofd. Hij rukte de tape van haar gezicht en wrikte haar mond open, waarna hij het opgerolde tijdschrift diep in haar schreeuwende keel ramde.

Een golf van afschuw trok door Danny heen. Sally stikte. Die klootzak... die vuile klootzak... Hij liet het blad in haar keel zitten. Danny wierp zich vergeefs naar voren toen ze begon te stuiptrekken, verscheurd door angst.

En op dat moment verloor hij de greep op het mesje. Het glipte weg.

De vreemdeling had de Tupperware-bak al in zijn hand. Hij greep Sally bij haar hoofd en goot de inhoud via de papieren buis in haar longen. Zijn dode vissenogen twinkelden toen hij naar Danny keek. Een afschuwwekend gegorgel ontsnapte aan Sally's keel.

Danny kronkelde, tot razernij gebracht, en schreeuwde in stilte: *Ik maak je af, ik maak je af, ik maak je helemaal af,* terwijl zijn vingers wanhopig naar het gevallen mesje zochten. Het mesje dat hij niet kon vinden.

Alstublieft! schreeuwde Danny door zijn mondknevel. *Alstublieft. Nnnngh...*

Toen was het over. Haar lichaam verstijfde. Na één laatste, afschuwelijke schok zakte ze in elkaar.

Het bloed suisde in Danny's oren. De tranen stroomden over zijn gezicht. Hij slikte zijn braaksel in, beet zijn wang kapot. Zijn hart was even verkrampt als zijn vuist. Alsof het nooit meer zou kloppen. Alsof hij nooit meer zou ademen.

Een blik van absolute macht, van extase, daalde neer over het gezicht van de vreemdeling. Hij wendde zich tot Jonathan en trok de tape van zijn rechterhand.

Toen zei hij: 'De volgende.'

Nurghhh... nurghhhhhh...

Een shot adrenaline. Danny's vingers zochten radeloos naar het mes. Hij kromde zijn lichaam. En hij kromde het zo dat het leek te breken. Tot daar... daar... hij voelde iets. De rand van het lemmet.

De vreemdeling schudde Jonathan nu heen en weer bij zijn schouders, probeerde hem te wekken, hem uit zijn trance te halen. Jonathans ogen gingen even open. Rolden achterover. Gingen weer open. Hij staarde hol voor zich uit. Volledig verstard. Langs de vreemdeling. Langs Danny. In de verte.

'Spelen,' riep de vreemdeling.

Jonathan reageerde niet. Gaf geen krimp.

Danny trok met zijn vingertoppen het mes aan de rand van de stoel naar zich toe, draaide het vervolgens om en begon het naar zich toe te slepen.

De vreemdeling wapperde drie keer met zijn handen. Zijn vuist bleef gebald. Jonathan had zich nog steeds niet verroerd.

'Steen,' zei de vreemdeling. 'Je hebt verloren.'

Hij deed het zonder waarschuwing vooraf. Terwijl Danny met zijn vingers naar het mes achter zijn rug zocht en er niet in slaagde. Hij stapte om Jonathan heen, pakte hem bij zijn hoofd en hield de open schaar voor zijn keel.

De jongen staarde Danny in de ogen. En toen verried Danny hem. Hij wist wat er ging gebeuren, hij wist dat hij het niet kon tegenhouden en hij wist dat hij niet kon toekijken.

Laf keek hij weg. Hij keek weg en liet zijn zoontje alleen sterven.

Negenenveertig

'Gaat het een beetje?' vroeg Alice aan Danny toen hij de keuken weer in kwam.
'Hoezo?'
'Je ziet zo bleek.' Ze liep naar het fornuis en roerde in de pan. 'Eten zal je goeddoen,' zei ze.
'Ik heb geen honger.'
Ze schoof een kom en een vork over de tafel naar hem toe en liet hem alleen. Door de serre heen liep ze naar Lexie, die al buiten zat en nog een sigaret opstak.
Danny ging zitten en voelde de vermoeidheid in zijn benen op het moment dat hij ze rust gunde. Hij keek in de kom: penne, verse tomaten, zwarte olijven, basilicum.
Hij stopte een volle vork in zijn mond. Ze had gelijk: een beetje eten deed hem goed. Kauwend tuurde hij naar het scherm op het aanrecht. Nog steeds dezelfde nieuwsbeelden.
Hij stapelde de lege kom op de twee andere in de spoelbak. Er stonden drie glazen en een pak sinaasappelsap op tafel. Danny dronk het laatste restje sap op, rommelde in zijn rugzak en haalde er een zware, zwartleren riem met een metalen gesp uit.

Vijf jaar geleden had hij deze riem in Tokyo laten maken. Hij trok hem door de lussen van een lichtbeige, linnen broek van Francisco, die Alice voor hem had klaargelegd toen hij nog onder de douche stond, samen met een wit overhemd en een panamahoed.

Hij pakte zijn rugzak, liep naar de serre en bekeek zich in de spiegel die daar hing. Hij zette zijn bril en hoed recht. Hij zag eruit als een geslaagde zakenman. Of misschien als een architect. Of als een advocaat.

Door de kwartjesplanten en cactussen in de serre heen zag hij dat Lexie en Alice achter in de tuin op hem zaten te wachten, op de muur onder de treurwilg.

Terwijl hij naar ze toe liep, viel zijn blik op de *Times* van die ochtend, die lag uitgevouwen op een rotanstoel. Op de voorpagina stond een foto van de Britse premier. Danny wist dat de volgende dag zijn portret daar zou staan.

Alice had haar telefoon op het glazen tafelblad naast de stoel laten liggen. Hij was van hetzelfde merk en model als die van hem. Hij pakte het apparaat en liep naar buiten het felle zonlicht in.

De Kid... Danny moest hem spreken. Om te bepalen wat zijn volgende stap was.

Wat Lexie en Alice ook aan het bespreken waren, ze

zwegen abrupt op het moment dat Danny eraan kwam. Toen hij hen daar zag zitten, nu al op hun gemak in elkaars gezelschap, kon hij niet helpen zich af te vragen hoe het zou zijn als Sally nog leefde. Of Sally en Lexie niet alleen een moeder-dochterrelatie zouden hebben, maar ook vriendinnen zouden zijn geworden.

'Dank je wel voor de lunch,' zei hij tegen Alice. 'En onder ons gezegd: hij was minstens vijftien pond waard.'

Dat grapje maakten ze vroeger vaak samen. Wanneer ze voor elkaar hadden gekookt, bepaalden ze na de maaltijd altijd hoeveel ze er in een goed restaurant voor hadden willen betalen.

Alice glimlachte. 'Onder minder gespannen omstandigheden zou ik het graag nog eens overdoen,' zei ze.

Danny stak de twee identieke mobieltjes omhoog. 'Mijn batterij is leeg,' zei hij. 'Mag ik die van jou gebruiken?'

'Ga je gang.'

Hij opende de achterkant van de telefoons en verwisselde de batterijen. Zijn telefoon begon meteen te zoemen toen hij weer energie kreeg. Danny ging na wie hem gebeld had. Het was de Kid. Hij had een hele trits berichten achtergelaten.

Danny stuurde hem snel een bericht om te zeggen

dat hij ongedeerd was en hem over een paar minuten zou bellen. Hij dacht aan de vele vragen die hij hem wilde stellen. Had de Kid de geheugenstick en pas nog gevonden? En wat hij daarop aangetroffen? Maar eerst wilde Danny afscheid nemen.

'Je hebt geluk,' zei Alice. 'Het water staat hoog, de vloed is net begonnen. We hebben de boot al neergelaten.'

Danny leunde tegen de bemoste tuinmuur en keek omlaag. De twee meter lange opblaasspeedboot met harde romp was vastgebonden aan een metalen trap die van de bovenkant van de muur naar het donkere, olieachtige water liep. De golven van een voorbijvarende rondvaartboot klotsten tegen de verweerde muur. De buitenboordmotor was al aan de achterkant van de boot bevestigd. Hij lag klaar voor vertrek.

'Dank je wel, Alice.' Danny draaide zich naar haar om. 'Voor alles.'

Toen hij haar telefoon teruggaf, pakte ze zijn hand en kneep daar zacht in. Ze boog zich naar hem toe en kuste hem op zijn wang, bedacht toen dat hij meer verdiende en omhelsde hem innig.

'Wees voorzichtig, Danny,' fluisterde ze in zijn oor. 'Ik laat jullie even alleen om afscheid van elkaar te nemen,' zei ze vervolgens hardop, waarna ze zich terugtrok. 'Kom je naar me toe als jullie klaar zijn,

Lexie? Ik ben binnen. Ik ga koffiezetten.'
Danny keek Alice na terwijl ze wegliep en verdween
door de deur van de serre. Toen hij zich naar Lexie
omdraaide, zag hij dat ze naar hem stond te kijken.
'Heb je een relatie met haar...?' vroeg ze. 'Nou...?'
'Nee.'
'Maar wel gehad, of niet?'
Danny had geen idee hoe hij een gesprek als dit met
zijn dochter zou moeten beginnen. De laatste keer
dat ze elkaar onder vier ogen spraken, was zij verzot
op Pokémon en hij gelukkig getrouwd met haar
moeder. Hij had geen enkel houvast. Geen idee hoe
Lexie zou kunnen reageren. Hij draaide eromheen,
beantwoordde haar vraag met een wedervraag.
'Waarom wil je dat weten? Heeft Alice er iets over
gezegd?'
'Nee. Maar het ligt er duimendik bovenop, daarom.'
Vrouwelijke intuïtie. Haar moeder had dat ook. Tegen haar had Danny ook nooit kunnen liegen.
Hij keek in Lexies intelligente ogen en probeerde te
bedenken wat ze nu dacht. Of ze hem haatte omdat
hij na haar moeder een andere vrouw had gehad. Ook
dacht hij aan Anna-Maria en aan het bizarre gemij-
mer van de avond ervoor, over hoe het zou zijn om
een normale relatie met haar te hebben. Zou Lexie
dat ooit accepteren? De manier waarop hij haar nu

met Alice had zien omgaan, maakte die droom plotseling haalbaar.

Hij besloot Lexie de waarheid te vertellen. En niet alleen omdat hij vermoedde dat ze aan hem kon zien dat hij loog, maar omdat hij eerlijk tegenover haar wilde zijn. Haar op een volwassen manier wilde aanspreken. Hij wilde dat dit een moment voor haar zou zijn, waarop ze kon terugkijken als het moment waarop hij had geprobeerd open tegenover haar te zijn. Wat er verder ook zou gebeuren.

'We hebben een tijdje regelmatig met elkaar afgesproken,' zei hij. 'Maar nu al een tijdje niet meer.' Sinds hij met Anna-Maria afsprak wanneer hij in Londen was. Sinds Alice iets met een ander kreeg. Hij had geen idee hoe Lexie hierop zou reageren. Maar haar antwoord had hij zelf niet kunnen bedenken.

'Wat leuk voor je,' zei ze. 'Ze is hartstikke cool. Goed dat jij zo'n leuke vrouw bent tegengekomen.'

Danny glimlachte. Daar zat ze dan. Zijn kleine meisje. Plotseling bijna een volwassene. Hij voelde zijn genegenheid voor haar groeien. En dacht terug aan het schoolplein en haar vrienden. Hoe ze zich had afgezet tegen die droge, stoffige muur. Een deel van haar wereld waar hij niets van wist.

'En jij?'

'Hoezo?'

'Hoe zit dat met dat vriendje van je, ik bedoel die jongen,' corrigeerde hij zich. 'Die jongen op het schoolplein. Die me in elkaar had willen slaan als jij er niet tussen was gekomen.'

'O, da's niks.'

En van niks ga jij zeker zo blozen, dacht hij.

Net als zij bij hem, zag Danny dat Lexie iets verborg. Niet omdat hij daarop getraind was. Maar omdat ze zijn dochter was. Hij zag dat ze verliefd was.

'Hij leek me wel aardig,' zei hij. 'Ik ben blij dat je zo'n knul in je omgeving hebt.' Hij meende het. De jongen met het krulhaar leek hem iemand die zich aan zijn woord hield, die nog steeds bij die deur op Lexie stond te wachten omdat hij haar dat had beloofd.

'Zorg dat je niks ergs overkomt,' flapte Lexie er plotseling uit, terwijl haar gezicht ineenschrompelde, alsof ze die woorden weer meteen had willen inslikken.

'Dat zal ik doen,' antwoordde hij. Het was een belofte. 'Ik ben een paar keer gebeld door een vriend. Iemand die me gaat helpen. Ik sta er niet alleen voor.'

Ze begon te beven, alsof ze weer samen in dat ijskoude bos stonden. Danny hoorde haar huilen nog voordat hij haar tranen had gezien. Een zacht gejank, vanuit de diepte van haar ziel. Een geluid dat ze probeerde in te slikken voordat het eruit kwam. 'Waarom?' zei ze uiteindelijk.

'Waarom wat?'

Ze veegde haar tranen weg en keek boos op. 'Waarom ben je verdomme zo aardig?' Ze snikte. Ze hapte naar lucht. 'Ik heb je zo willen haten,' zei ze. 'Ik heb het zo geprobeerd.'

'Het spijt me.' Danny zocht naar betere woorden. Hij wou dat hij zich beter kon uitdrukken, het allemaal kon uitleggen, haar verdriet kon wegnemen. 'Sorry voor wat ik gedaan heb. Voor wie ik ben. Dat ik niet goed voor je gezorgd heb.'

Jaren geleden had hij haar over zijn spijt geschreven. Had ze die brieven ooit gelezen? Waarschijnlijk verdwenen ze linea recta in de prullenmand.

'Daar ben ik niet boos om,' zei ze. 'Je had zo veel verdriet.' Haar tranen, die over haar gezicht stroomden, probeerde ze niet eens meer te verbergen. Even flitste er verwarring – en nog meer boosheid – in haar ogen. 'Wat ik bedoel is, waarom liet je me door oma weghalen? Waarom liet je me gaan?'

'Maar...' De verwarring trok door heel zijn lijf heen. 'Maar ik dacht juist dat je zo gek op haar was.'

'Dat was ik ook. Maar ik hield ook van jou. Jij was mijn papa. Jij zult altijd mijn papa zijn. Je had me nooit weg mogen sturen.'

Het besef kwam als een mokerslag bij hem aan. Even

leek het zelfs alsof ze hem een stomp wilde geven. Maar toen liet ze haar schouders zakken. Ze staarde naar de grond.

Hij wilde haar vertellen dat het hem het beste had geleken als ze in Engeland ging wonen, maar dit excuus scheen nu te slap om haar direct te zeggen. Bovendien was het niet waar. Want hij had die beslissing nooit genomen. Dat had oma Jean gedaan. Zij had Lexie bij hem weggehaald, en hij had haar gewoon laten gaan. Pas nu bedacht hij dat ze misschien liever bij hem had willen blijven.

'Het zal nooit meer gebeuren,' zei hij. 'Je zult me nooit meer verliezen.'

Zijn adem stokte in zijn keel. Alles wat hij zei, kwam er gebrekkig uit. Het was allemaal te laat. Maar toen hij vol medelijden naar zijn dochter keek, keek ze naar hem op en haalde iets uit haar zak.

'Ik moet je iets teruggeven,' zei ze. 'Ik heb het van je afgepakt toen ik dat grijze apparaatje uit je rugzak moest halen.'

Ze stak een soort ansichtkaart naar hem toe. Het was de oude foto van Danny die haar duwde op de schommel in de speeltuin, haar lange blonde haar wapperend in de wind.

'Ik weet nog waar dat was die dag,' zei ze, weemoedig starend naar de foto, met haar duim over een hoekje wrijvend, alsof ze probeerde het geluk uit die tijd terug te toveren. 'Dat was toch in New York? In dat kleine parkje vlak bij mijn school...'

Ze wilde de foto aan hem teruggeven. Hij schudde zijn hoofd.

'Bewaar die maar voor mij,' zei hij. 'Geef hem maar aan me als ik straks terug ben. Ik beloof je dat ik niet lang wegblijf.'

Alweer een belofte. En ook deze trok ze niet in twijfel. Ze draaide zich met hem om naar de rivier, en samen keken ze zwijgend naar het traag voorbijstromende water.

'Als dit allemaal voorbij is,' zei ze, 'als je iedereen hebt bewezen dat je niets op je geweten hebt. Als de vakantie begint...'

'Ja?'

'Kan ik dan eens bij je langskomen? Ik bedoel, waar je woont?'

'Maar natuurlijk.' Hij vertelde haar niet hoezeer hij hiernaar verlangd had, dat hij alles voor haar in orde had gemaakt in zijn huis op Saint Croix. Dat hij een paar kamers voor haar had ingericht. Dat hij was blijven hopen dat ze hem zou willen opzoeken.

Ze stak haar armen naar hem uit en hield hem stevig vast. En terwijl hij haar tegen zich aan voelde snikken, wist hij dat het ooit allemaal weer goed zou komen tussen hen. Hij zou zijn uiterste best doen om daarvoor te zorgen.

'Ga nu maar,' zei ze, terwijl ze glimlachend de tranen uit haar ogen veegde. 'Straks is de vloed voorbij.'
'Ik hou van je, prinses,' zei hij.
'Dat weet ik. En pap, ik ook van jou.'

Vijftig

16.07 uur, Hammersmith, W6

Danny zag Lexie kleiner worden in de verte toen hij met zijn motorboot de rivier af voer, op het aflopende tij naar Battersea aan de zuidkant van de Theems. Er waren nu vele emoties, wist hij, die hij zou moeten voelen. Schuldgevoel omdat hij zijn dochter hierbij betrokken had. Woede om de mensen door wie hij geen keuze had gehad. Opluchting omdat ze nu veilig was ondergebracht. Angst dat hij haar nooit meer zou zien.

Maar toen hij zijn hand in de lucht stak om gedag te zwaaien, voelde hij zich verrassend genoeg vooral trots.

Hij draaide zich om op zijn bankje en keek naar voren. Hij voer rustig in hetzelfde tempo door, omdat hij geen aandacht wilde trekken.

Niet dat ook maar iemand hier naar hem scheen te zoeken. De enige riviervaartuigen in de buurt waren een stuurmanloze roeiboot voor vier man die snel tegen stroom in voer, en een rijtje woonboten met vuile ramen die tegenover een drietal kroegen aan de rivierkade lagen aangemeerd.

In de stad was de jacht volop aan de gang. Sirenes klonken en verstierven in de wind. Boven Brook

Green en Hammersmith zweefden helikopters. Maar de meest directe dreiging voor Danny stond op de Hammersmith Bridge, honderd meter voor hem uit. Aan beide kanten van de brug waren zwaailichten van de politie te zien.

Even later kon Danny de agenten zelf zien. Hun lichtgevende jacks. In een rij langs de reling van de rivieroever. En bij de blokkades die ze bemanden. Maar geen van hen keek naar de rivier beneden. En Danny voer dankbaar verder.

Hij gaf bijna geen gas meer toen de boot door het toevluchtsoord van de donkere schaduw onder de brug voer. Hij keek niet op toen hij weer opdook in het glinsterende water aan de andere kant.

Zijn hartslag bonkte in zijn oren. Hij was bang dat een agent hem terug zou fluiten. Als ze dat deden, moest hij zijn rugzak achterlaten – ongezien laten zinken – en de zakenman uit Parijs worden die hij volgens zijn paspoort was.

Want hij zou ze absoluut niet te snel af kunnen zijn. Maar hij werd niet teruggefloten. En langzaam kwam hij weer op snelheid. Hij voer dicht tegen de met slib afgezette rivieroever en volgde de flauwe bocht. Nog tweehonderd meter en de brug was uit het zicht verdwenen.

Nadat hij zijn telefoon uit een colbertzakje had gehaald, zag hij dat er weer een keur aan netwerken beschikbaar was. Dat betekende waarschijnlijk dat de SO15, het antiterreurteam van de Metropolitan Police, had geconcludeerd dat Danny geen deel uitmaakte van een grotere guerrillamacht die nu bezig was zich te hergroeperen. Wat inhield dat ze vanaf nu al hun middelen louter op hem zouden inzetten. Precies zoals die MI5-agent met wie hij had gevochten had verteld.

Danny keek opnieuw naar de lijst met gemiste gesprekken. Er waren twee gemiste oproepen van de Kid sinds Danny in de tuin van Alice zijn mobiel had gecheckt. Maar geen van Crane. Die leek van de aardbodem verdwenen.

Danny dacht terug aan zijn andere telefoon. Die hij bewaarde voor privégesprekken. Hij had hem laten liggen op de plank bij de patrijspoort van zijn woonboot. Hij vroeg zich af wie hem op dat nummer had proberen te bereiken, nu zijn naam was vrijgegeven. Anna-Maria natuurlijk, Candy Day uit Saint Croix. Hij kon niet terug naar zijn boot. Niet voordat hij zijn naam had gezuiverd. Hoewel de Pogonsi niet op zijn naam stond, zou hij inmiddels, nu er zoveel foto's van hem in de openbaarheid waren gekomen, en er zeker nog vele zouden volgen, door andere bewoners van Regent's Canal zijn herkend en aangegeven bij de politie.

Datzelfde gold natuurlijk ook voor Saint Croix. De

pers zou zich daar ook verzamelen voor zijn huis. Hij dacht aan Lexie en de oude trekkerschuur die hij voor haar tot studio had omgebouwd zodat ze er kon schilderen. Hij hoopte dat de storm die er nu woedde op een dag zou gaan liggen zodat ze hem kon opzoeken. Hij hoopte maar dat hij, ook als zijn naam gezuiverd was, niet gedwongen zou worden om zijn geliefde stek te verkopen en te verhuizen. Andere plaatsen waar hij kwam en middelen die hij tot zijn beschikking had – zowel in Groot-Brittannië, thuis als in het buitenland – zouden ook in gevaar worden gebracht. Bepaalde banken. Bepaalde bezittingen. Maar niet alles. Als hij maar uit handen van de politie bleef, de mogelijkheid kreeg een plan te bedenken en terug te slaan.

De telefoon trilde in zijn hand. Een binnenkomend gesprek. De Kid, zag hij. Hij zette de telefoon in de stille modus.

'Kid, het spijt me...'

'Jezus, Danny... Gaat het nog?'

'Jawel, hoor. Luister, ik moest iemand...' Danny slikte zijn woorden in. 'Ik moest nog een probleempje oplossen.'

'Ja, je eigen dochter kidnappen.'

Danny schudde zijn hoofd. Wat ben ik toch een idioot, dacht hij. Natuurlijk wist de Kid het. Hij besefte dat alle nieuwsmedia inmiddels net zoveel aandacht aan haar en haar verleden besteedden als aan hem.

'Ik moest haar ergens veilig onderbrengen,' zei hij.

'Tering, man, we kennen elkaar bijna zes jaar, Danny. En heb je er nooit over gedacht me te vertellen dat je een kind hebt...'

'Ik blijk niet zo'n goede vriend te zijn vandaag, of wel?'

'Het is al goed,' zei de Kid.

Maar hij klonk niet alsof hij het wel goed vond. Hij klonk gekwetst.

'Zodra dit achter de rug is, ga ik het goedmaken,' zei Danny. 'Dat beloof ik je.'

'Het is prima, broer. Je hoeft me niets te beloven.'

Broer. Hij zei het weer. De glasharde garantie van de Kid dat wanneer het om het werk ging, ze op elkaar konden bouwen.

'Dus die dochter van je... is ze nu bij jou?'

'Nee.'

'Maar ze is wel in orde?'

'Jawel. En zoals ik al zei, ze is veilig ondergebracht.'

Zoals hij Crane, toen hij in Noirlight aan Danny dezelfde vraag stelde, geen antwoord had gegeven, zo vertelde hij de Kid ook niets over Lexies schuilplek, en die vroeg niet door.

'Je was helemaal van mijn scherm verdwenen, Danny. Wat is er in godsnaam met je telefoon aan de hand?'

'Mijn batterij was leeg. Ik heb een andere.'

'Oké, vertel me dan nu maar wat je verdomme midden op die klere-Theems doet.'
Het moest inderdaad een vreemde verrassing zijn, dacht Danny, dat zijn GPS-icoontje op de kaart van de Kid nu vrolijk over de rivier dobberde.
'Ik kom je opzoeken, natuurlijk. Ik dacht, laat ik de toeristische route nemen.'
'En die vervelende controlepunten mijden. Slim bedacht. Goeie actie. Het enige probleem is, broer, dat als je nu naar de Battersea-centrale vaart, ik daar niet meer ben.'
'Waarom niet?'
'Te veel blauwe mannetjes. Ik heb besloten daar weg te gaan. Ze trokken de kentekenplaten van alle voertuigen bij het hotel na die ze op film hadden tijdens de schietpartij. Zelfs de vervalste, zoals die van mij.'
'Waar ben je nu?'
'Ik rij in zuidelijke richting. Maar niet lang meer. Ik heb de sleutel van het appartement van een vriend. Hij is al een tijdje niet meer in de stad, als je begrijpt wat ik bedoel...'
In de gevangenis, concludeerde Danny. Voor mensen als de Kid, die graag rondneusden in andermans virtuele forten, was dat een van de risico's van het vak.
'Wat is het adres?'
'Ik wil eerst zelf gaan kijken,' zei de Kid. 'Ik ben niet de enige met sleutels, dus ik wil er zeker van zijn dat

400

er niemand is. Vaar richting Clapham High Street. Er zit een kleine bioscoop vlak bij metrostation Clapham Common. De Clapham Picture House heet die. Ik zal je bellen en zeggen waar we elkaar kunnen treffen als je bent aangekomen. Kom maar snel, oké? Hoe eerder je binnen bent, hoe veiliger dat voor ons allebei is.'

Danny werd plotseling overspoeld door schuldge-voel. Het was nog niet in hem opgekomen dat wanneer hij zou worden opgepakt de Kid ook in op-spraak zou komen.

'Dank je,' zei hij.

'Waarvoor?'

'Voor je trouw aan mij.'

'Waar zijn we verdomme anders vrienden voor?' De Kid snoof het compliment weg. 'En, wil je nog weten wat er op die USB-stick en die pas staat of niet?'

Danny voelde een adrenalinestoot. 'Die heb je dus gevonden?'

'Jep.'

'En?'

'Er staan gegevens op. En ik heb nog beter nieuws voor je: de namen van de bestanden op die stick lij-ken me Russisch.'

'Dat is fantastisch.' Danny moest de neiging be-dwingen om met zijn vuist in de lucht te steken. 'Maar het slechte nieuws is, dat alles gecodeerd is,' zei de Kid.

'Kun je dat niet fiksen?'

'Dat probeer ik.'

Opnieuw onderdrukte Danny de neiging om te gaan juichen. Maar toch kon hij de golf van optimisme die in hem opwelde niet tegenhouden. Want als iemand dit zou kunnen, was het de Kid wel.

'Ik heb een programma dat nu zowel de stick als de pas afleest,' zei de Kid. 'Het duurt nog wel even, Danny, maar met een beetje geluk kan ik je iets laten zien als we elkaar ontmoeten. En zo niet... Die vriend van mij, van dat appartement, heeft een computer die honderd keer sneller is dan de apparatuur in mijn bus.'

Het klikje van een aansteker. Het gesis van sigarettenrook die werd geïnhaleerd.

Shit, dacht Danny onwillekeurig, na zo'n zware dag als deze zou ik mijn belofte aan Anna-Maria willen verbreken en een pakje sigaretten kopen als ik het eind van deze avond haal. Een peuk en een borrel. Hij zou er een moord voor kunnen doen, alle plechtige beloften ten spijt.

Maar op dat moment werd zijn blik getroffen door iets vóór hem. Een rivierboot van de politie. Hij kwam recht op hem af gevaren.

'Ik moet gaan,' zei hij tegen de Kid, waarna hij de verbinding snel verbrak.

Eenenvijftig

16.19 uur, Hammersmith, Londen W6

De rivierboot van de politie schoot langs Danny heen richting Hammersmith Bridge om zich in de strijd te werpen. De agent op de boeg knikte zelfs nog vriendelijk naar Danny terwijl de boot door het water ploegde en een v van schuimende golven in zijn kielzog achterliet.

Een halfuur later legde hij Francisco's boot vast aan een pier aan de zuidkant van de Theems, vlak naast Battersea Park. Hoewel de Kid al verder naar het zuiden was getrokken, had Danny niet dichter bij de plek kunnen komen waar hij zou zijn.

Bij een toeristenstalletje aan het trekpad, naast een enorm boeddhabeeld, kocht hij een blauwe pet waarop I LOVE LONDON stond. Hij smeet de panamahoed in een vuilnisemmer en beloofde zichzelf dat hij zodra dit allemaal achter de rug was voor Alice een nieuwe hoed zou kopen om aan Francisco te geven.

Vanaf de rivier had Danny de politie wegblokkades zien aanleggen op de Albert Bridge in het westen en de Chelsea Bridge in het oosten, ongetwijfeld zodat ze auto's konden doorzoeken en voetgangers om hun identiteit konden vragen.

Omdat de Kid helemaal niet op hem leek, had hij

zonder moeite heen en weer kunnen gaan om de stick en pas uit het winkelcentrum aan de noordkant op te halen, maar voor Danny was het veel te riskant om zich in de buurt van de politie te begeven. Iedere agent had inmiddels zijn portret op zijn mobiele telefoon staan.

Hij liep het park in om de twee hoofdwegen aan beide kanten van de bruggen te omzeilen voor het geval daar posten voor ID-controle waren opgezet.

Eenmaal uit het park begon hij te voet aan de drie kilometer lange tocht naar Clapham. Het verkeer op de wegen aan deze kant van de rivier was toch traag, en het risico dat hij in het openbaar vervoer door een gezichtsherkenningssysteem zou worden herkend was te groot – als de metro of de trein al op hun normale capaciteit functioneerden, wat hij betwijfelde.

Waar mogelijk hield hij zich op in de achterstraten, de kans op blootstelling aan beveiligingscamera's nog meer verkleinend. Hoe verder hij ten zuiden van de Theems liep, hoe minder bekeken hij zich voelde, en hoe normaler de omgeving werd. Minder politie. Minder opstoppingen.

Toen hij zich door Killyon Road naar Clapham Manor Street worstelde, waar hij langs een pub kwam die Bread and Roses heette, kreeg hij bij elke stap die hij zette het gevoel alsof hij de hel verder achter zich liet. Door het open raam van de pub zag hij mensen zich verdringen voor de televisie, om te zien wat er aan de andere kant van de rivier gebeurde. Het was duidelijk dat het zich allemaal dáár afspeelde, niet hier.

Voor de pub stonden mensen te drinken en te kletsen, onverschillig voor wat er elders in de stad aan de hand was. Voor Danny leek het alsof hij een andere stad was binnengestapt. Een stad waar hij niet meer voor zijn leven hoefde te rennen. Waar hij eindelijk bijna had weten te ontkomen.

Dat ben ik ook, zei hij tien minuten later in zichzelf, voor de kleine bioscoop in een zijstraat waar de Kid hem naartoe had geleid, terwijl hij uit een piepschuimen beker zijn sterke, zwarte koffie dronk en op het telefoontje van de Kid wachtte. Als ik maar niet herkend word, dacht hij. Hopelijk heb ik nu een kleine voorsprong.

Er gingen twintig minuten voorbij – genoeg voor Danny om weer zenuwachtig te worden – voordat de naam van de Kid op het scherm van zijn mobiel verscheen.

Een kwartier later liep Danny voorbij een rij vervallen, 24-uurs supermarkten en goedkope cafés en kroegen in Streatham. De goten lagen vol hamburgerwikkels en afgekloven kippenvleugels. In de verte klonk een politiesirene. Van dichterbij klonk een gedempt geschreeuw en het gerinkel van brekend glas.

Danny liep een steegje in. De stank van verstopte afvoerpijpen hing in de lucht. Herkenningstekens van bendes en graffiti sierden de verweerde bakstenen muren als tatoeages de spieren van een oude bokser. Vervormde fragmenten van televisieseries en dronken ruzies in wel tien verschillende talen klonken uit de verdiepingen daarboven.

Hij begon weer moe te worden toen hij aankwam bij het vervallen, uit baksteen opgetrokken, drie verdiepingen tellende gebouw dat de Kid had beschreven. Hij drukte op de deurbel. Waarschijnlijk had de Kid hem al gezien door de privébeveiligingscamera die van de dakgoot naar beneden keek. Want nog geen vijf seconden later opende hij de zware, aan een beveiligingssysteem gekoppelde voordeur.

'Fijn dat je er weer bent, broer,' zei hij met een brede grijns, terwijl hij Danny op zijn schouders klopte en hem daarna stevig omhelsde.

De Kid leek opgelucht en uitgeput en even afgepeigerd als Danny. Hij droeg een te groot, versleten, zwart pilotenjack en hield een aangestoken sigaret tussen zijn tanden geklemd.

'Het is goed om weer terug te zijn,' zei Danny. 'En opnieuw bedankt, Kid. Voor alles. Als jij er niet was, zat ik nu in de gevangenis of was ik dood.'

'Hoort allemaal bij onze service,' zei de Kid, alweer met een grijns.

De stank van sigarettenrook uit zijn neusgaten was voor Danny een zoet parfum. Hij kon nauwelijks geloven dat ze eindelijk weer bij elkaar waren. Die ochtend in het busje leek een eeuw geleden.

'Kom op, man. Snel,' zei de Kid. Hij deed een pas naar achter in een sombere, wit geschilderde gang die door één peertje werd verlicht. 'Ik moet je wat laten zien.'

Danny volgde hem naar binnen en trok de deur achter zich dicht. Een golf van opluchting en vermoeidheid overspoelde hem, alsof hij thuiskwam na een vlucht van vierentwintig uur. Hij wilde neerploffen. Gaan liggen. Een week slapen. Maar de Kid had gelijk. Ze moesten zich over de geheugenstick en de pas buigen.

Hij volgde de Kids schuifelende pas door de gang en door een dubbele, witte klapdeur.

Een grote, open werkruimte met kale, bakstenen muren. Felle halogeenlampen schenen naar beneden vanaf een hoog, door metalen balken gestut plafond. Het zag eruit alsof ze haastig waren gemonteerd. Kale draden liepen naar een stopcontact in de muur. Er waren stukken stuc van het plafond gevallen. Het enige directe daglicht kwam vanuit de drie hoge kleine, rechthoekige ramen achter in de kamer. Er zaten tralies voor. Tegenover de klapdeur waardoor ze naar binnen waren gegaan, bevond zich een andere klapdeur.

Geen plek voor mensen die gesteld waren op comfort, viel Danny op. In een hoek lag een stapel matrassen. Verschillende, puur functionele, grijze kunststofstoelen en een beige, versleten formica eettafel. Geen verwarming, besefte hij, toen hij de koele lucht inademde.

Wie de eigenaars ook waren, ze waren duidelijk niet geïnteresseerd in binnenhuisarchitectuur. Alleen in werk. Er stonden vier bureaus, vol computerschermen en technische apparatuur. Op de vloer lag een wirwar aan kabels. Aan de muur rechts hing een reeks zwarte plasmaschermen als een rare, moderne kunstinstallatie.

Twee lange houten bureaus waren in een L-vorm tegen elkaar gezet. De Kid wurmde zich erachter. Hij zat met zijn rug tegen de muur.

'Ga zitten, broer.'

Danny schoof aan. Hij zat tegenover de Kid.

'Hier staat meer apparatuur dan bij de NASA,' zei hij.

'En vooral: betere,' zei de Kid met een glimlach.

De ruimte herinnerde Danny aan commandoposten voor geheime diensten in Koeweit en Irak waar hij gewerkt had.

De Kid zat al te typen. Hij wierp een blik naar boven,

keek op zijn horloge en toen op zijn mobiel. Ondanks de koelte zag Danny het zweet van zijn voorhoofd lopen.

'Nu duurt het niet lang meer,' zei de Kid, bijna in zichzelf, zonder op te kijken.

Danny zag een magnetron op een plank staan. De vuilnisemmer daarnaast zat vol lege verpakkingen van kant-en-klaarmaaltijden. Maar er kwam geen stank uit de vuilnisbak, wat betekende dat ze er nog niet lang in lagen.

'Het lijkt erop dat hier iemand woont,' zei Danny.

De Kid keek wezenloos om zich heen.

'Meer dan één iemand zelfs,' zei Danny, knikkend naar de opgerolde slaapzakken naast de matrassen.

De Kid haalde zijn schouders op, alsof hij daar nog niet over had nagedacht. Zijn telefoon piepte op zijn bureau. Hij glimlachte toen hij op het scherm keek.

'Goed,' zei hij, 'we kunnen eindelijk beginnen.'

Tweeënvijftig

17.59 uur, Streatham, Londen SW2

'Vertel op, wat staat er op die USB-stick?' vroeg Danny.

De Kid leunde een beetje achterover op zijn stoel. De gloed van zijn computerscherm wierp een donkere schaduw over zijn gezicht waardoor Danny om een of andere reden moest denken aan Crane in zijn al even bizar verlichte kantoor in Noirlight.

'Niets,' zei de Kid. 'Er staat niets op. Hier, pak maar.' Onverwacht gooide hij de geheugenstick naar Danny en schoof een zwartleren attachékoffer over het bureaublad naar hem toe.

Danny was totaal in de war toen hij de stick die hij zojuist had opgevangen in zijn hand bekeek.

'Maar je zei dat je er bestanden op had gevonden,' zei hij. 'Gecodeerde Russische bestanden.'

'Weet ik.' De Kid glimlachte opgelaten. 'Dat was ook het plan. Dat ik je een hoop onzin verkocht. Over hoe ik op een slimme manier had achterhaald dat de digitale handtekeningen van de pas en stick van ene kolonel Nikolai Zykov waren, de militair attaché van de Russische ambassade in Londen. Beter bekend als die dode vent in de hotelkamer.'

Onzin verkopen?

Danny speelde de woorden van de Kid opnieuw af in zijn hoofd. Hij begreep er niets van. Waar was hij mee bezig? Wat zei hij nou?

De Kid draaide het scherm van zijn laptop naar Danny toe.

'Kijk. Ik zou zelfs de moeite hebben gedaan een foto van de kolonel voor je te vinden.'

Op het scherm stond een uitvergroot krantenartikel. Het ging over een staatsbezoek van drie maanden geleden van een of andere hoge vrouwelijke Russische functionaris. Er stond een foto bij het artikel, van twee vrouwen en een man in uniform.

Danny keek naar het gezicht van de man. Hij was in de zestig, broodmager. De twee vrouwen op de foto glimlachten, maar hij niet. Was dit echt de man met het verminkte gezicht die Danny in die hotelkamer had gezien?

De Kid draaide zijn laptop weer naar zich toe. Vervolgens maakte hij de attachékoffer open. Danny zag de inhoud in het deksel.

'Ook zou ik je gaan vertellen dat Zykov bekendstond als een communistische hardliner,' zei de Kid, terwijl hij zijn hand in de koffer stak, 'wat klopt. En dat hij daardoor betrokken was geweest bij enkele geheime, Russische nationalistische militaire groeperingen voordat in december 1991 de Sovjet-Unie uiteenviel – ook dat is waar. Hierdoor zou het voor jou volstrekt aannemelijk zijn dat de man mogelijk betrokken was geweest bij de aanslag vandaag op Madina Tskhovrebova voor de Ritz, die als doel had, opnieuw een expansie-oorlog tussen Rusland en Georgië te ontketenen.'

De vloer leek onder Danny's voeten weg te zakken. Het was alsof hij hier niet echt was. Het kon niet waar zijn – of toch? – wat de Kid hem nu vertelde. Want als dat wel zo was, dan zou de Kid van plan zijn geweest tegen hem te liegen, hem te manipuleren, hem te sturen – maar met welk doel?

De Kid duwde tegen de klep van de attachékoffer en liet die plat neerkomen op het bureau, terwijl hij tegelijkertijd een Glock 18 machinepistool en een volledig gevuld magazijn uit de piepschuimen voering haalde. Hij ramde het lange magazijn in de Glock. Danny's oren begonnen te suizen.

'Vervolgens zou ik je vertellen dat er op de USB-stick een gecodeerd bestand onder de naam Tskhovrebova stond,' zei de Kid. 'Je weet wel, die vermoorde schrijfster.' Hij sprak over haar alsof het om een gewist bestand ging. 'En dan zou ik je gaan vertellen dat dit bestand pas enkele uren voor de aanslag vanochtend door kolonel Zykov was aangemaakt. Alweer een sterke aanwijzing dat hij bij die aanslag betrokken was geweest.'

De Kid schoof de keuzeknop op het machinepistool

van half- naar volautomatisch, waardoor het wapen 1300 kogels per minuut kon afvuren. Met de drieëndertig kogels in het extra lange magazijn gaf dat meer dan genoeg vuurkracht om iemand dwars doormidden te schieten. Of in vieren.

Hij stond op en richtte het wapen op Danny's hart. 'Wees maar niet bang, Danny. Ik knal je nu nog niet neer. Behalve als je me geen keuze geeft.'

De adrenaline gierde door Danny's lijf. Al zijn spieren spanden zich. Zijn hersens leken in brand te staan. Dit gebeurt echt, zei hij bij zichzelf. De Kid heeft me verraden. Hij dreigt me zelfs te executeren.

'Daarna,' zei de Kid, 'wanneer ik je helemaal had doorgezaagd over die zielige kolonel Zykov, zou ik je verrassen met het nieuws dat ik het bestand niet kon openen, omdat de encryptiesoftware die erop was losgelaten van het type was dat alleen maar werd gebruikt op het beveiligde, interne besturingssysteem van de Russische overheid. Ik zou je de conclusie laten trekken dat er maar één manier was om het bestand te ontcijferen: dat jij zou inbreken bij de Russische ambassade en mij direct op hun systeem zou aansluiten.'

'Maar... maar waarom?' Danny klonk schor. Hij probeerde te slikken, maar dat lukte niet. Zijn mond was kurkdroog. 'Waarom zou je mij dat willen laten doen?'

De Kid trok glimlachend een scheef gezicht, als een leraar die zich verveelde en begon te ergeren aan een kind dat iets voor de hand liggends maar niet kon begrijpen.

'Nou, logisch,' zei hij. 'Er staat namelijk echt iets op de computer van kolonel Zykov in de Russische ambassade dat jij voor ons moet stelen.'

Voor ons...

Danny keek om zich heen. Deze ruimte. De inrichting. De gelijkenis met een commandopost van een geheime dienst. Het straaltje zweet dat van het voorhoofd van de Kid liep. De opluchting waarmee hij naar zijn mobieltje staarde. Natuurlijk werkte hij niet alleen.

Hij hoorde een zwiep.

De klapdeur rechts van de Kid zwaaide open en de blonde vrouw uit de Ritz liep naar binnen. Haar beige linnen pakje was helemaal gekreukt, de donkere wallen onder haar ogen waren nu nog geprononceerder. Ze had een zwaar, 21 mm Russisch pistool in haar hand, dat ze op Danny's gezicht richtte.

Opnieuw een klikgeluid.

Ditmaal achter Danny. Hij draaide zich om en zag de man met baard staan die hem in de hotelsuite had gefouilleerd. Hij droeg nog steeds zijn zwarte pak en zwarte overhemd. Hij was gewapend met een H&K MP7, een halfautomatisch geweer. Dat hij op Danny's rug gericht hield.

Toen Danny omkeek naar de Kid, zag hij dat de man van wie hij amper een minuut geleden nog had gedacht dat hij hem blindelings kon vertrouwen, niet meer glimlachte.

Vertrouw niemand, alleen jezelf...

Danny had beter naar zijn goeie ouwe vader moeten luisteren. Want de enige andere persoon die Danny deze hele lange dag had vertrouwd, had hem van begin af aan belazerd.

'Je vraagt je misschien af waarom ik jou verdomme nu pas vertel dat ik je erin wilde luizen,' zei de Kid. 'Omdat jij echt niet gaat inbreken in de Russische ambassade om me aan te sluiten op het intranet van de Russische overheid, toch?'

'Klopt.'

Een neerbuigend gegrinnik. De Kid schudde zijn hoofd. Hij zag iets wat leek op diepe, persoonlijke genoegdoening in zijn ogen. 'Je hebt het mis. Zie je, mijn snode plannetje om jou hierheen te lokken doet er niet meer toe. We hebben namelijk een veel betere manier gevonden om jou precies te laten doen wat wij van je willen.'

'Wat?'

De Kid kneep zijn ogen toe toen hij keek hoe Danny reageerde. 'Je had die batterij niet op haar onderduikadres moeten vervangen, sukkel,' zei hij.

Plotseling kreeg Danny het ijskoud.

'Want op het moment dat je telefoon het weer deed, zag ik precies waar je was, Danny. En konden we precies nagaan waar je haar had afgezet.'

Haar...

De Kid staarde Danny aan toen tot hem doordrong wat er aan de hand was.

'Dus in feite hebben we het aan jou te denken dat we je dochtertje hebben...'

De Kid draaide zijn laptop weer om naar Danny. Nu was de achterkant van zijn busje in beeld. En Danny begreep waarom de man met de haviksneus er niet bij was.

Hij zat naast Lexie. Ze was geblinddoekt en haar handen waren vastgebonden. De haviksneus hield zijn hoofd schuin voor de camera. En keek Danny diep in de ogen. De man besefte op dat moment donders goed dat Danny Shanklin naar hem keek.

En Danny wist dat hij zich niet in hem vergist had. Dit was geen man die fouten maakte.

Aan de andere kant van Lexie zat de lange, magere man met bril, met een te grote blauwe regenjas aan, het zwarte koffertje op zijn schoot.

Danny draaide zich om naar de Kid. Hij moest elke vezel in zijn lijf bedwingen om hem niet aan te vallen. Er waren drie wapens op hem gericht. Hij kon geen stap verzetten.

'Jij gore klootzak. Hier zul je voor boeten.'
De Kid verstevigde zijn greep op zijn machinepistool en schudde langzaam zijn hoofd.
'Nee, hoor, Danny. Jij gaat precies doen wat we zeggen. Anders maken we eerst haar af. En vervolgens jou.'

Drieënvijftig

19.37 uur, Kensington, Londen W8

De façade van de Russische ambassade aan Kensington Palace Gardens werd niet alleen belaagd door televisieploegen, maar ook door woedende familieleden van Britse slachtoffers en pro-Georgische demonstranten met protestborden, die Rusland ervan beschuldigden van staatswege een massamoord te hebben gesanctioneerd.

Aan de achterkant van het gebouw was het rustiger. Geen pers. Alleen politie. Ze hadden twee tijdelijke, handmatig te bedienen slagbomen aan beide zijden van de straat met ambassadegebouwen neergezet om de toegang te controleren en nieuwsgierige media te weren.

Het begon te schemeren. Over een uur zou het donker zijn.

Terwijl Danny in de zwarte Mercedes van de vermoorde kolonel gestaag afstevende op de slagboom, kreeg hij het gevoel alsof hij in een duikboot zat en machteloos naar de diepte zakte.

De Kid... Lexie... Ze hebben Lexie... Als hij faalde, zouden ze Lexie ombrengen...

Dertig meter voor de slagboom. Twintig. Voor hem stond een zilverkleurige SUV te wachten om te wor-

den doorgelaten. De agent praatte door het portierraampje met de chauffeur. Danny's Mercedes kwam
langzaam achter hen tot stilstand.

Vanaf het begin dus. Daar, in de laadruimte van het
VT Media-busje. Al die tijd had de Kid geweten wat
Danny zou overkomen. Hij had de hele jachtpartij
geënsceneerd. Terwijl Danny al die tijd had gedacht
dat hij zijn enige houvast was.

De schurk! Danny had bij meer dan tien opdrachten met hem samengewerkt. Maar dat verleden betekende niets meer. Als hij hier heelhuids uitkwam,
zou hij alles op alles zetten om die schoft om te leggen.

Als...

Er was nog heel veel te doen. En nog heel veel dat
Danny niet begreep. Wie waren deze lui? Waar kende die haviksneus de Kid van? Hoe had hij de Kid
zover gekregen Danny te verraden? Welke gegevens
op de computer van de vermoorde kolonel moest
hij ontvreemden? Had Crane hierin een rol gespeeld,
en zo ja, welke?

Danny wist slechts enkele antwoorden. Toen de
Kid Danny uitlegde wat hij hem wilde laten doen,
kon hij het niet laten om uit te leggen hoe goed hij
Danny die hele dag had bespeeld.

Het kwam op het volgende neer. De man met de
kromme neus had zo veel mogelijk publiciteit voor

de moord willen genereren. En hij wilde zo veel mogelijk animositeit tussen de Russen en Georgiërs veroorzaken.

En hij wilde dat de Russen de schuld kregen. Dus zorgde hij ervoor dat er op de plaats delict iemand van de Russische ambassade zou worden aangetroffen. Daarvoor had hij kolonel Zykov uitgekozen. Maar om de media-aandacht te krijgen die hij wilde, moest hij heel Londen in de ban krijgen. Vandaar de vele onschuldige slachtoffers. En hij had een zondebok nodig die op de vlucht sloeg.

De Kid had Danny voorgesteld. Want hij wist dat hij hem zou kunnen manipuleren. En hij wist dat Danny goed genoeg was om de politie voor te gaan in een spectaculaire achtervolging. Bovendien wist hij dat Danny ooit voor de Russische regering had gewerkt – een geheimgehouden operatie om de in Tsjetsjenië vermist geraakte dochter van een lagere Russische diplomaat terug te vinden. Dat feit zou de Kid nu openbaar maken om Danny's betrokkenheid bij de aanslag aannemelijker te maken.

Daarom hadden ze hem vandaag gewekt met een adrenaline-injectie, waarna de Kid zich ijverig op zijn taak had gestort en Danny door de hele stad had geloodst en uit handen van de politie had gehouden. Als een vos voor een roedel blaffende honden. Een grootscheepse jacht op één persoon. Op de voet gevolgd door alle nieuwsploegen die de Kid tijdig anoniem had kunnen tippen.

De man met de haviksneus wilde dat de jacht een wereldwijd mediaspektakel zou worden. Met Danny Shanklin in de hoofdrol.

En dus kwam de Kid hem tegemoet. En werd hij Danny's marionettenspeler, die hem van de ene kant naar de andere had getrokken.

Eerst door het riool. Danny kon bijna niet geloven dat hij zo stom was geweest om aan te nemen dat de Kid die ondergrondse route bij toeval had ontdekt. Daar waren weken van zorgvuldige planning aan vooraf gegaan. En die voetsporen die hij daar had gezien, waren niet van rioolwerkers geweest, maar van de man met de haviksneus en zijn ploeg, die ook uit hotel waren gevlucht.

Het was door Danny's eigen vergissing dat hij via de onderhoudsput van de fontein in Hyde Park naar buiten was geklommen. Als hij de instructies van de Kid precies had opgevolgd, was hij in een rustige steeg terechtgekomen, vanwaar hij ongestoord verder hadden kunnen rennen. Het doel was, dat hij de politie telkens een stap voor zou zijn. Om de jacht te rekken. En de media-aandacht tot een maximum op te voeren.

De Kid had er zelfs nog nadrukkelijk op gewezen – met een soort beroepstrots, leek wel – dat de enige keren dat Danny bijna was gepakt, die keren waren dat hij de Kids aanwijzingen had genegeerd en zijn eigen gang was gegaan.

Zoals bijvoorbeeld toen hij Harrods was binnengerend. Of toen hij de verbinding met de Kid had verbroken om Lexie op te halen. Ook het feit dat men achter Danny's identiteit was gekomen, was zijn eigen schuld. En dat was hem bijna fataal geworden. In het oorspronkelijke plan van de haviksneus zou Danny worden opgepakt nadat de gewenste mediastorm was gegenereerd – het liefst tijdens een gewelddadige confrontatie met de politie, zodat ze nog meer publiciteit kregen.

Maar het plan werd gewijzigd. Gisteravond had kolonel Zykov toen hij werd gemarteld de vindplaats van de waardevolle gegevens verteld – de Kid had Danny geweigerd te vertellen om welk soort informatie het ging. Op dat moment had de haakneus besloten Danny niet alleen als loopjongen te gebruiken, maar ook in te zetten als dief, als hij de jacht zou overleven.

De suv bij de slagboom keerde langzaam. Kennelijk was de bestuurder teruggestuurd. Danny reed door naar de vrijgekomen plek en stond stil voor de slagboom. Hij trok zijn handschoenen uit en liet het getinte raampje voor driekwart zakken toen een geüniformeerde mannelijke agent – begin dertig, gladgeschoren en zichtbaar overwerkt – zich naar hem toe boog om hem te ondervragen.

'Ik zou er graag door willen,' zei Danny in het Russisch. Vervolgens, in een Engels met zwaar Oost-Europees accent: 'Ik werk op de ambassade. Hier is mijn ID-pas.'

De jonge agent inspecteerde hem oppervlakkig. Danny hield zijn pilotenbril en zwarte pet op. Hij bleef voor zich uit kijken, zodat hij alleen en profil te zien was en zijn gezwollen wang voor de agent verborgen bleef. Hij gaf de agent de geplastificeerde identiteitspas. De Kid had de foto daarop al verwisseld door een foto van Danny, die hij zodanig had gefotoshopt dat hij niet meer leek op de Danny waar de politie naar zocht, maar wél genoeg uiterlijke overeenkomsten met de dode kolonel vertoonde om door een agent te worden doorgelaten.

De agent bestudeerde kalm de pas en wierp een blik op Danny.

'Momentje alstublieft,' zei hij.

Danny voelde zijn hartslag versnellen toen de agent naar zijn superieur liep en hem de identiteitspas liet zien.

Danny voelde zich machteloos. Afgestompt. De Kid had hem het plan ontvouwd dat hij met de haviksneus had bedacht om Danny veilig in de werkkamer van de kolonel te krijgen. En ook verteld dat dit plan in duigen zou vallen als de kolonel inmiddels was geïdentificeerd.

Dan zou Danny erbij zijn. En kon de haviksneus hem niet meer gebruiken. Dan zou Danny met de vermoorde kolonel schuldig worden bevonden aan de aanslag.

En ook Lexie zou dan onbruikbaar zijn geworden. Lastig. Iets overbodigs dat weggewerkt moest worden.

Zijn misselijkheid, het gevoel dat hij in een diep gat viel, werd sterker toen Danny zag dat de superieur van de agent zijn valse ID geduldig omdraaide.

Na wat een eeuwigheid leek, gaf hij de pas eindelijk terug. Meteen liep de jonge agent alleen terug naar de slagboom. Toen wist Danny dat hij deze beproeving had doorstaan. Het lichaam van de kolonel was kennelijk nog niet geïdentificeerd. Ze lieten hem door.

Lexie en hijzelf waren voorlopig veilig.

Hij keek naar de omhooggaande slagboom.

'Dank u wel, meneer,' zei de jonge agent toen hij aankwam bij de Mercedes. 'Nog een goede avond.' Hij gaf Danny zijn ID-kaart terug.

Danny liet het portierraampje zoemend dichtgaan en deed zijn handschoenen weer aan. Terwijl hij het knopje van het raam afveegde, reed hij verder.

'Over vijf meter naar rechts,' zei de Kid. 'En hou je

kop erbij, Danny. Vergeet niet dat het leven van je dochter op het spel staat.'

Danny droeg een zender in de borstzak van het grijze linnen pak van de kolonel. In zijn linkeroor zat een bluetooth-headset.

Hij hield zich in om niet te reageren op de stem van de Kid. Toch kon hij het beeld van Lexie achter in de bus niet uit zijn hoofd zetten. Niet zomin als hij het kon laten erover te fantaseren hoe hij zijn voet in de ontblote hals van de Kid zou zetten.

Concentreer je...

Dit is werk, hield hij zichzelf voor.

Hij had het steeds opnieuw tegen zichzelf gezegd sinds hij uit dat pakhuis in Streatham naar de laadruimte van het busje werd gevoerd. Sinds de blonde vrouw en de man met baard met hem het centrum van de stad uit waren gereden en in een lus noordwaarts waren getrokken. En sinds ze weer terug waren gekomen in het centrum van Londen en Danny in de gestolen auto van de kolonel hadden gezet, en hem nog één keer op hun laptop Lexie hadden laten zien, zittend naast de beul, om hem eraan te herinneren wat ze zouden doen als hij van hun plan zou afwijken.

Hij zou het niet verknallen deze keer. Hij zou zich erdoorheen slepen. Hij zou zich erdoorheen slepen en Lexie hoe dan ook terugkrijgen.

Hij sloeg rechtsaf. Reed een betonnen hellingbaan op naar de achterkant van de ambassade.

De Mercedes werd automatisch herkend door het beveiligingssysteem, waardoor de slagboom onder aan de afrit vanzelf openging.

Tijdens de marteling en onder invloed van het waarheidsserum had kolonel Zykov, in de overtuiging dat zijn dochter elk moment kon worden afgemaakt, de man met de haakneus een betrouwbare instructie gegeven om ongedetecteerd de Russische ambassade in en uit te komen.

Danny volgde de stappen uit die instructie nauwgezet.

Dankzij de politie, die de achterkant bewaakte, en de demonstranten, die de voorkant van de ambassade belegerden, zouden met een beetje geluk de beveiligingscamera's in deze ondergrondse garage niet al te streng in de gaten worden gehouden.

Maar als ze Danny wél zagen terwijl hij de Mercedes parkeerde op de plek van de kolonel, zouden de uit Zykovs appartement gestolen bril, pet en het pak dat hij aanhad, hem voldoende beschermen. Verder zorgde Danny zelf voor de nodige visuele ruis, door de telefoon die de Kid hem had meegegeven tegen zijn gezicht te houden alsof hij aan het bellen was, waardoor hij nog meer gelaatstrekken verborg.

Er waren twee liften aan de andere kant van de parkeergarage. Precies waar de kolonel had verteld. Eén kon via een klein, standaard numeriek toetsenbord geopend worden en zou Danny tot aan het bemande beveiligingspunt op de begane grond van de ambassade brengen.

De andere lift was gereserveerd voor hogere diplomaten en gaf toegang tot alle verdiepingen, ook tot de bovenste verdieping, waar alleen de ambassadeur, de kolonel en de onderambassadeur werkten.

De lift ging open door vingerafdrukherkenning. Alleen de drie mannen die hier werkten, konden er gebruik van maken.

Danny opende het deksel van het petrischaaltje in zijn zak en pakte de afgehakte rechterwijsvinger van de kolonel eruit. Die voelde vreemd aan, maar Danny hield zich voor dat het niets meer was dan een stukje koud vlees. Hij drukte de vingertop tegen de plaat van de scanner in de muur naast de stalen schuifdeuren van de lift.

Hij hoorde een piep.

De deuren schoven geluidloos open. Er stond niemand in de lift. Danny stapte in.

Hij drukte op de knop van de zevende verdieping. De dubbele deur ging dicht en de lift zoefde omhoog. Toen hij tot stilstand kwam, ging Danny uit het zicht tegen de zijkant staan. Hij drukte op de knop om de deur te openen. De schuifdeuren gingen open. Danny hield de knop ingedrukt zodat ze open bleven staan. Hij luisterde, maar hoorde niets. Via een spiegeltje keek hij naar buiten en zag niemand in de lege gang. Hij stapte uit.

Hoogpolig rood tapijt. Schilderijen aan de muur. Hij had de plattegrond van deze verdieping uit zijn hoofd geleerd. Tien passen verderop stond hij voor de deur van Zykovs werkkamer. De met inkt bevlekte sleutelpas was echt van de kolonel geweest. Hij stak hem in het slot.

Hij duwde de deur open en glipte naar binnen.

Vierenvijftig

Danny trok de deur onhoorbaar achter zich dicht. De werkkamer van de kolonel was drie bij drie meter. Het rook er naar koffie en sigaren. Aan een prikbord hingen uitnodigingen in reliëfdruk voor diplomatenfeestjes die de kolonel nooit meer zou bijwonen. Een ventilator ratelde en zoemde. Er stonden een antieke, mahoniehouten leunstoel en een groenfluwelen sofa. Danny zag fraaie kunst aan de lege, witte muren. Een van de *papiers collés* van Matisse leek echt.

Twee ramen, met uitzicht aan de achterkant van het gebouw. Danny ging ervoor staan en tuurde in het schemerige avondlicht. Beneden zag hij politie-agenten. Er kwamen geen andere voertuigen aan. De situatie leek rustig.

Hij trok de gordijnen dicht en liep naar het bureau. Ook een stuk antiek. Duur. Opgewreven kristallen glazen in een rek. Een asbak. Een lege, zilveren ijsemmer en een ongeopende fles – Diaka-wodka, zag Danny, de duurste ter wereld, gedistilleerd door diamanten. Een computer. Een fraaie ook nog. Met een LED-scherm van vierentwintig inch. Het nieuwste van het nieuwste. De kolonel hield blijkbaar van mooie spullen.

'Oké, we zijn binnen,' zei Danny.

'Hoeveel computers staan er?'

'Eentje maar. Zoals de kolonel jullie had gezegd.' De kolonel die jij en je vrienden in koelen bloede hebben vermoord, dacht Danny. De kolonel wiens dochter jullie hebben bedreigd, zoals jullie nu mijn dochter bedreigen.

'Zet hem maar aan,' zei de Kid.

Danny deed wat hem was opgedragen. De computer kwam met een riedeltje en gezoem tot leven. Er verscheen een venster met het verzoek een wachtwoord in te voeren.

De Kid las een reeks van tien onsamenhangende cijfers en letters voor. Danny typte ze in en drukte op de entertoets. Het inlogvenster verdween.

Een paar seconden later verscheen het bureaublad met als achtergrond een foto van de kolonel. Hij stond naast een stuurs kijkende vrouw met grijs haar, die volgens Danny zijn vrouw moest zijn. Tussen hen in stond een muizig tienermeisje. Zijn dochter, vermoedde Danny.

Er verschenen pictogrammen van verschillende programma's en een aantal gele en blauwe elektronische notitieblaadjes op het scherm.

'Oké dan. Zet mijn telefoon rechtop voor het scherm neer zoals ik je heb voorgedaan,' zei de Kid.

Danny gehoorzaamde opnieuw. Hij ging zitten op de ergonomische bureaustoel op wielen en zette de mobiel van de Kid tegen het glazenrek van de kolonel aan, zodat de camera direct het scherm kon filmen en de beelden rechtstreeks naar de Kid kon sturen. Hij hoorde de Kid op zijn toetsenbord rammelen. 'Oké, ik zit in het systeem,' zei hij enkele minuten later.

Er verscheen een wit, rechthoekig pictogram op het scherm, dat aangaf dat er op afstand een apparaat was ingeplugd. Onder het pictogram stond: APHEX. Danny dacht terug aan het T-shirt van de Kid. Aphex Twin was zijn favoriete dj. De Kid was dus zojuist via de bluetooth-verbinding van zijn telefoon in de computer van de kolonel gedrongen.

Zonder dat Danny het toetsenbord ook maar aanraakte, laadde de computer zijn voorkeursinstellingen vanuit het dockingstation onder in het scherm. Dit betekende, vermoedde Danny, dat de Kid nu de volledige controle over Zykovs computer had.

Het scherm werd wit toen het besturingssysteem in actie kwam. Via zijn headset hoorde Danny de Kid weer op zijn toetsenbord rammelen. Regels computercode vlogen van links naar rechts en van boven naar beneden over het scherm. Buitenaardse poëzie. Danny had geen idee hoe hij dit zou moeten ontcijferen.

De Kid begon steeds sneller te typen. Zat hij nog steeds in dat pakhuis? Danny zou er nooit achterkomen. En waar was Lexie? Danny had haar voor het laatst gezien in het busje van de Kid. Maar waar ging ze heen? Naar het pakhuis waar de Kid was? Of nam de man met de haakneus haar ergens anders heen?

Mijn prinsesje... in handen van dat tuig...

En waar was Alice? Wat was er met haar gebeurd? Danny hoopte maar dat ze ongedeerd was.

De Kid had Danny bij hun afscheid verteld dat de man met de haviksneus Danny en Lexie zou vrijlaten zodra Danny hun had gegeven wat ze wilden hebben. Hij beweerde dat ze hen daarna niet meer vast zouden houden, want Lexie wist van niets, en het beetje dat Danny wist zou hij nooit kunnen bewijzen. Bovendien, bracht de Kid hem in herinnering, zou Danny als hij aangifte deed bij de politie, meteen worden gearresteerd. Als hij op vrije voeten wilde blijven, zou hij voor de rest van zijn leven ondergronds moeten gaan.

Een aardige redenering. Maar Danny geloofde er geen snars van. Zodra ze hen niet meer nodig hadden, zouden ze allebei worden afgemaakt.

Daarom moest Danny ervoor zorgen dat hij onmisbaar voor ze bleef. Totdat hij bij Lexie was. Maar om haar te kunnen redden, moest hij eerst weten waar ze was. Dus gaf hij zijn ogen en oren goed de kost. En wachtte zijn kans af.

'Hebbes,' zei de Kid.

De code op het scherm stond stil. Midden op het scherm verscheen een klein rechthoekig pictogram. De naam van het bestand luidde: c332.

Erboven knipperde een klein rood hangslot.

Danny hoorde een gedempte stem in zijn oortje. Dat was niet de stem van de Kid. Die was dus niet alleen meer.

Daar was de stem van de Kid weer. 'Goed. Eens kijken of het klopt wat de kolonel ons over dit bestand heeft verteld en hoe we het moeten ontcijferen zodat we kunnen lezen wat erin staat.'

Terwijl de regels met code weer over het scherm vlogen, begon het geratel van de Kid op zijn toetsenbord in Danny's achterhoofd te vervagen tot achtergrondgeruis.

Naast het pictogram van het hangslot verscheen het symbool van een zandloper die langzaam om zijn as draaide.

'Dit kan nog wel een paar minuten duren,' zei de Kid.

Danny nam aan dat de Kid het niet tegen hem had. Maar doordat hij hardop praatte, kreeg Danny een idee.

'Ik heb zitten nadenken,' zei Danny.

Hij moest ervoor zorgen dat de Kid ging babbelen.

Net als vroeger. In de hoop dat hij zijn mond voorbij zou praten. Dat hij Danny iets meer informatie gaf dan zou moeten. Dat hij iets zou zeggen wat Danny kon gebruiken.

'Nou, da's dan voor het eerst,' zei de Kid.

'Ha ha, leuk.'

De Kid lachte.

'Serieus. Het laat me niet los.'

'Wat dan?'

'Hoe heb je, om te beginnen, de ontmoeting in het hotel geregeld?' Met andere woorden: welke rol speelde Crane hierin?

Opnieuw hoorde hij gegniffel aan de andere kant van de lijn. Het onmiskenbare teken dat het ego van de Kid begon op te zwellen.

'Kom op, Danny. Je gaat me toch niet vertellen dat je dat niet al lang zelf hebt bedacht?'

Danny hield zijn blik strak op het scherm gericht. De zandloper bleef draaien.

'Eerlijk gezegd niet,' antwoordde hij.

'Goed, ik kan het nu best vertellen,' zei de Kid. 'Weet je, het leuke van die virtuele ontmoetingsplaatsen is, Danny, dat je nooit kunt weten wie je tegenover je hebt.'

Danny zag de Kid weer voor zich in het pakhuis, in het donker achter zijn bureau. En Cranes avatar in Noirlight. Hetzelfde beeld.

Het zou toch niet...

'Maar dat is onmogelijk,' zei Danny. 'Ik werkte al voor Crane voordat ik jou leerde kennen. Jullie kunnen niet een en dezelfde persoon zijn.'

'Nee, Danny. Dat klopt. Niet een en dezelfde. Niet al die tijd. Helemaal niet al die tijd, zoals je zult zien. Pas sinds de afgelopen vijf dagen, om precies te zijn.'

Vijf dagen geleden... Toen had Crane voor het eerst contact met hem opgenomen over de ontmoeting in Londen. Maar dat was Crane dus helemaal niet geweest.

'En die beveiligingsprotocollen van Crane dan?' vroeg Danny. Hij kon nog steeds niet geloven dat hij er zo was ingeluisd. 'Mijn verbinding met hem was altijd gecodeerd. Compleet beveiligd.'

'Ja, en dat zou zo zijn gebleven, als je niet zo stom was geweest mij jouw telefoon te lenen. Alles wat ik nodig had, kon ik daaruit jatten.'

Danny dacht terug aan twee maanden geleden, aan de laatste keer dat hij de Kid had ontmoet. Dat was op Kai Tak International Airport in Hong Kong geweest. Ze waren beiden na een klus op weg naar huis. De Kid had Danny's telefoon een paar uur geleend omdat de batterij van zijn mobiel leeg was.

Alsof de Kid ooit zonder mobiel zou zitten, bedacht Danny nu. Alsof.

'Het was niet zo moeilijk om vanaf je mobiel in dat virtuele kantoor van Crane te komen,' zei de Kid, 'en vervolgens zijn avatar te klonen en die langs een ander spoor door Noirlight naar jou te sturen, zodat je telkens wanneer je de afgelopen vijf dagen op zoek ging naar Crane, je in feite mij trof.'

Geen wonder dat 'Crane' zijn tussenpersoon bij de Amerikaanse overheid niet kon opsporen. Die bestond helemaal niet.

'Toen jij vandaag in dat winkelcentrum met Crane sprak,' zei de Kid, 'was je in werkelijkheid met mij in gesprek. Kijk, we hebben Crane niet alleen gebruikt om jou hierheen te lokken. Gisterenavond besloten we hem ook te gebruiken om jou te doordringen van het belang van die USB-stick en die pas. Om jouw achterdocht, dat we die daar met opzet hadden achtergelaten, te dempen, zodat we jou naar deze ambassade konden loodsen.'

Zo zou het inderdaad gegaan zijn. Als ze niet hadden besloten om Lexie als pressiemiddel te gebruiken, zou hij uiteindelijk ook hier terecht zijn gekomen, precies zoals de Kid het had gepland.

Maar zelfs in deze duisternis kreeg Danny een sprankje hoop. De echte Crane had hem dus niet verraden. Als Danny hier ooit uit kwam, zou hij hem kunnen helpen.

Plotseling voelde Danny een zuchtje wind in zijn

nek. Hij verstijfde. De deur van Zykovs werkkamer achter hem was opengaan.

'Ja, Danny, daar word je stil van, hè,' hoorde hij de Kid in zijn headset zeggen, die klaarblijkelijk de deur niet open had horen gaan. 'Ik bedoel, soms kun je ergens een speld horen vallen, maar dit klinkt meer als de stilte in Fort Knox.'

Danny negeerde hem. Alle spieren in zijn lijf verstijfden toen hij het gekraak van een voetstap achter zich hoorde.

Hij had aangenomen dat de deur van Zykovs werkkamer automatisch in het slot was gevallen. Dat had hij moeten checken.

'Nikolai?' zei een man in het Russisch. 'Ik zag je auto beneden staan. Ik dacht dat je ziek was.'

Gelukkig zat Danny met zijn rug naar de man toe. En gelukkig droeg hij de pet en het sobere pak van de kolonel.

Maar als de indringer nog één stap verder zou zetten, was die illusie verstoord.

Danny stond snel op uit de bureaustoel. Hij deed een stap opzij en draaide zich om. Snel genoeg om de man in de deuropening compleet te verrassen. Na nog een stap stond Danny pal voor hem. Hij greep de man stevig bij zijn keel en bracht zo zijn stembanden tot zwijgen. Daarna stompte hij hem in zijn maag, waardoor hij naar adem hapte.

De indringer was ouder dan Danny had verwacht. Vijfenzestigplus. Ongetraind. Een diplomaat, geen militair, goddank. Danny greep hem bij zijn keel toen hij door zijn knieën zakte. Hij keerde de man om en sleepte hem naar binnen. Met zijn hiel trapte hij de deur achter zich dicht.

De man bood geen verzet. Deels omdat hij nog steeds naar adem hapte, deels omdat hij doorhad dat hij Danny nooit de baas zou kunnen.

Wat moest hij doen? De zuurstoftoevoer dichtknijpen tot de man bewusteloos neerviel? Dat zou een man van die leeftijd fataal kunnen worden. Danny zag dat hij een trouwring om had. Misschien had hij kinderen, kleinkinderen.

Terwijl hij de deur op slot deed, trok Danny een sjaal van de hoedenplank en snoerde hem daarmee de mond. Daarna drukte hij hem tegen de vloer en bond zijn polsen en enkels met zijn eigen schoenveters aan elkaar. Daarna sleepte hij hem naar het bureau van de kolonel en zette hem daarmee klem tegen de muur.

'Eén kik en je bent dood,' zei hij in het Russisch, waarna hij mond en oren met tape afbond.

Danny zat weer op de bureaustoel. De zandloper wentelde nog steeds langzaam rond.

'Danny? Wat gebeurt daar godverdomme?' siste de Kid. Hij had gehoord dat er gevochten werd en zag nu Danny weer op zijn scherm.

'Er kwam net iemand binnen. Maar dat is afgehandeld.'

'Jezus, Danny. Verknoei het nou niet.' De Kid klonk panisch. Doodsbang zelfs. Waardoor Danny zich opnieuw afvroeg hoe de man met de haviksneus hem zo ver had gekregen. 'Oké,' zei hij toen. 'Het bestand is gedecodeerd.'

Danny zag dat de zandloper was verdwenen en dat het rode, gesloten hangslot-pictogram nu groen was en openstond.

Het witte besturingssysteem verdween van het scherm en werd meteen vervangen door het oorspronkelijke bureaublad met de foto van kolonel Zykov en zijn vrouw en dochter. Onmiddellijk daarna verscheen in het midden bestand C332.

'Oké,' zei de Kid, 'we zijn bijna klaar. Eerst slinger ik er nog een wormbestand in dat alles op de harde schijf van de kolonel wist als we weg zijn, zodat niemand weet wat we zojuist hebben gestolen.'

Verdraaid... De Kid deed het nog steeds, hij bleef praten, hardop nadenken. Precies zoals Danny had gehoopt.

'Nu we dit hebben opgelost,' zei de Kid, 'hoeven we alleen nog maar onze keurig ontcijferde gegevens naar mijn telefoon te kopiëren, en klaar is Kees.'

Bingo! Daar was de informatie waar Danny op had

gehoopt. Informatie die hij kon gebruiken.

Zijn hele lijf stond gespannen toen hij zonder te knipperen naar het scherm keek. Het ontcijferde bestand C332 werd nu naar 'APHEX' gesleept, het pictogram dat symbool stond voor de telefoon van de Kid.

Een groen lampje aan de bovenkant van de telefoon begon te knipperen.

Op het scherm van Zykovs computer verscheen het bericht: BESTAND WORDT NU GEKOPIEERD... SCHAKEL DE COMPUTER NIET UIT.

Het groene lampje op de telefoon ging uit.

Op het scherm van Zykovs computer stond nu: BESTAND GEKOPIEERD.

Meteen daarna greep Danny de telefoon en zei tegen de Kid: 'Ik breng het persoonlijk naar je toe.'

Hij opende het klepje aan de achterkant van de telefoon en haalde er de batterij uit. Voordat de Kid de kans kreeg de gegevens die hij had gestolen via zijn telefoon naar zichzelf te sturen.

Zo blijf ik onmisbaar, dacht Danny, terwijl hij opstond en de lege geheugenstick die de Kid hem had gegeven uit zijn zak haalde. Hij ging snel te werk, nog voordat de kleurrijke achtergrond van het bureaublad van de kolonel plaatsmaakte voor ondoordringbaar zwart, terwijl de worm zijn duistere werk zou doen.

Maar wat nog veel belangrijker is, dacht Danny, terwijl hij de telefoon in zijn zak stopte en naar de deur
liep, is dat niet alleen ik, maar ook Lexie onmisbaar
blijft. Nu hoef ik alleen nog maar uit te zoeken hoe
ik haar terug kan krijgen.

Vijfenvijftig

20.02 uur, Kensington, Londen W8

Danny verliet de Russische ambassade op dezelfde manier waarop hij naar binnen was gekomen. Via de VIP-lift, waarna hij de straat op reed in de Mercedes van de dode kolonel.

Dezelfde agent die hem binnen had gelaten, deed de slagboom omhoog om hem naar buiten te laten en zwaaide hem uit. Danny reed meteen door naar het adres in Kensal Rise, ten noorden van Notting Hill, waar de blonde vrouw had gezegd dat ze op hem wachtte.

Onderweg passeerde hij horden agenten, maar er waren geen blokkades meer, en geen agent hield hem aan. De jacht op de man leek voorlopig gestaakt. Tenminste zolang hun prooi nog onvindbaar was.

Danny zette de radio op een nieuwszender van de BBC. De meningen over waar hij en Lexie zich schuilhielden, waren verdeeld: er waren theorieën dat hij nog steeds in Londen rondliep, dat hij op een of andere manier de stad was ontvlucht en zelfs dat hij naar het buitenland was verdwenen. Verschillende zogenaamde deskundigen speculeerden over de vraag met wie hij samenwerkte. En natuurlijk waren er de verschrikkelijke, hartverscheurende verhalen over de slachtoffers en hun rouwende familieleden.

Ondertussen bleven de Russen elke betrokkenheid bij de moord op de Nobelprijswinnares ontkennen. De secretaris-generaal van de VN had de aanslag en de massamoord omschreven als 'een tragedie van de hoogste orde. Een belediging voor de democratie'. De Britse premier had aangekondigd dat kosten noch moeite zouden worden bespaard om Danny Shanklin op te pakken.

Geschat werd dat meer dan zevenhonderd miljoen mensen wereldwijd Danny op de vlucht hadden gezien. Een gegeven dat hem fysiek misselijk maakte. Het laatste nieuws van de BBC was dat de SAS de Ritz volledig had bezet en verdere terreuraanslagen daar uitsloot. En dat er een lichaam was gevonden in de kamer van waaruit de schietpartij had plaatsgevonden.

Het laatste nieuws... Dat wilde zeggen, dat die informatie zojuist openbaar was gemaakt.

Met andere woorden: toen de Kid eerder in Noirlight Cranes avatar had gebruikt om Danny te vertellen dat het lichaam van de kolonel al was ontdekt en dat er een natuurlijke doodsoorzaak was vastgesteld, was ook een leugen. Om Danny ervan te overtuigen dat de geheugenstick en pas per ongeluk waren achtergelaten.

Na een dertig minuten durende rit bereikte Danny het adres dat de blonde hem had gegeven. Mostyn Gardens. Een straat met rijtjeshuizen in een rustige woonwijk. De lucht was grijs en werd donker. De bus stond al klaar op de hoek van de straat. De lampen flitsten toen Danny er met de Mercedes op af reed. Hij minderde vaart en parkeerde vlak voor de deur. De man met de baard en de blonde vrouw stapten uit.

'Geef me de telefoon,' zei de blonde vrouw, toen Danny naar haar toe liep.

De man met de baard stond ongeveer twee meter van haar af. Met opzet liet hij de donkere lange jas die hij droeg openhangen zodat Danny het machinepistool met geluiddemper dat hij vasthield goed kon zien. Hij wilde dat Danny goed besefte dat hij hem ter plekke, op dat moment, kon omleggen, terwijl geen van de omwonenden die nu tv-keken tijdens het avondeten daar ook maar iets van zouden merken.

'Eerst wil ik mijn dochter zien,' zei Danny.

Het was een gok. Dat ze hem niet zouden vermoorden voordat ze zeker wisten dat hij de telefoon bij zich had. En niet voordat ze waren nagegaan dat hij de gegevens intact had gelaten.

'Ga je gang,' zei de blonde vrouw. Zonder enige emotie. Alsof Danny met haar onderhandelde over de prijs van een artikel op eBay. 'Hij moet toch eerst

nagaan of het er wel allemaal op staat,' zei ze, 'voordat hij jullie laat gaan.'

Ons laat gaan... Danny geloofde nog steeds niet dat
de Kid of de man met de haviksneus dat van plan
waren.

Hij stapte weer de bus in en ging in kleermakerszit
op de koude, metalen vloer zitten. Hij had geen keus.
Het had geen zin om te proberen deze twee te over-
meesteren. Dan zou hij zijn dochter nooit meer zien.
Het enige waar hij op kon hopen was dat ze hem
daadwerkelijk naar Lexie zouden brengen, en niet
naar een andere locatie, waar ze de telefoon van hem
zouden afpakken en de gegevens controleerden
voordat ze hem executeerden.

Als ze hem naar Lexie brachten, zou hij nog een
plan kunnen bedenken om hen hier allebei uit te
redden.

Zou bedenken? Nee, dan bedacht hij dat plan, corrigeerde hij zichzelf. Want hopen was niet voldoende. Hij moest erin geloven.

Ze gooiden de dubbele achterdeur van de bus dicht,
sloten hem op. De motor van de bus begon te reu-
telen, waarna ze wegreden. Daar in het donker probeerde Danny niet te denken aan alles wat er mis
kon gaan. Hij probeerde zijn hoofd juist vrij te maken van gedachten. Zich te concentreren op wat er
komen ging.

Hij wist dat hij, wanneer de gelegenheid zich voor-
deed om zijn dochter te redden, maar één kans kreeg.
Eén kans.
Hij probeerde aan de toekomst te denken, maar
voelde dat hij werd teruggesleept naar het verleden.

Zesenvijftig

Zeven jaar daarvoor, North Dakota

Het gescheur van ducttape. Het gehijg van adem. Een bromgeluid in Danny's hoofd. Het gebrabbel dat uit zijn bloedende mond ontsnapte. Hij kon niet naar Jonathan en Sally kijken. Hij keek niet.
Zijn hoofd viel voorover. Het werd met een klap teruggeduwd. En viel opnieuw voorover. Voor zijn ogen kwamen paarse en rode flitsen tot bloei en doofden uit. Meer pijn. De vreemdeling staarde in zijn ogen.
'Waar is...' zei de vreemdeling.
'Maag-mu-avw...'
Het lukte Danny niet de woorden met zijn mond te vormen. De vreemdeling liet zijn kaak los.
MAAK ME AF! Danny schreeuwde het uit. Hij wilde dood. Hij wilde zo dood zijn als Karl Bain! Hij wilde dat het dak van zijn schedel werd geschoten.
De vreemdeling verstevigde zijn greep.
'Eerst vertellen waar ze is...'
'Loow laai uh hel...'
Op het moment dat de vreemdeling hem losliet, beet Danny in zijn handschoen en spuugde naar hem. Een fluim van bloed en slijm droop over zijn gescheurde onderlip.

447

'Wuie kook gak...'

De vreemdeling sloeg Danny's hoofd terug en keek toe hoe het weer voorover viel. Hij liep naar de tafel en pakte de met bloed besmeurde schaar. Hij sloot de benen van de schaar zodat ze geen x, maar een y vormden. Met beide handen stak hij de schaar in Danny's rechterdijbeen.

Danny brulde, stikte bijna in zijn bloed en kronkelde van de pijn. De vreemdeling draaide de schaar langzaam rond en trok hem eruit. Danny verbeet zich zo hard dat hij zijn kiezen achter in zijn mond brak. De vreemdeling keek op hem neer en wachtte tot Danny weer rustiger ging ademen.

'Niet doodgaan,' zei hij. 'Ik heb je nodig.'

Om te kijken.

Dat hoefde hij er niet bij te zeggen. Hij wist dat Danny dat al had begrepen.

De vreemdeling trok een dikke winterjas aan die tot zijn knieën reikte. Marineblauw. Langzaam knoopte hij hem dicht. Daarna deed hij zijn masker af en stopte dat keurig opgevouwen in een jaszak. Hij controleerde zijn verschijning in de spiegel aan de muur. Traag veegde hij het bloed van zijn voorhoofd naar achter over zijn geschoren hoofd, alsof hij met een nieuw haarproduct onzichtbaar haar achteroverstreek. Hij glimlachte.

Vanuit de diepte van Danny's keel klonk een luid

gebrul, een gejammer dat hij niet kon stoppen.

De vreemdeling hurkte bij de haard en pakte zijn halfautomatische Browning. Danny hield zijn blik op hem gericht, met gedraaide, verkrampte nek. Hij keek naar de vreemdeling om wat zich vlak voor hem bevond... om hén... die twee rode vormen op de stoelen, die gestolde, stille schreeuw... niet te hoeven zien.

De vreemdeling verdween uit zijn blikveld. Danny hoorde voetstappen over de vloerplanken gaan. Een klik. Krakend ging de deur van de hut open. Een koude windvlaag schuurde over Danny's bezwete nek. Zijn hoofd zakte weer naar voren. Een diffuse straal winters daglicht viel over de houten vloer. Hij zag bloed. Er lag heel veel bloed.

Danny bad dat hij aan het doodgaan was. Dat hij een ongeluk had gehad. Dat hij dit droomde. Dat hij in coma lag. Dat hij snel dood zou zijn. Maar dat Sally en Jonathan nog in leven waren.

Hij smeekte God of hij hun plaats mocht innemen. De deur viel dicht. Hij was alleen.

Maar niet helemaal alleen. Want zij... zij waren nog bij hem. Sally staarde hem met haar dode ogen aan. De vreemdeling had haar linkeroor afgesneden. Danny kon niet naar zijn zoon kijken.

Een kilte trok door hem heen. Alsof hij van steen was, geen mens van vlees en bloed meer.

449

Op het moment dat hij zijn blik afwendde, zag hij de foto van Lexie met de pas geboren Jonathan in haar armen. Hij herinnerde zich zijn zoon toen hij nog leefde... Hij herinnerde zich dat hij leerde lopen en voor het eerst naar Danny's uitgestrekte armen waggelde... Hij herinnerde zich de liefde die hij nog steeds voor hem en Sally voelde. En Lexie. Hij herinnerde zich zijn dochter.

De vreemdeling mocht niet ook Lexie te pakken krijgen.

Het mes... Hij zocht ernaar, maar tevergeefs. Hij probeerde zich los te wringen. Toen voelde hij iets, strak tegen een houten spijl van de achterleuning geklemd. Een lemmet.

Hij haakte ernaar met zijn vingers, keerde het om, sneed zich in zijn vinger om het te kunnen pakken, trok het verder naar zich toe, klemde het tussen zijn vingers, zette het uiteindelijk rechtop en draaide het om door het handvat stevig tussen zijn bloedende handpalmen te klemmen.

De punt van het mes stond nu in de tape die zijn polsen bij elkaar bond. Hij begon te zagen.

Sally keek haar met haar dode ogen aan. Ze smeekte hem zelfs na haar dood nog om dit tot een goed einde te brengen. Het bloed stroomde uit zijn polsen toen hij de tape eindelijk had doorgesneden en zich losrukte.

Hij hield het mes in zijn rechterhand. Hij sneed de tape door waarmee zijn bovenlichaam aan de leuning van de stoel was geplakt. Daarna de lus om zijn enkels. Toen hij wilde opstaan, viel hij bijna voorover. Hij zette het mes in het plakband waarmee zijn knieën aan de stoel waren gebonden.

Toen strompelde hij naar voren, vrij.

Hij keek of Sally en Jonathan nog leefden. Werktuiglijk. Zonder hoop. Hij was te laat. Hij keek niet meer naar ze om.

Hij concentreerde zich op de levenden. Op Lexie. Op de vreemdeling die haar nu in de sneeuw zocht. Met een van zijn shirts die Sally de avond daarvoor bij het vuur te drogen had gehangen, verbond hij zijn middel en legde hij een tourniquet aan om zijn rechterdijbeen. De moordenaar was zorgvuldig met de schaar te werk gegaan. Hij had geen ader geraakt. Hij wilde per se dat Danny zijn spel uitspeelde.

Danny sleepte zich naar de voorkant van het huisje. Hij leunde tegen de muur tussen de gesloten deur en het raam aan zijn rechterkant. Hij tilde het gordijn een beetje opzij en veegde met zijn vingertoppen de wasem van het glas, waarna hij het raam opnieuw schoonmaakte met het voorpand van zijn jack om de bloedveeg te verwijderen.

Hij keek naar buiten. Het sneeuwde nu zwaar. Het stormde bijna. Slechts één paar voetsporen was nog in de sneeuw te zien, het liep weg van het huisje. Het spoor van de vreemdeling. Danny hoopte maar dat de voetsporen van hem en Lexie in het bos ook waren ondergesneeuwd.

Zijn mobiele telefoon lag niet meer op het nachtkastje. Ook die van Sally was onvindbaar. Hij raapte zijn Bowie-mes van de vloer en liep haastig de kou in. Twintig meter voorbij het huisje was Danny de totale uitputting nabij. Het bloed droop uit zijn dijbeen, liet rode spatten achter in de sneeuw. Bij elke stap voelde hij zijn been zwaarder worden.

De vreemdeling had de weg gemakkelijk weten te vinden. Hij zag hem dertig meter vóór hem door het bos lopen. Hij stond te schreeuwen. In zichzelf, leek wel, toen Danny voor het eerst zijn blauwe jas tegen de witte achtergrond zag. Plotseling besefte Danny waar de vreemdeling stond. Onder de boomhut. Hij schreeuwde niet zomaar wat. Hij riep iemand naar zich toe.

Hij vertelde Lexie dat ze naar beneden moest komen. Danny schuifelde naar voren, hurkte neer achter de bosjes en rottende boomstammen. In het bos was het pak sneeuw beter beschut dan op het kale terrein rondom de hut. Danny's voetsporen waren hier nog zichtbaar geweest, duidelijk genoeg om de vreemdeling aan het denken te zetten. En tot de juiste conclusie te laten komen.

Zolang de vreemdeling zich niet omdraaide, zou hij Danny niet zien totdat het te laat was. Maar Danny bewoog zich traag. Hij struikelde en was al twee keer gevallen. Alleen dankzij de wind was hij niet gehoord.

Nog twintig meter.

Ondanks de windvlagen en het alarmerende geruis van zijn tegen de struiken aan schurende kleding, ving Danny soms een flard op van wat de vreemdeling tegen Lexie zei.

'Ze hebben me gevraagd of ik je wilde ophalen. Ze zitten nu allemaal bij de haard op je te wachten.'

Lexie riep iets terug. Danny verstond niet wat. Nog vijftien meter.

Danny zag bloed op de handschoenen van de vreemdeling. Hij hield zijn Browning-pistool verborgen achter zijn rug. Ook op zijn schedel glinsterde bloed. Misschien had Lexie dat ook gezien en wilde ze daarom niet naar beneden komen. Omdat ze zich realiseerde wat voor een man dit was.

Of misschien had ze het geschreeuw gehoord.

Nog tien meter. Danny zette zich schrap tegen de pijn die door zijn been zou trekken zodra hij begon te rennen. Hij zou zo dicht mogelijk bij die vent proberen te komen. Als hij kon, zou hij deze schoft van achter vastgrijpen en hem de keel afsnijden. Lukte dat niet, dan zou hij hem neerslaan.

'Toe nou, Alexandra, of moet ik naar boven klimmen en je komen halen?'

Vijf meter.

Het knakken van een takje.

Te laat dacht Danny aan de Beretta en de kogels achter slot en grendel in de metalen kast.

Te laat.

De vreemdeling draaide zich om. Danny wilde op hem af rennen.

Bij de derde pas zakte hij door zijn been. Alsof hij in een kuil viel. Toch strompelde hij verder, sleepte hij zich nog enkele passen voort, en nog een.

De vreemdeling stond nu vlak voor hem. De loop van zijn Browning op hem gericht. Danny wist dat hij niet meer op hem kon af duiken. Op het moment dat de man de trekker overhaalde, zou de hamerslag van de kogel het laatste zijn wat hij zou voelen. En dan zou Lexie ook sterven.

Hij wierp het Bowie-mes zo hard hij kon.

Terwijl hij neerviel, zag hij het een salto door de lucht maken. Hij smakte met zijn gezicht in de sneeuw. Toen hoorde hij de vreemdeling schreeuwen.

Zich ophijsend zag Danny dat het lemmet van het mes diep in schouder van de vreemdeling was gedrongen, vlak bij zijn nek, waar de kraag van zijn jas openhing. Zijn pistool was nergens te bekennen. Danny brulde het uit. Een felle pijnscheut door zijn been, maar hij liet zich er niet door weerhouden. Hij stormde weer op hem af.

De vreemdeling greep het handvat van het mes. Wrikte het lemmet uit zijn vlees. Hij had Danny niet zien aankomen. Niet voordat Danny hem precies tussen zijn ogen een kopstoot gaf.

Beide mannen vielen na de klap achterover. Het bloed spatte van het gezicht van de vreemdeling. Opnieuw schreeuwde hij het uit van de pijn. Danny stond wankelend op, evenals de vreemdeling. Die hield het mes nog in zijn vuist.

Waar is het pistool?

Danny keek wanhopig om zich heen. Hij zag het liggen. Een glinsterend stuk metaal in de sneeuw. Met zijn laatste krachten dook hij eropaf.

De vreemdeling rende al weg voordat Danny was opgestaan en zich omdraaide. Als een speer tussen de bomen. Danny loste een schot. En nog een. De schoten echoden na door het bos. Maar de vreemdeling stond niet stil. Hij rende door.

Er knakten takken.

Danny zag Lexie vallen. Een engel uit de hemel. Hij zag zijn dochter uit de boom vallen en op haar voeten in de sneeuw terechtkomen.

Hij strompelde zijwaarts. Viel tegen een boom aan. Ze holde naar hem toe en drukte hem stevig tegen zich aan. Hij ging rechtop tegen de boomstam zitten en richtte de loop van de Browning opnieuw op de rennende, struikelende gestalte van de vreemdeling door de wirwar van boomtakken en de wervelende sneeuw.

Sterf!

Danny richtte de loop op zijn doelwit. Langzaam haalde hij de trekker over. Vuurde. De vreemdeling struikelde. Maar strompelde verder.

Danny verbeet zich om ondanks de pijn te ademen en richtte het pistool opnieuw op de vreemdeling. Opnieuw kreeg hij hem in zijn vizier. Hij wachtte op een open plek tussen de bomen.

Die kwam. Hij schoot opnieuw. Ditmaal wankelde de man zijwaarts. Danny wachtte tot hij omviel.

Sterf!

Sterf!

Maar de gestalte van de vreemdeling werd steeds ieler. Vervaagde tot een vlek. Verdween in de sneeuw als een krijtfiguur die van het bord werd gewist.

Zevenenvijftig

22.42 uur, de zuidkust, Engeland

Het duurde bijna twee uur voordat de deuren van de Transit weer opengingen. Danny's ogen knipperden in het maanlicht. Zijn spieren deden pijn. Zijn ogen prikten. Hij zou een moord kunnen doen om iets te drinken.

Hij zou een moord kunnen doen...

'Naar buiten,' zei een lange, potige skinhead. Een bleek, diep doorgroefd gezicht. Spijkerbroek, wit T-shirt.

Naast hem stond de man met de baard toe te kijken, zijn machinepistool gericht op Danny, die voorovergebogen over de rammelende vloer van de bus kroop. De skinhead was gewapend met een Glock 30, ook wel een 'vrachttrein in pocketformaat' genoemd vanwege zijn indrukwekkende vuurkracht. Het wapen was uitgerust met het nieuwste type geluiddemper. Die hebben ze hier niet nodig, dacht Danny. Want ze waren op het platteland. Dat had hij al gemerkt voordat hij helemaal was uitgestapt. De stank van de warme stad – van afvoerputten, rottend voedsel – had plaatsgemaakt voor de geur van struiken en gemaaid gras. Ook de stadsgeluiden waren afwezig. Geen motoren, autoclaxons en gedreun. Danny hoorde alleen het kabbelen van een nabij beekje. Het zand knarste onder zijn schoenen toen hij buiten stond. Hij keek naar boven en door een web van boomtakken zag hij een heldere sterrenhemel en een volle maan schijnen.

De Transit stond geparkeerd voor een oude, stenen boerderij. Op een groot, vlak, schemerdonker veld ernaast zag Danny het onmiskenbare silhouet van een Cessna, aan het einde van een geïmproviseerde startbaan, omzoomd met door batterijen gevoede lichtbakens.

Midden in de boerderij verscheen een blok van licht. Iemand had de voordeur opengedaan. In het duister kwam iemand op hen af. Danny voelde haat in zich opvlammen toen hij de man met de haviksneus herkende.

Hij droeg een donker maatpak. Een lichtgeel overhemd. Hij zag er onschuldig uit, alsof hij uit een brochure van een bedrijf was gestapt, een topman uit het zakenleven.

Hij liep op Danny af en gaf hem met het aluminium handvat van zijn PSM pistool onverwacht een harde klap tegen zijn hoofd.

Danny zag een explosie van rode vlekken voor zijn ogen. Zijn oren suisden. Hij wankelde zijwaarts en viel op handen en voeten in de modder. Een laars duwde hem plat op zijn buik.

'Fouilleer hem. Pak de telefoon,' zei de man met de haakneus in het Russisch.

De klik van een keuzeschakelaar op een machinepistool. Danny zette zich schrap. Even dacht hij dat ze hem ter plekke koud zouden maken.

In plaats daarvan werd hij dieper in de modder gedrukt en vervolgens gefouilleerd. In zijn colbertzak vonden ze de telefoon van de Kid en namen hem die af.

Ze deden geen moeite zijn schoenen te controleren. 'Breng hem naar het meisje binnen,' zei de man met de haviksneus.

Lexie...

Danny's angst maakte plaats voor opluchting. Ze was dus hier.

Dan was de strijd nog niet gestreden.

Hij slikte de hoop die in hem opkwam weg toen hij overeind werd getrokken. Hij boog door zijn knieën, veinsde dat hij half bewusteloos was. Hoe minder sterk hij overkwam, hoe meer kansen hij kreeg.

De stevige skinhead sleepte Danny naar de boerderij. De man met de haviksneus en zijn gebaarde voetsoldaat liepen achter hen aan, hun wapens op Danny gericht.

De hal was betegeld met flagstones. Kil. Hij rook aangebrand eten. Er stond een lamp op een eenvoudige houten tafel naast een eenvoudige houten stoel.

Twee lijken op de vloer. Een man en een vrouw. Begin vijftig. Gewone burgers. Waarschijnlijk de eigenaars van deze boerderij. Danny was misselijk van de manier waarop ze hier waren gedumpt, als vuilnis dat aan de straat moest worden gezet. Ze waren geëxecuteerd, zag hij. Met een nekschot.

Danny werd al struikelend door een gang gesleept naar een grote ruimte. Waar hij een klap tegen de zijkant van zijn hoofd kreeg. Alles trilde voor zijn ogen. Een zware stem lachte.

Er brandden zwakke peertjes in ondoorschijnende plafondlampen. Geen Lexie. In een hoek stond een stapel kartonnen dozen. Een eettafel en een paar stoelen waren tegen een gepleisterde stenen muur geschoven. Twee stoelen waren naast elkaar gezet tegenover een dressoir met een lange, rechthoekige spiegel erboven. Op de vloer lagen porseleinscherven.

'Zet hem in de stoel,' zei de man met de haviksneus, deze keer in het Servisch. 'Schiet bij de minste beweging.'

De skinhead zette Danny op een van de twee ver uit elkaar staande stoelen. Danny keek naar zijn spiegelbeeld, terwijl de skinhead en de man met de baard achter hem gingen zitten. Er glinsterde iets van metaal om de linkerpols van de skinhead. Hij droeg Danny's horloge.

De man met de baard gaf de skinhead zijn Glock terug, en een taserpistool. Toen richtte hij zijn machinepistool op het midden van Danny's ruggengraat. De deur zwenkte open.

'Papa...'

Danny's hart maakte een sprongetje toen hij Lexie binnen zag komen. Hij speurde haar gezicht en lichaam af. Geen blauwe plekken in haar gezicht. Geen bloed. Geen gescheurde kleding. Opgelucht haalde hij adem. Ze hadden haar nog geen pijn gedaan. De blonde vrouw liep achter haar aan, gewapend met een Russisch pistool. Lexie probeerde naar Danny toe te rennen. De blonde vrouw trok haar aan haar haren terug. Danny balde zijn vuisten. Hij was bijna op haar af gesprongen. Als hij dat echt had gedaan, waren ze nu allebei dood. Hij probeerde zo roerloos als een beeld te blijven.

De blonde vrouw duwde Lexie in de stoel naast hem. 'Elkaar niet aankijken. En niet praten,' beval ze.

Lexie's stoel kraakte. Danny voelde haar aanwezigheid, ze beefde van angst. De man met de haviksneus blokkeerde zijn uitzicht op de spiegel. Maar hij vermoedde dat Lexie de twee mannen die achter hen stonden ook al had gezien, evenals hun wapens.

De Kid banjerde naar binnen. Hij knikte naar Danny, nonchalant en met een glimlach. Alsof ze twee oude vrienden waren die elkaar in een bar tegenkwamen.

'Controleer of alles erop staat,' zei de man met de haviksneus in het Engels toen hij de Kid de telefoon gaf.

Terwijl de Kid zich van zijn taak kweet, begon de blonde vrouw allerlei spullen – machinepistolen, mobiele telefoons, laptops, de Glock 18 van de Kid – in een bruine leren koffer te pakken.

Ze stak haar arm uit naar het Russische pistool van de man met de haviksneus. Hij liet haar haar gang gaan, maar toen ze ook zijn PSM wilde pakken, maakte hij het gebaar dat ze op kon krassen.

De man met de haviksneus sloeg de Kid gade terwijl die bezig was op zijn mobiele telefoon. Danny keek in de spiegel. De twee mannen achter hen hielden waakzaam de wacht. Met hun wapens op hen gericht.

Tijd... Danny had het gevoel dat die als zand door zijn vingers glipte en snel op zou zijn...

Geduldig zijn, hield hij zich voor. Kijk en wacht af.

Opnieuw voelde hij de adrenaline – of haat – door zijn aderen stromen toen de lange man met ziekenfondsbril in het slecht zittende pak binnenkwam. Hij stond stil en keek met zijn waterige, bruine ogen beurtelings Lexie en Danny aan.

Hij zette zijn zwartleren attachékoffer op het dressoir en maakte die open. In de spiegel ving Danny een glimp op van de inhoud. Scalpels. Injectiespuiten.

Naalden. Het gereedschap waarmee hij zijn werk deed.

Maar waar heeft hij die voor nodig? Danny noch Lexie had informatie die deze mensen konden gebruiken. Het zweet droop van Danny's voorhoofd. Hij hoopte maar dat Lexie niet naar de koffer keek.

'Het staat er allemaal op,' zei de Kid uiteindelijk. De man met de haviksneus pakte de telefoon van hem af. Hij liet het apparaat in de zak van zijn colbert glijden.

'Ik zie je bij het vliegtuig,' zei hij tegen de Kid in het Engels. 'Kom,' zei hij in het Russisch tegen de blonde vrouw.

Ze liep zwijgend achter hem aan. Geen van beiden keek naar Danny om.

Op dat moment wist Danny niet waarom hij hen het meest haatte. Omdat ze hem erin hadden geluisd, of omdat ze hem hadden afgeschreven, hier achterlieten als iets onbelangrijks, alsof hij al dood was.

Ze lieten de leren koffer met bijna al hun wapens staan. Waar ze ook heen gingen, straks konden ze zonder problemen door de beveiliging en de douane komen.

Te oordelen naar de duur van de reis in de Transit en het feit dat er geen gloed van een nabijgelegen stad te zien was toen ze arriveerden, vermoedde

Danny dat deze boerderij ergens aan de zuidkust stond.

Met de Cessna konden ze vanaf hier zonder tussenstop naar Frankrijk, België of Nederland vliegen. En daar konden ze opgaan in de anonimiteit.

Danny vermoedde dat de man met de haviksneus zijn PSM-pistool boven het Kanaal in zee zou werpen zodra ze veilig onderweg waren. Maar zolang het nog niet zover was, hield hij dat wapen bij zich, wat Danny in zijn geval ook zou hebben gedaan.

Danny zag de Kid naar hem staren. Hij glimlachte, schudde langzaam zijn hoofd, alsof hij nog niet helemaal kon geloven dat Danny er werkelijk was.

'Hoe voelt het om beroemd te zijn?' vroeg hij uiteindelijk. 'Om de meest gezochte man op aarde te zijn?' Hij wachtte niet op een antwoord. Wist dat hij dat toch niet zou krijgen. In plaats daarvan ging hij verder. 'Je had natuurlijk gelijk,' zei hij.

'Hoezo?'

'Toen je de verbinding afsneed in de ambassade. Een slimme zet. Als je dat niet had gedaan, zou ik dat bestand onder je neus naar mezelf toe hebben gemaild. En dan hoefden we alleen nog maar de politie te bellen om te zeggen waar je was.'

Danny zag hoe de Kid zijn leren jack verruilde voor een linnen colbert uit de bruine koffer. Hij stak zijn armen door de mouwen en trok het ruim zittende jasje over zijn brede schouders en zijn T-shirt. Hij leek een bruiloftsgast, die niets kwaadaardigers van plan was dan de hele avond dronken achter bruidsmeisjes aan zitten.

'Je had beloofd dat je ons zou vrijlaten. Omdat ik toch niets kan bewijzen. En voor de rest van mijn leven zal moeten onderduiken...'

De Kid grinnikte. 'Ach, kom, Danny. Wat moest ik anders zeggen? Dat geloofde je toch niet? Ik bedoel, ik weet toch dat je niet van ophouden weet. Je zou me gaan zoeken en – verdomme nog aan toe – me nog vinden ook. Want dat is jouw probleem, broer. Je bent te gevaarlijk om los te laten lopen.'

Broer? Hoever waren ze uit elkaar gegroeid? Hoe lang al was de Kid van plan geweest om Danny te verraden? Hoe goed kende Danny hem eigenlijk?

'Wie zijn die lui?' vroeg Danny. 'Voor wie werk je eigenlijk?' Het was de moeite van het proberen waard. Hij en de Kid hadden immers nog een band. Je wist maar nooit of hij hem kon ompraten.

'Wie zegt dat ik voor iemand werk?' zei de Kid, tegen het dressoir leunend, met zijn armen over elkaar op Danny neerkijkend. 'Misschien werken zij wel voor mij.'

Danny herinnerde zich hoe bang de Kid geklonken had toen die man het kantoor van kolonel Zykov was binnengedrongen en de hele operatie dreigde te mislukken. De Kid werkte voor de man met de haakneus, niet andersom, zoveel was zeker.

'Waar doe je het voor?' vroeg Danny. 'Voor het geld?' De Kid glimlachte. Die oude glimlach. Dezelfde lach waar Danny vroeger vrolijk van werd.

'Ik ga mezelf hier niet tegenover jou verdedigen, Danny,' zei hij. 'Je zult het toch nooit begrijpen. En bovendien, het doet er niet meer toe. Waar het om gaat is, dat jij verloren hebt.'

GOD IS A PROGRAMMER.

Al die tijd had het op de bovenarm van de Kid gestaan. Macht. Programmeercode om te manipuleren. Een spel dat gespeeld werd met vlees en bloed. Was het hem daar om te doen geweest? Net als het moorden voor de vreemdeling die destijds Sally en Jonathan had afgeslacht? Was het verschil tussen deze twee mannen echt maar zo klein?

Diep in zijn hart kon Danny het nog steeds niet geloven.

'Wat waren dat voor data die ik moest stelen?'

'Vergeet het maar, Danny. Dat ga ik jou niet vertellen.' De Kid keek op zijn horloge. 'Sterker nog, ik praat helemaal niet meer met jou. Want je valt me alleen maar lastig met je vragen om tijd te winnen. In de hoop een manier te vinden om te ontsnappen. Wat je niet zal lukken.'

Hij knoopte zijn jasje dicht en glimlachte tevreden

omdat het zo goed paste.

'Hoe dan ook, ik moet nu gaan,' zei hij. 'Ik wil mijn vlucht niet missen. Maar mijn vriend hier' – hij knikte naar de beul, die al begerig in zijn koffer staarde – 'en zijn collega's zullen Engeland op een andere manier verlaten.'

'Je kunt nog van gedachten veranderen,' zei Danny. De Kid lachte. 'O, Danny, geloof me nou maar, het is voorbij. Maar... meneer, eh... Smith,' zei hij, duidelijk de eerste de beste naam gebruikend die in hem opkwam toen hij naar de man met de bril knikte, 'zal voor jullie zorgen. De boel opruimen is een van zijn specialiteiten, weet je, een soort extraatje, zogezegd.'

Danny keek de Kid in zijn donkere, glinsterende ogen. Hij wilde dat het leven eruit was, dat ze koud waren.

Maar nu nog niet. Wacht, zei hij bij zichzelf. Wacht tot de Kid is vertrokken. Dan heb je nog maar drie tegenstanders. Van wie er waarschijnlijk maar twee gewapend zijn.

Toen de Kid hem de rug toekeerde en de kamer uit liep, draaide Danny zich om en keek de beul recht in de ogen. Dode ogen. Liefdeloze ogen. Ogen die opgewonden oplichtten bij het vooruitzicht pijn te veroorzaken.

Danny had eerder in dat soort ogen gekeken.

Achtenvijftig

22.54 uur, de zuidkust, Engeland

De beul knipperde eerst met zijn ogen. Hij keek naar het metaal in zijn attachékoffer en begon te neuriën. Danny begon te trillen. De stoel waarop hij zat, kraakte ervan.

De beul keek plotseling op. Een dunne glimlach speelde om zijn lippen. Hij dacht dat hij angst en overgave in Danny's ogen zag.

Zodra de beul weer in zijn koffer keek, keek Danny in de spiegel. Naar de man met de baard. Hij stond nog steeds een halve meter achter Danny's rechterschouder. Met zijn machinepistool stevig in zijn handen.

Maar de skinhead was opgeschoven. Naar links. Zodat hij kon toekijken, kon zien wat de beul aan het doen was.

Hij hield zijn Glock niet meer op Danny of Lexie gericht. Alleen het taserpistool wees hun kant op. Danny vermoedde wat hij van plan was. Eerst zou hij Danny taseren, daarna Lexie. Dan zou hij ze vastbinden, zodat de beul kon beginnen.

'Ogen dicht,' zei Danny.

'Waa...' Het was maar een geluid dat aan Lexies lippen ontsnapte, geen volledig woord.

468

'Doe wat ik zeg,' zei Danny, met zijn handen om zijn riem geklemd.

Hoewel ze hem hadden gedwongen het pak van de vermoorde kolonel aan te doen voordat ze naar de ambassade gingen, hadden ze hem zijn eigen broekriem om laten doen.

'En hou ze dicht,' zei hij. 'Wat je ook hoort.'

De beul keek weer op. Zijn kale kop schuin als een hond wiens aandacht werd getrokken door een laag gebrom.

Hij staarde Danny aan, probeerde hem te doorgronden. Danny hield zijn blik op hem gericht, staarde terug, zodat de beul niet naar beneden zou kijken en zijn handen zag bewegen.

Danny zag nu niet alleen de waterige, bruine ogen van de beul, maar ook die van de man met de haviksneus. En de ogen van de man die hij in het gevecht had verslagen bij de kapel van de school. Het waren de ogen van de man die in het bos op hem en zijn gezin had jacht gemaakt.

Danny keek in de ogen van iedereen die hem en de zijnen ooit iets had willen aandoen.

Hij zag de verwarring op het gezicht van de beul toenemen. Toen hij Danny had zien beven, had hij zich vergist, besefte hij nu. Het was geen angst, geen overgave die hij in Danny's ogen had gezien.

Het was vergelding.

Het was de dood.

Danny stond op, draaide met de klok mee van zijn stoel. Terwijl hij op zijn rechtervoet een pirouette maakte, trok hij het vijftien centimeter lange stilettomes uit zijn riem.

Het mes met het gebogen handvat was tweezijdig, gemaakt om mee te steken en te snijden. Het bestond uit tamahagane-staal, een combinatie van verschillende soorten staal met een hoog en laag koolstofgehalte, flexibel genoeg om mee te buigen met een broekriem, maar gevaarlijk hard als het rechtop stond.

De man met de baard had het geen moment zien aankomen. In een fractie van een seconde maakte Danny zijn manoeuvre af – een beweging die hij talloze keren had geoefend. Hij haalde het lemmet met de rug van zijn hand naar voren gekeerd door de keel van de gebaarde man.

Hij sneed diens luchtpijp en halsslagader door. Een rode straal slagaderlijk bloed spoot in Danny's gezicht.

Na deze pirouette stond Danny tussen de man met de baard en Lexie in. Hij wilde haar met zijn lijf beschermen voor het geval de man zou schieten. Hierdoor stond hij nu in een positie waarin hij de gebaarde man bij zijn rechterpols kon pakken en die kon vasthouden, om ervoor te zorgen dat het machinepistool op de vloer gericht bleef.

Ondertussen had de skinhead een kans gekregen om te reageren. Hij richtte zowel de Glock als de Taser op om te schieten. Maar hij stond stijf van de adrenaline. Zijn fijne motoriek was een fractie van een seconde buiten werking gesteld. Lang genoeg om hem heel even zijn evenwicht te doen verliezen, waardoor hij onbeschut was.

Danny stak hem snel in zijn gezicht. Door zijn mond. Tot achter in zijn keel. Het lemmet schoot flitsend langs zijn tanden. Danny trok het mes met een pompende beweging terug en stak hem opnieuw. Deze keer in zijn rechteroogbal, in zijn hersens. Hij voelde het puntje van het lemmet tegen de schedel schrapen.

De skinhead zakte zijwaarts op de vloer neer toen Danny het mes terugtrok. Ondertussen bleef hij de man met de baard stevig bij zijn rechterpols vasthouden, zodat het machinepistool naar de vloer bleef wijzen. Opnieuw zette hij het mes in diens bloedende keel en wierp daarna de man dood van zich af.

Er flitste iets in Danny's ooghoek. De beul rende weg door de deur. Om de anderen te waarschuwen.

'Hou je ogen dicht,' riep Danny naar Lexie, met bonzend hart terwijl hij de gevallen Glock opraapte. Hij tilde haar van de stoel en liep met haar over zijn schouder door de deuropening waar de beul uit was gevlucht.

Toen Danny de beul zag, rende hij al halverwege de gang die recht naar de hal liep.

Danny draaide Lexies gezicht naar de muur en zette haar neer. Toen draaide hij zich om en stopte het mes in zijn jaszak.

Hij hield de Glock met beide handen vast, ging stevig staan en richtte. Hij haalde diep adem, zorgde ervoor dat het toegevoegde gewicht van de geluiddemper werd gecompenseerd, toen de beul bij de voordeur stond.

Uitademen...

Hij haalde de trekker twee keer over. Tok-tok, klonk het. Een zware terugstoot.

Hij mikte op het dijbeen van de beul – hij wilde hem levend hebben – maar de eerste kogel miste zijn doel volledig, raakte op een haar na diens rechterknie en verdween in de deurpost.

De tweede kogel schoot dwars door de onderrug van de beul, die daarop tegen de voordeur van de boerderij klapte, alsof hij door een vrachttrein was geraakt, precies zoals reclame voor de Glock beweerde.

Danny rende naar hem toe, de Glock op hem gericht. Niet nodig. De bril van de beul lag aan gruzelementen in een steeds groter wordende bloedplas die zich al verspreidde over de tegelvloer. Hij leefde nog, zij het ternauwernood. Hij jammerde in het Russisch en Duits. Danny keek naar de wond in zijn rug. De kogel was dwars door zijn ruggengraat gegaan.

Danny fouilleerde de man op wapens. Vond niets. Toen hoorde hij het lage gebrom van de Cessna die gestart werd. Zijn instinct zei hem terug te rennen en het machinepistool van de man met de baard te halen. Daarmee had hij meer kans de motoren van het vliegtuig stuk te schieten voordat het opsteeg. In plaats daarvan rende hij naar Lexie. Hij kon haar niet alleen laten tussen de doden. Hij tilde haar op. Haar haren zaten onder de bloedspetters. Maar zelfs nu nog deed ze wat hij haar had gevraagd: ze hield haar ogen stijf dicht.

'Rustig maar, prinses. Ik red je hieruit.'

Hij nam haar op zijn schouder en liep met haar door de keuken naar buiten via een van het slot gehaalde achterdeur. Wankelend liep hij met haar de warme avondlucht in.

De motor van het vliegtuig begon vlak voor het op-stijgen nog doordringender te gieren. De baan lag aan de andere kant van de boerderij waar Danny nu naast Lexie zat neergehurkt in de inktzwarte duis-ternis achter wat braamstruiken.

'Hier blijven,' zei hij. 'Ik ben zo terug.'

Hij hoorde de motor van het vliegtuig op volle toeren draaien. Het toestel stond nog steeds aan de grond.

Hij sprintte de hoek van het gebouw om en zag nog net de Cessna snelheid maken op het ongelijkmatige terrein. Hij richtte zich op een punt op twee derde van de startbaan en rende daarnaartoe.

Hij hield de pas in toen het vliegtuig op gelijke hoogte was en richtte de Glock met beide handen. Hij richtte met het schommelende beeld van zijn vizier. Zweet, of bloed, droop van zijn voorhoofd.

Het doel was te ver weg, maar toch loste hij een schot. En nog een. En daarna nog een.

Als er geen wind had gestaan, als hij ontspannen was geweest, op een schietbaan had gestaan, had hij zijn doel misschien geraakt.

Maar hij miste.

Terwijl het vliegtuig opsteeg, zag hij de man met de haviksneus uit het cockpitraam kijken. Misschien had hij een glimp van Danny opgevangen. Of had hij nog net een vuurflits opgevangen die de geluiddemper niet had kunnen verbergen.

Danny kon het niet weten. Maar even dacht hij dat hun blikken elkaar hadden ontmoet.

En op dat moment deed hij de man een belofte. Dat hij hem zou vinden. Dat hij niet zou rusten totdat hij hem gevonden had.

Vervolgens verdween het vliegtuig uit het zicht in de nacht.

Danny draaide zich om en rende terug, niet naar Lexie, maar naar de voordeur van de boerderij, waarachter de beul lag te sterven. Hij hield de Glock stevig in zijn rechterhand. In zijn linker hield hij het gespmes.

Het werd tijd om uit te zoeken wie 'meneer Smith' was en wat hij zoal wist.

Woensdag

Negenenvijftig

West-Wales...

Er waren vijf dagen verstreken sinds Danny vergeefs die schoten op de Cessna had gelost. Hij en Lexie bevonden zich nu op ongeveer 450 kilometer afstand, aan de kust van Wales.

Danny keek op van de portefeuille van de beul waarvan hij de inhoud aan de keukentafel had bestudeerd en staarde door het raam van het vakantiehuisje naar Lexie.

Ze zat in de overwoekerde voortuin met haar benen over elkaar geslagen in een kaki joggingbroek en een rood shirt met capuchon. Met een scherpe steen tekende ze op een stuk daklei. Achter de tuinmuur liep een verlaten zandweg door een rotsachtige vallei naar de ruige heuvels en de grijze lucht.

Nadat Danny in de boerderij in Sussex de beul had afgemaakt, had hij Lexie uit haar schuilplaats achter de braamstruiken gehaald en in de bus gezet. Vervolgens was hij teruggelopen naar het huis en had hij de lijken van de vermoorde eigenaars naar buiten gesleept, zodat familieleden hun een fatsoenlijke begrafenis konden geven.

Daarna had hij de levenloze Russische en Servische huurmoordenaars gefouilleerd, want dat bleken ze achteraf te zijn. Hij nam de skinhead zijn horloge af. Dat was gelukkig niet door het gevecht beschadigd. Hij verzamelde hun tassen en bezittingen en legde ze achter in de bus. Hij liet de lijken binnen liggen. Na zich te hebben gewassen en omgekleed, stak hij de boerderij in brand; zijn DNA-sporen zouden anders worden aangetroffen, waardoor hij ook nog de schuld zou krijgen van wat daar was gebeurd.

Afgezien van de wapens, identiteitsbewijzen, computers en telefoons die hij had gevonden in de bruine leren koffer van de huurmoordenaars, vond Danny ook zijn eigen portefeuille en colbert terug uit de Ritz, met de valse ID-pas en creditcards op naam van Samuel Wilson Jones.

Hij had de hele nacht met Lexie doorgereden. De volgende ochtend hadden ze de bus in het centrum van Bristol laten staan en met een creditcard een tweedehands SUV gekocht. Later verkochten ze die wagen bij een andere dealer voor contant geld. Bij een derde dealer had Danny met dat geld een oude Volkswagenbus gekocht, die nu buiten het zicht naast het vakantiehuisje stond.

Lexie had een maand huur vooraf betaald, en de borg overgemaakt. Ze had de makelaar via wie ze het huis huurde een van Danny's nieuwe mobiele nummers gegeven, als referentie van haar werkgever, maar die had niet de moeite genomen Danny te bellen om het te controleren.

Lexie zag er nu anders uit dan het meisje wier portret de afgelopen vijf dagen door alle media was gepubliceerd. Op verzoek van Danny had ze haar haren zelf geknipt, en ze de ochtend nadat ze de boerderij waren ontvlucht, in de wc van een benzinestation zwart geverfd.

De media hadden de Danny en Alexandra Shanklin die in Engeland op de vlucht waren inmiddels uiteraard gekoppeld aan de Danny en Alexandra Shanklin die in de Verenigde Staten ooit belaagd waren geweest door de Directeur: de papier-, steen-, schaarmoordenaar. Geen van Lexies schoolvriendinnen had daar ooit van geweten. Een ander deel van haar leven dat hij had verknoeid. En een reden te meer om ervoor te zorgen dat ze hier goed doorheen zou komen, zodat ze straks met opgeheven hoofd haar leven kon oppakken.

Zijn eigen uiterlijk was ook veranderd de afgelopen paar dagen. Hij was blond. Droeg nieuwe kleren uit een zaak in Bristol. Een bril. Een volle stoppelbaard op zijn kaken. Hij was van plan zijn baard te laten staan en zijn haar te laten groeien.

Het was een begin, maar hij wist al dat hij er nog veel meer aan moest doen. De eigenschappen van zijn gezicht waren inmiddels natuurlijk vastgelegd in gezichtsherkenningssystemen die ze op elk vliegveld en bij elke douanepost konden raadplegen.

De klopjacht in Londen was afgelopen, maar de wereldwijde jacht op Danny Shanklin was nog maar net begonnen.

Het verminkte lichaam van kolonel Nikolai Zykov was twee dagen na de moord en het bloedbad eindelijk geïdentificeerd aan de hand van zijn gebit. Danny's werk in Tsjetsjenië voor de Russische regering was door de Kid naar de pers gelekt.

Nog steeds werd aangenomen dat Danny door de kolonel was ingehuurd. Dat betekende dat hij – precies zoals de Britse geheim agent met wie hij bij de schoolkapel had gevochten had gezegd – de enige persoon was die werd gezocht in verband met de gruweldaden in Mayfair.

De Russische regering bleef iedere betrokkenheid ontkennen. In een officiële verklaring heette het dat kolonel Zykov kort daarvoor wegens chronische depressie onder behandeling had gestaan van een psychiater. Uit intern onderzoek zou zijn gebleken dat hij banden had met verboden nationalistische organisaties en enkele, reeds gevangengenomen Russische miljardairs.

Zykov was, met andere woorden, officieel afgeschreven.

Ook beweerde de Russische overheid Danny Shanklin niet te kennen.

Ondertussen was door de moord de diplomatieke storm uitgegroeid tot een orkaan. Russische en Georgische versterkingen trokken op naar Zuid-Ossetië en Abchazië. De waarde van Europese aandelen en valuta zakte door de angst voor regionale onrust en door de opleving van terroristische aanslagen in het Westen. De man met de haviksneus had het helemaal voor elkaar.

Op één ding na: Danny Shanklin leefde nog.

Hij keek weer naar Lexie. Ze had net weer een stuk leisteen afgemaakt en zette dat in het gras aan het einde van een rijtje andere dakleien. Op elk daarvan stond iets anders. Op sommige patronen van combinaties van Keltische symbolen, overgenomen uit een boek over de geschiedenis van Wales dat de eigenaar van het huisje in de huiskamer had laten liggen samen met een stapel beduimelde paperbacks. Op andere stonden stukjes van het heuvellandschap rondom het huis. En tekeningen van het wild, van buizerds die hoog op de warme luchtstroom zweefden, van konijnen, vossen en herten.

Het was goed te zien dat ze iets normaals deed, iets wat ze leuk vond. En Jean, haar grootmoeder, had gelijk: Lexie was echt getalenteerd. Hij maakte hem nederig, haar zo aan het werk te zien, zowel verrast als verbijsterd door zijn eigen vlees en bloed.

Lexie zei dat ze de stukken leisteen mee terug naar

school wilde nemen om te gebruiken voor een project. Dat stond hem wel aan. Dat hier nog iets goeds uit zou voortkomen.

Het verbaasde hem nog steeds hoe snel ze zich had aangepast. Ze had nergens over geklaagd. Niet over het feit dat ze nog niet terug naar school kon, of haar vriendinnen niet mocht bellen. Of dat ze ondergedoken moest blijven zolang zijn naam nog niet gezuiverd was.

Danny maakte zich niet alleen ongerust over de geheime diensten die haar wilden hebben om haar tegen hem te gebruiken. Nog steeds was ze een onvolkomenheid die de man met de haviksneus nog niet had weggewerkt.

Danny maakte zich overigens geen illusies over haar aanpassingsvermogen. Hij maakte zich zorgen over de psychische schade die de gebeurtenissen van de afgelopen week mogelijk hadden aangericht. Hij vreesde dat ze nog steeds een posttraumatische angststoornis kon ontwikkelen. Hij moest haar zo snel mogelijk ergens veilig onderbrengen. En hulp gaan zoeken, een neutraal iemand met wie ze kon praten. Een professional. Iemand die dat veel beter zou kunnen dan hijzelf.

Wanneer dit allemaal voorbij was, moest hij goed voor haar gaan zorgen. Alle verloren tijd inhalen. Weer een echte vader voor haar worden.

Hij kon het zichzelf nog steeds niet vergeven dat hij in het huis van Alice zijn telefoon had aangezet. Als hij niet zo achteloos, zo onnadenkend was geweest waardoor ze hem hadden kunnen vinden, was Lexie nog in veiligheid en Alice De Luca nog in leven.

Volgens Lexie had de man met de haviksneus Alice meteen nadat ze had opengedaan in haar gezicht geschoten. Volgens het krantenartikel dat Danny had gelezen, was ze onmiddellijk gestorven. Het machinepistool waarmee ze was vermoord, was uitgerust met een geluiddemper. Buiten het huis van Alice had niemand iets gehoord. Niemand was te hulp geschoten. De man met de haakneus had haar met haar gezicht op de vloer van de hal laten liggen en Lexie op de trap te pakken gekregen.

Vannacht had Danny over Alice gedroomd, dat ze nog leefde en ze nog steeds samen waren. Ze liepen hand in hand door Green Park richting de ondergaande zon. Ze hadden allerlei toekomstplannen. De politie had Danny's vingerafdrukken in het huis van Alice nog niet geïdentificeerd. Maar dat zou snel gebeurd zijn. Ook deze moord zou hem aangerekend worden. Natuurlijk zou Lexie kunnen getuigen wat er werkelijk gebeurd was. Maar zou de politie haar geloven? Niet wanneer die nog steeds dacht dat Danny verantwoordelijk was voor de moord en het bloedbad in Mayfair. Ze zouden denken dat ze het voor hem opnam of dat ze er zelf bij betrokken was geweest.

Danny had de afgelopen nacht ook over Sally gedroomd, maar zij was nog steeds dood, vastgebonden aan die stoel in de blokhut, haar mond wijd open en haar ogen als holen zo diep en donker.

Terwijl hij Lexie zag liggen in het gras en naar de grijze lucht met de voorbijstuivende wolken zag staren, krabde Danny aan het litteken op zijn dijbeen waar de papier-, steen-, schaarmoordenaar de schaar in had gezet.

De papier-, steen-, schaarmoordenaar. Zo werd de Directeur in de media genoemd nadat de details van het lot van Danny's gezin naar buiten waren gelekt. Danny en Lexie waren de eersten die een aanval van hem hadden overleefd.

Nadat hij als een spook in die sneeuwstorm was verdwenen, stortte Danny in. Lexie was degene die hem had gered. Zijn negenjarige dochter. Als hij alleen was geweest, zou hij zijn omgekomen.

Ze was teruggegaan naar het huisje. Er naar binnen gegaan, waar Sally en Jonathan waren. Ze was in haar eentje teruggegaan en had Sally's telefoon gevonden en het alarmnummer gebeld.

De politie had de vallei uitgekamd, op zoek naar het lichaam van de vreemdeling, voor het geval Danny hem werkelijk met die Browning had geraakt, zoals hij had gedacht. Maar ze hadden niets gevonden. Er werd forensisch onderzoek gedaan in het huisje en de verlaten auto van de vreemdeling. Maar daar was niets uitgekomen.

Danny en Lexie kregen daarna bescherming van de politie. Een nieuw begin. Maar Danny was met zijn dochter naar California verhuisd. Had in Santa Monica een appartement gehuurd. Hij wilde van niemand bescherming aannemen. Hij wilde niemand om zich heen hebben. Hij was verhuisd om voor zijn dochtertje te zorgen. Maar in plaats daarvan raakte hij verslaafd aan drank en pillen.

De tijd ging voorbij. Op een dag bleef Jean, Sally's moeder, logeren. Kort daarna was ze op een dag vertrokken, met Lexie. Danny was door de drank en de pillen te ver heen geweest om zich de details te herinneren.

Maanden later had hij op een avond overwogen zich van kant te maken, maar in plaats daarvan had hij een hulpdienst gebeld. Het was de eerste stap op een lange weg naar zijn herstel, een weg die hij hoe dan ook de rest van zijn leven zou moeten afleggen.

Twee jaar nadat Sally en Jonathan waren vermoord, begon de FBI te vermoeden dat de moordenaar inmiddels was gestorven. Van de Directeur werd niets meer vernomen. Tenminste niet op de manier van vroeger. Met papier, steen en schaar. Geen gemartelde moeders met hun kinderen. Geen vermoorde vaders die gedwongen waren geweest toe te kijken. Danny geloofde niet dat de FBI gelijk had. In zijn hart niet. Geen moment.

Hij had een van Karl Bains beste medewerkers ingehuurd – een pas gepensioneerde onderzoeker bij de FBI. En die speciaal op de zaak gezet. Om alle puzzelstukjes bij elkaar te leggen. Om alle veroordelingen na de moorden in de blokhut na te vlooien, want misschien hield de papier-, steen-, schaarmoordenaar zich koest omdat hij een straf uitzat. Om naar vergelijkbare moorden in binnen- en buitenland te zoeken. Om de zoektocht nooit te staken. Tot nog toe zonder resultaat. Maar ooit zou dat veranderen, geloofde Danny.

Uit een ooghoek zag hij iets bewegen. In de verte op de zandweg. Een voertuig kwam hun kant op.

Danny stond onmiddellijk op. Hij pakte de Glock 30 uit de gesloten la van het bureau in de hoek van de kamer. Hij had de andere wapens die hij uit de boerderij had meegenomen al gedemonteerd en ergens in de heuvels begraven, zodat hij niet in verband kon worden gebracht met de moorden in de boerderij of de dood van Alice. Hij zou ook dit wapen vernietigen als hij het huisje zou verlaten. Maar niet voordat hij zeker wist dat hij veilig was.

Hij keek weer naar buiten. Het voertuig – een zwarte landrover zo te zien – naderde. Waarschijnlijk was het al voorbij het bordje VERBODEN TOEGANG – PRIVÉTERREIN.

Het minderde geen vaart.

Zestig

West-Wales...

Toen Danny gehaast naar de zijdeur van het huisje liep, zag hij Lexie geschrokken wakker worden uit haar dagdroom. Ze had de landrover horen remmen op het rondlopende weggetje van grof puin achter de tuinmuur.

Toen het portier van het voertuig werd dichtgeslagen, stond Lexie al te staren naar de reus van een vent die op haar af kwam.

Zijn schouders waren bijna zo breed als een truck, hij had dik zwart haar, achterover gekamd in een paardenstaart, en een langwerpig gezicht, dat taps toeliep in een onverzorgd en vroeg grijs geworden baardje. Hij zag er een beetje uit als een weerwolf, in elk geval als iemand die je niet tegen je in het harnas wilde jagen.

Hij droeg een zwart maatpak, zwarte leren schoenen, een lichtblauw overhemd, geen das. Alles van Armani. De krullende punt van een groene getatoeëerde vlam stak boven zijn kraag uit. Zijn hals leek wel een boomstam. Een grote, platina ring, bezet met diamanten, glinsterde om zijn linkerwijsvinger. Die was groot genoeg om een straatdief de ogen uit te uitsteken van begeerte – al zou zelfs een crackverslaafde niet zo dom zijn om te denken dat je die van deze man kon stelen en het nog navertellen ook.

Zijn ogen schitterden als natte kiezels in de zon en keken naar Lexie toen hij naar haar toe liep en stilstond.

'Dan ben jij Alexandra,' zei hij.

Hij had een Russisch accent. Lexie sperde van schrik haar ogen open. Haar knieën knikten.

'Het is goed.' Danny ging naast haar staan en legde een arm om haar heen. Hij had de Glock binnen laten liggen toen hij zag wie er uit de auto stapte. 'Dit is een vriend. Hij is hier gekomen om te helpen.'

'Mijn naam is Spartak Sidarvov,' zei de man, terwijl hij zijn halfdichte ogen niet van Lexie afhield. Hij boog naar haar toe, zich opzettelijk kleiner makend. 'Ik heb je al wel eens eerder gezien. Toen je nog veel jonger was. Toen je moeder nog leefde. Je lijkt op haar.' Hij keek Lexie breed glimlachend aan en legde zacht een hand op haar schouder. 'Behalve dat haar, vind ik,' zei hij, 'maar dat zal wel een ideetje van je vader zijn geweest.'

Lexie zuchtte, glimlachte daarbij – voornamelijk, vermoedde Danny, van opluchting.

Spartak draaide zich om naar Danny. 'En kijk eens, verdomme nog aan toe, zo ziet een man met een prijskaartje van een miljoen dollar aan zijn kop er dus uit...'

'Goed je te zien,' zei Danny.

Spartaks gezicht spleet open in een grijns. 'Kom hier.' Hij omhelsde Danny zo stevig dat de lucht uit zijn longen werd geperst.

Danny lachte geforceerd toen de grote man hem losliet, maar onwillekeurig dacht hij terug aan de Kid. Hoe hij hem had verraden. Dat hij dat geen moment had zien aankomen. Ook dacht hij aan zijn vader. Aan zijn advies: *Vertrouw niemand, alleen jezelf.* En toch deed hij nu precies het tegenover gestelde. Omdat hij geen keuze had. Omdat hij Spartak langer kende dan wie ook. En omdat hij hulp nodig had bij wat hij van plan was.

En niet alleen van Spartak. Hij zou een nieuwe techneut moeten vinden om de Kid te vervangen. En natuurlijk zou hij op een veilige manier weer contact met Crane moeten zoeken.

'Volgens mij hebben jullie wat te bespreken,' zei Lexie.

Danny knikte.

'Dan maak ik mijn leistenen af,' zei ze. 'Roep me maar als de lunch klaar is,' riep ze hen achterna, met een plagerige glimlach die Spartak deed grijnzen.

'Precies haar moeder,' zei hij toen hij met Danny naar het huisje liep.

Ze gingen naar binnen. Spartak woog bijna 120 kilo. Toen de twee mannen tegenover elkaar aan de keukentafel zaten, kraakte zijn houten stoel alsof hij elk moment kon barsten.

Danny kwam meteen ter zake. Hij vertelde Spartak alles wat hem was overkomen, vanaf het moment dat hij vijf dagen geleden de Kid had ontmoet voor de ingang van de Ritz. Tot aan het moment dat hij die schoten op de Cessna had afgevuurd.

Daarna vertelde hij Spartak over het gesprekje dat hij met de stervende beul had gehad. Bijna alles wat die had onthuld.

Hij had Danny zijn echte naam gegeven. Maar hij kende de echte namen van de anderen niet, ook al had hij eerder met hen samengewerkt. De man met de haviksneus – Glinka was de enige naam die de beul van hem kende – was een Russische huurmoordenaar, die volgens de beul drie maanden geleden was benaderd door bepaalde elementen binnen de Georgische geheime dienst.

Ze hadden het plan bedacht om hun eigen aanhanger te vermoorden, de schrijfster die de VN zou toespreken – Madina Tskhovrebova – en de Russen daarvan de schuld te geven. Zo konden ze de internationale politieke druk opvoeren om de hereniging van Georgië met haar voormalige gebiedsdelen kracht bij zetten. Zodat Georgië terugkreeg waar het land volgens hen recht op had.

Glinka had besloten de aanslag een Russisch ambassadelid in de schoenen te schuiven. De militair attaché was het voor de hand liggende slachtoffer. Maar toen zijn team onderzoek deed naar Zykov ter voorbereiding op de ontvoering en de aanslag, besefte Glinka dat hij de kolonel waarschijnlijk al eens eerder had ontmoet.

Toen hij Zykov op de avond voor de aanslag ontmoette, werd zijn vermoeden bevestigd. In 1990 had Zykov de chemische wapenfaciliteit Biopreparat overvallen, waar Glinka gestationeerd was.

Uit vrees dat de Sovjet-Unie zou instorten en de Russische openbare veiligheid en macht geneutraliseerd zouden worden, was Zykov samen met een aantal andere nationalistische hardliners op het idee gekomen enkele geheime chemische wapens achter de hand te houden voor het toekomstige, exclusieve gebruik van de Russische staat. Daarom hadden ze de wapenfaciliteit van Biopreparat overvallen.

Vijf nachten geleden had Glinka kolonel Zykov gemarteld in zijn appartement om erachter te komen waar die gestolen chemische wapens nu werden verstopt.

De kolonel wist het niet, omdat de wapens regelmatig werden verplaatst sinds ze waren gestolen. Wél wist hij de naam van het verborgen en versleutelde bestand op het intranet van zijn departement, dat regelmatig door zijn medesamenzweerders werd geüpdatet met de nieuwste locaties van de wapens. Toen Glinka hoorde van het bestaan en de nabijheid van dit bestand, besloot hij zijn plannen te wijzigen. Niet alleen zou hij de aanslag plegen waarvoor hij werd betaald, hij zou ook de data over de gestolen wapens stelen. Voor zijn eigen gewin.

'Daarom verminkten ze het lichaam van de kolonel,' zei Spartak, anticiperend op het vervolg. 'Om tijd te winnen. Want zodra ontdekt zou worden dat Zykov was verdwenen, zou de ambassade worden afgesloten en konden ze de data niet meer stelen.'

'En de medesamenzweerders van de kolonel zouden – dat stond in het protocol van vertrouwen dat ze hadden ondertekend – op afstand zijn kopie van het bestand vernietigen.'

'Dan zitten we nog met één probleem,' zei Spartak. 'Zij hebben die data, en wij niet. We weten niet eens welke chemische wapens ze willen stelen.'

'Pokken,' zei Danny.

Spartak keek geïnteresseerd op.

'Zes verschillende formules,' ging Danny verder. 'Waartegen de huidige vaccinreserves totaal nutteloos zijn.'

Spartak keek bezorgd toen hij dit tot zich liet doordringen.

Danny zelf had waarschijnlijk ook zo gekeken toen hij voor het eerst had nagedacht over de gevolgen, over de ramp die een dergelijk chemisch wapen zou kunnen veroorzaken.

Als er een epidemie door een gemuteerd pokken-virus zou uitbreken, zouden ringvaccinatie en quarantaine de ontwikkeling van een pandemie hooguit vertragen, maar niet stoppen. Het aantal doden zou niet tot in de honderdduizenden, maar in de miljoenen lopen. Het zou overheden miljarden kosten. Slechts een op de drie mensen die aan de ziekte werden blootgesteld, overleefde het.

'Mijn god,' zei Spartak, 'maar dat is afschuwelijk...'

God had er niets mee te maken. De faciliteit van Biopreparat waar Zykov en zijn samenzweerders in 1990 hadden ingebroken, was de onofficiële opbergplaats voor tientallen pokkenformules die werden ontwikkeld als onderdeel van het biologische wapenprogramma van de Sovjets. De effectiviteit van deze wapens was door de jaren heen exponentieel toegenomen, aangezien niemand meer tegen het pokkenvirus werd ingeënt sinds het wereldwijd was uitgeroeid.

'En ik neem aan dat je hier niets van kunt bewijzen,' zei Spartak.

Danny had daarover nagedacht, en of hij de huidige Russische regering, de Amerikanen, Chinezen, India en ook de Britten moest waarschuwen. Maar wie zou hem geloven?

'Als ik al iemand bereid zou vinden om te luisteren,' zei hij. 'Wat niet het geval is.'

'En je kunt ook niet de vrienden van Zykov vertellen dat Glinka achter hen en wat zij bezitten, aanzit.'

'Die kennen we niet eens.'

Spartak hief zijn handen ten hemel, radeloos. 'Maar dan zijn we compleet genaaid, vriend.'

'Dat zouden we zijn...' Danny wroette in een zak van zijn spijkerbroek en haalde er een zwarte geheugenstick uit, dezelfde die ze vijf dagen geleden voor hem hadden achtergelaten, om de nek van de dode kolonel.

Spartaks halfdichte ogen vernauwden zich tot spleten. 'Wat is dat?'

Danny gaf hem de stick. Hij zag er onbelangrijk uit, als een twijgje in Spartaks grote hand toen hij het langzaam omdraaide.

'Dat is de stick die ik van de Kid heb gekregen,' zei Danny. 'Die hij wilde gebruiken om mij zover te krijgen dat ik zou inbreken bij de ambassade voordat ze Lexie hadden gekidnapt. De stick waar volgens hem niks nuttigs op stond.' Hij zweeg even. 'Maar nu wel.'

Spartak glimlachte traag. 'Heb jij de data gestolen...'

'Gekopieerd,' zei Danny. 'Ik wist dat ze zouden checken of alles wel op de telefoon stond. Maar terwijl ik nog in het kantoor van de kolonel was, kopieerde ik, voordat de worm zijn werk zou doen, het bestand direct van zijn computer naar deze USB-stick. Daarna heb ik de stick in mijn schoen gestopt.'

Spartak kuste de stick. Hij klemde er zijn vuist strak om heen. 'Dus wij weten nu wat zij weten...'

'Wat ze nu proberen te stelen. En waar ze het zullen proberen te stelen...'

'Eh, laat me raden,' zei Spartak, terwijl hij zijn vuist opendeed en Danny de geheugenstick teruggaf, 'een aantal van deze zeer gevaarlijke en onbetaalbare biologische wapens zijn in Rusland... en daarom heb je mij ingeschakeld.'

'En ook omdat ik je miste.'

'Maar natuurlijk... jij bent ook maar een mens,' zei Spartak schouderophalend.

Danny glimlachte. Al was hij op dat moment niet echt blij. Alleen maar zenuwachtig. Spartak had ook een gezin. Hij had alle recht zich hieruit terug te trekken. Danny keek en wachtte, terwijl de Rus naar buiten staarde en alles wat hij had gehoord verwerkte en overdacht.

'Ik heb de Kid nooit zo gemogen,' zei hij eindelijk. 'Hij was slonzig. Had geen gevoel voor stijl. Ik beschouw het als een voorrecht en een genoegen om hem te pakken.'

Danny keek opgewonden op. 'Dus je doet mee?'

'Maar natuurlijk. We gaan ze samen zoeken. Vertrouw me maar, Danny boy,' zei hij, 'wij zullen deze vuile schoften laten boeten.' Hij sloeg zijn handen in elkaar, alsof hij zijn beslissing in zijn hoofd bezegelde. 'En ondertussen,' zei hij, 'moeten we ervoor zorgen dat jij uit handen blijft van MI5, de CIA, de FSB en welke andere achterlijke geheime dienst ook die jou aan de schandpaal wil nagelen.' Alweer die brede, wolfachtige lach. 'Maar dat stelt voor mannen zoals wij geen klote voor, denk je wel? Om jouw naam voor eens en altijd te zuiveren.'

'Dank je wel.' Danny kreeg een brok in zijn keel. Omdat Spartak hier was en bereid was hem te helpen. Nu wist hij dat ze konden terugvechten. 'Je zult wel dorst hebben na zo'n lange reis,' zei hij. 'Ik heb een fles wodka voor je in de vriezer gelegd.'

Spartak trok onderzoekend zijn dikke, donkere wenkbrauwen op naar Danny.

'Sorry, ik heb geen Diaka,' zei Danny. De wereldberoemde wodka die hij laatst op het bureau van kolonel Zykov had zien staan. 'Vreemd genoeg hebben ze dat merk niet op voorraad in de dorpswinkel.' Hij negeerde Spartaks overdreven teleurgestelde blik. 'Maar ik kon nog wel aan een fles Stolichnaya komen, dat maakt weer een hoop goed, toch?'

Spartak grinnikte. 'Een uitstekende keuze.'

Danny hoorde muziek. Hij draaide zich om en keek uit het open raam naar Lexie. Ze zat fluitend te tekenen. Zijn borst vulde zich met pijn en hij voelde een steek van verdriet. Hij herkende de oude melodie: 'Lullaby of Birdland'. Sally's lievelingsliedje. Ze had het Lexie en Jonathan geleerd. Op vakanties zongen ze het met zijn vieren in hun oude Chevrolet Sedan.

'Ik ben zo terug,' zei Danny.

Buiten sloeg het weer om. Een kille wind was opgestoken. Donkere wolken raasden langs de hemel. Er stak een storm op in het oosten.

Danny luisterde naar het lied dat Lexie floot. Hij keek naar haar, terwijl ze tekende. Hij dacht aan wat voorbij was en wat komen ging.

Ik zal er zijn. Niets kan me weerhouden.

'Pap,' zei ze, toen ze hem zag staan. 'Het is af. Kom eens kijken.'

Dankwoord

Veel dank aan James Gurbutt, mijn geweldige redacteur, voor de beste e-mail die ik het afgelopen jaar heb ontvangen. Dank ook aan Rob Nichols voor de vele slimme suggesties. En aan Jonny Geller van Curtis Brown, die me als altijd achter de vodden zat. Mijn grote dank gaat uit naar Kevin Whelan voor zijn kundigheid op het gebied van militaire en technologische zaken. Van elk gesprek met hem steek ik iets op.

Bij Uitgeverij XL zijn o.a. verkrijgbaar:

René Appel	Van twee kanten
Pieter Aspe	Postscriptum
Marjan Berk	Het schreien niet verleerd
Amanda Brookfield	Huizenruil
Dan Brown	Het verloren symbool
Philippe Claudel	Alles waar ik spijt van heb
Michael Connelly	Betonblond
Patricia Cornwell	De Scarpetta factor
Nicholas Evans	De vergeving
Joy Fielding	Vermoorde onschuld
Jonathan Franzen	Vrijheid
Nicci French	Blauwe maandag
Elizabeth George	Lichaam van de dood
Esther Gerritsen	Superduif
John Grisham	De belofte
Faye Kellerman	De blinde man
Herman Koch	Zomerhuis met zwembad
Judith Lennox	De Italiaanse minnaar
Vonne van der Meer	De vrouw met de sleutel
Christian Moerk	Darling Jim
Santa Montefiore	Villa Magdalena
Ruth Rendell	Slapende honden
Jan Siebelink	Het lichaam van Clara
Franca Treur	Dorsvloer vol confetti
Suzanne Vermeer	Bella Italia

Een actueel overzicht vindt u op onze website.
U kunt online bestellen: www.uitgeverijxl.nl